P9-CJC-919

LETTRES PORTUGAISES, LETTRES D'UNE PÉRUVIENNE, ET AUTRES ROMANS D'AMOUR PAR LETTRES

Publié avec le concours
du Centre National des Lettres

LETTRES PORTUGAISES, LETTRES D'UNE PÉRUVIENNE ET AUTRES ROMANS D'AMOUR PAR LETTRES

Textes établis, présentés et annotés
par
Bernard BRAY
et
Isabelle LANDY-HOUILLON

GF Flammarion

ISBN : 978-2-0807-0379-8

CHRONOLOGIE

Cette chronologie fournit les dates des principaux recueils, traités, « secrétaires », romans (entièrement ou partiellement épistolaires), pastiches et remaniements, et même de quelques correspondances authentiques, qui dessinent l'histoire de la lettre amoureuse classique, et permettent par comparaison de mieux saisir la valeur et l'originalité des cinq textes édités dans le présent volume. Bien que ces ouvrages appartiennent à des genres divers, leur liste constitue un indispensable réseau de références.

20 av. J.-C. — 8 apr. J.-C. : Ovide, *Héroïdes* (ou *Épîtres héroïques*).

— id. : Aulus Sabinus, Réponses (perdues) à quelques poèmes du recueil d'Ovide.

XIIe siècle : Héloïse et Abélard, Correspondance (le plus ancien manuscrit connu date de la fin du XIIIe siècle).

1445 : Piccolomini, Æneas Sylvius, *Historia de duobus amantibus* (roman partiellement épistolaire).

1480 : Angelus de Curibus Sabinis, dit A. Sabinus, Trois épîtres héroïques (composés en 1468, ces poèmes latins inaugurent le genre des « réponses » masculines apocryphes. Ils ont été longtemps attribués à l'ami d'Ovide : voir plus haut).

1493 : Saint-Gelais, Octovien de, *L'Histoire de Eurialus et Lucresse, vrais amoureux, selon pape Pie* (traduction du roman latin de Piccolomini).

1519 (vers) : Marot, Clément, *Épître de Maguelonne à son ami Pierre de Provence.*

1530 (vers) : Barrouso, Christophe de, *Le Jardin amoureux, contenant toutes les règles d'amours, avec plusieurs lettres missives tant de l'amant que de l'amie.*

1538 : Marguerite de Briet, dame de Crenne, *Les Angoisses douloureuses qui procèdent d'amours, composées par dame Hélisenne de Crenne* (roman partiellement épistolaire).

1539 : Herberay des Essarts, Nicolas, *L'Amant mal traité de s'amie* (roman partiellement épistolaire).

1555 : Parabosco, Girolamo, *Lettres amoureuses,* traduites d'italien en français par Philippe Hubert de Villiers.

1555 : Pasquier, Étienne, « Lettres amoureuses », dans : *Recueil des rimes et proses.*

1575 : Du Tronchet, Étienne, *Lettres amoureuses, avec septante sonnets traduits du divin Pétrarque.*

1583 : Du Tronchet, Étienne, « Lettres amoureuses tirées tant de l'italien de Bembe que de plusieurs autres auteurs », dans : *Lettres missives et familières* (réédition augmentée).

1595 : Des Rues, François, *Les Fleurs du bien dire, recueillies ès cabinets des plus rares esprits de ce temps, pour exprimer les passions amoureuses tant de l'un comme de l'autre sexe ; avec un nouveau recueil des traits plus signalés, rédigés en forme de lieux communs, dont on se peut servir en toutes sortes de discours amoureux.*

1602 : Du Périer, Antoine, *Lettres amoureuses.*

1607-1627 : Honoré d'Urfé, *L'Astrée* (contient plus de cent lettres).

1608 : Deimier, Pierre de, *Le Printemps des lettres amoureuses.*

1612 : Deimier, Pierre de, *Lettres amoureuses, non moins pleines de belles conceptions que de beaux dé-*

sirs; ensemble la traduction de toutes les épîtres d'Ovide.

1612 : Rosset, François de, *Lettres amoureuses et morales des beaux esprits de ce temps.*

1619 : Croisilles, Jean-Baptiste, abbé de, *Héroïdes, ou Épîtres amoureuses à l'imitation des épîtres héroïques d'Ovide.*

1623 : Puget de la Serre, Jean, *Réponses aux Épîtres du sieur de Croisilles.*

1629 : Marcassus, Pierre de, *Lettres politiques, morales et amoureuses.*

1635 : Du Boscq, *Nouveau recueil de lettres de dames de ce temps, avec leurs réponses.*

1642 : Tristan L'Hermite, « Lettres amoureuses », dans : *Lettres mêlées.*

1642 : Grenaille, François de, *Nouveau recueil de lettres des dames tant anciennes que modernes* (contient des lettres d'Isabella Andreini, ainsi que la première traduction connue, encore incomplète et peu fidèle, de la correspondance d'Héloïse et Abélard).

1646 : Laugier de Porchères, Honorat, *Les cent lettres d'amour d'Érandre à Cléanthe.*

1650 : Voiture, Vincent, *Œuvres.*

1654 : Cyrano de Bergerac, « Lettres amoureuses », dans : *Œuvres diverses* (autres dans : *Nouvelles œuvres*, 1662).

1664 : Le Pays, René, *Amitiés, amours et amourettes.*

1665 : Bussy-Rabutin, Roger de, *Histoire amoureuse des Gaules* (roman partiellement épistolaire).

1667 : Villedieu, Marie-Catherine Desjardins, dame de, *Lettres et billets galants.*

1668-1671 : La Gravette de Mayolas, *Lettres de Cliante et de Célidie.*

1669 : Boursault, Edme, *Lettres de respect, d'obligation et d'amour.*

1669 : Guilleragues, Gabriel de Lavergne, vicomte de, *Lettres portugaises traduites en français.*

1669 : *Réponses aux Lettres portugaises traduites en français* (Paris) : auteur inconnu.

1669 : *Nouvelles Lettres portugaises* (« Seconde partie ») : auteur inconnu.

1669 : *Réponses* (dites *Nouvelles Réponses*) *aux Lettres portugaises* (Grenoble) : auteur inconnu.

1671 : Sévigné, Mme de, début de sa correspondance avec Mme de Grignan (première édition d'ensemble, très retouchée, 1734-1754).

1676 : Alluis, Jacques, *Les Amours d'Abélard et d'Héloïse.*

1683 : Du Plaisir, *Sentiments sur les lettres et sur l'histoire, avec des scrupules sur le style* (traité critique).

1683 : Fontenelle, *Lettres diverses* (en 1699 : *galantes*) *de M. le Chevalier d'Her***.*

1684 : Scudéry, Mlle de, « Conversation de la manière d'écrire des lettres », dans : *Conversations nouvelles sur divers sujets.*

1689 : Ferrand, Anne Bellinzani, présidente, *Histoire nouvelle des amours de la jeune Bélise et de Cléante.*

1689 : Richelet, Pierre, *Les plus belles lettres des meilleurs auteurs français, avec des notes* (édition originale du recueil ; y figurent seize « Billets d'une amante à son amant »).

1691 : Ferrand, Anne Bellinzani, présidente, *Histoire des amours de Cléante et de Bélise, avec le recueil de ses lettres.*

1693 : Rémond des Cours, Nicolas, *Histoire d'Héloïse et d'Abélard, avec la lettre passionnée qu'elle lui écrivit.*

1697 : Boursault, Edme, *Lettres nouvelles, avec sept lettres amoureuses d'une dame à un cavalier.*

1697 : Bussy-Rabutin. Traduction des lettres d'Héloïse et Abélard, dans : *Les Lettres de messire Roger de Rabutin, comte de Bussy.*

1697 : Charlotte de Silésie, début de sa correspondance avec Louis de Béthune (1697-1700), publiée en 1972 sous le titre *Lettres de la religieuse polonaise.*

1698 : Richelet, Pierre, *Les plus belles lettres françaises sur toutes sortes de sujets, tirées des meilleurs auteurs, avec des notes* (première édition de ce recueil où sont intégrées les *Lettres portugaises,* retouchées).

1699 : Boursault, Edme, *Lettres nouvelles, avec treize lettres amoureuses d'une dame à un cavalier.*

1699 : (Collectif, publié par N.-F. Du Bois), *Recueil de lettres galantes et amoureuses d'Héloïse à Abélard, d'une religieuse portugaise au chevalier ***, avec celles de Cléante et de Bélise, et leur réponse ; le tout nouvellement recueilli et compilé.*

1721 : Montesquieu, *Lettres persanes.*

1724 : Perne, Victoire, marquise de, *Lettres galantes et poésies diverses.*

1732 : Crébillon, Claude Prosper Jolyot de, *Lettres de la marquise de *** au comte de R***.*

1742 : *Pamela, ou la vertu récompensée* (adaptation, sans doute par Aubert de la Chesnaye des Bois, du roman de Richardson paru en 1741).

1747 : Grafigny, Françoise d'Issembourg d'Happoncourt, dame de, *Lettres d'une Péruvienne.*

1747 ? : Première *Suite* du précédent (sept lettres) : auteur inconnu.

1749 : Lamarche-Courmont, Ignace Hugary de, *Lettres d'Aza ou d'un Péruvien* (seconde suite des *Lettres d'une Péruvienne*).

1749 : Vadé, Joseph, *Lettres de la Grenouillère, entre M. Jérôme Dubois pêcheux du Gros-Caillou, et Mademoiselle Nanette Dubut blanchisseuse de linge fin.*

1750 : Damours, Louis, *Lettres de Ninon de Lenclos au marquis de Sévigné* (apocryphes).

1757 : Colardeau, Charles Pierre, *Épîtres amoureuses d'Héloïse à Abélard et d'Armide à Renaud.*

1757 : Riccoboni, Marie-Jeanne Laboras de Mézières, dame, *Lettres de Mistriss Fanni Butlerd.*

1759 : Ol***, Mlle d' (Ximenes, A. L., marquis de), *Lettres portugaises en vers.*

1761 : Rousseau, Jean-Jacques, *Julie ou la Nouvelle Héloïse, Lettres de deux amants habitants d'une petite ville au pied des Alpes.*

1764 : Dorat, Claude Joseph, *Lettres en vers, ou Épîtres héroïques et amoureuses.*

1768 : Crébillon, Claude Prosper Jolyot de, *Lettres de la duchesse de *** au duc de ***.*

1770 : Dorat, Claude Joseph, *Lettres d'une chanoinesse de Lisbonne à Melcour, officier français.*

1771 : Crébillon, Claude Prosper Jolyot de, *Lettres athéniennes, extraites du portefeuille d'Alcibiade.*

1773 : Lespinasse, Julie de, début de sa correspondance avec le comte de Guibert (1773-1776) ; première édition de ses *Lettres* en 1809.

1777 : (Collectif, publié par Cailleau, André Charles), *Lettres et épîtres amoureuses d'Héloïse et d'Abélard.*

1778 : Restif de la Bretonne, Nicolas-Edme, *Le Nouvel Abélard, ou Lettres de deux amants qui ne se sont jamais vus.*

1782 : Choderlos de Laclos, Pierre, *Les Liaisons dangereuses, ou Lettres recueillies dans une société et publiées pour l'instruction de quelques autres.*

1787 : Aïssé, Mlle, *Lettres de Mlle Aïssé à Mme C***.*

1797 : Morel de Vindé, Mme, *Suite* (troisième) des *Lettres d'une Péruvienne* (quinze lettres).

INTRODUCTION

« De tout temps on a écrit et répondu » : Mlle de Scudéry savait bien que la lettre d'amour est presque aussi vieille que l'amour. Des *Héroïdes* d'Ovide aux *Biftons de prison* d'Albertine Sarrazin, des *Fleurs du bien dire* aux modernes *Secrétaires des Amants,* se dessine la continuité d'un besoin de dire — et de bien dire — l'amour à l'autre. Or pour conserver le souvenir des « plus secrets mouvements du cœur » et en offrir l'hommage à l'absent, quel est l'équipage nécessaire ? Tout le monde s'accorde pour répondre avec Bussy : « Ayez et soie et plume et cire, De bonne encre et de bon papier »...

L'amour ne change guère ; « tous les amours qu'on peut voir ici-bas naissent, vivent et meurent ou s'élèvent à l'immortalité selon les mêmes lois », dit Stendhal. « Une des grandes banalités de l'existence », que chacun vit pourtant avec le sentiment de l'exceptionnel, même si les moralistes, en soulignant son universalité, ont implicitement noté l'aspect négligeable et ténu de ses « mille copies infiniment variées ». C'est toujours l'amour que l'on voit sous des formes différentes, et les pseudo-éditeurs du XVIIIe siècle s'excusent déjà auprès de leurs lecteurs de l'uniformité du fond à laquelle répond l'uniformité de la forme ; si « l'on aime plus que tout le monde n'a accoutumé d'aimer, on ne saurait le dire que comme tout le monde le dit » : Bussy feint de s'en désespérer, Furetière s'en amuse et vante, dans le *Roman bourgeois,* les mérites d'un « etc. » qui dispenserait d'écrire la suite d'un refrain aussi rebattu...

Cris d'amour répétés de siècle en siècle, ils renvoient

ceux qui les profèrent à la grande fraternité des amants inconnus et blessés : l'exilé de Tomes aurait sans doute retrouvé ses créatures dans l'Hermione de Racine comme dans Mariane, la « religieuse portugaise » ; la Julie de Rousseau ne refuse pas le patronage d'Héloïse, l'épouse mal-aimée d'Abélard, et certaine héroïne de Montherlant s'attire impitoyablement une comparaison désobligeante avec Mlle de Lespinasse.

Toutefois la lettre amoureuse, comme toute production de l'esprit, ne saurait échapper à la solidarité historique ni se dissocier des faits de civilisation qui affectent différemment le vécu, la représentation et l'expression de l'amour.

« Tout doit passer au labyrinthe des phrases, c'est la loi de la culture occidentale », rappelle un critique moderne. A l'époque classique, on est tenté de penser que c'est même là un trait spécifique de notre rituel amoureux ; l'amour français est bavard. Saint-Évremond le note de Londres : « la galanterie exige qu'on parle mille fois d'une passion qu'on a ou qu'on n'a pas » ; les étrangers, la Péruvienne Zilia ou Saint-Preux le Suisse en sont frappés : « [les Français] appuient leurs protestations d'amour et d'amitié de tant de termes inutiles que l'on n'y reconnaît point le sentiment » (Grafigny). Grammairiens et mondains, plus chauvins que réellement comparatistes, cherchent à comprendre : la liberté dans laquelle vivent les femmes de France explique cet art de la parole presque inconnu aux autres peuples. S'étant fait « de leur vertu et de leur cœur un rempart plus fort [...] que toute la vigilance des duègnes », les femmes se doivent donc d'être « attaquées » par les « formes » (Huet) et les hommes ont employé tout leur soin et tout leur art dans la tendre et amoureuse expression des sentiments. Or, après 1650 et mieux encore autour de 1670, la langue française parvenue à ce point de perfection qui la fait, plus que l'espagnole ou l'italienne, également noble et délicate, offre le plus subtil des instruments à ceux qui « la savent assez pour lui faire dire tout ce qu'ils veulent » (Bouhours) ; et si la lettre d'amour exige galanterie, politesse et passion, on peut affirmer avec Du Plaisir qu'« il n'est point de nation où l'on puisse écrire une lettre avec autant de justesse qu'en France», d'autant que «l'on ne peut manquer de mieux écrire où l'on parle mieux». Comment s'étonner alors qu'au siècle du beau langage, «faire l'amour» signifie le plus souvent le parler ou l'écrire, la valeur euphémique [1] du tour notant spécialement, à en croire le peu galant Furetière, les «galanteries illicites des femmes».

C'est pourtant la parole féminine, romanesque et foisonnante, qui devait consigner le plus nettement l'écroulement du vieil idéal courtois consacrant le «parfait amour» et représenté par *L'Astrée ;* au modèle de l'amour tendre, nourri de métaphysique néo-platonicienne et de pétrarquisme, dont les préceptes, à la fois mystiques et héroïques, assuraient la réalisation totale de l'être dans l'harmonieuse alliance de l'entendement, de la volonté et des sens, se substitue, dans les vingt années qui précèdent *La Princesse de Clèves,* une conception plus pessimiste de l'amour dont l'image désabusée, alimentée par la méditation religieuse et philosophique, pèse désormais sur la jeune Cour, sceptique et galante. C'est la fin de la période où «l'honnête amitié» de Mlle de Scudéry maintenait, avec une conception aristocratique de l'amour, l'universalité d'un rituel et d'un langage en accord avec la célébration — toute littéraire et mondaine — de la Femme, souveraine de son esclave-amant. Le nouvel amour est maladie; il apporte des «désordres» déjà pris en compte par les précurseurs du psychosomatisme. Même la Vénus qui surgit des cintres de l'opéra appartient à l'Enfer tout autant qu'au Ciel. «S'ils vécurent bien ou mal ensemble, vous le pourrez voir quelque jour si la mode vient d'écrire la vie des femmes mariées», écrit Furetière dans le *Roman bourgeois :* la mode en est venue; la femme est mariée à un médiocre — ou à Dieu — et si l'amour survient, il est impossible. Mariane désolée jettera sa grande ombre sur tout le XVIIIe siècle et le

1. Valeur déjà consignée et historiquement justifiée par Marot au XVIe siècle (voir Claude Duneton, *La Puce à l'oreille,* Paris, Stock, 1978, p. 52).

renouveau « précieux », après la mort du vieux roi dans sa cour austère, ne ressuscitera pas les enthousiasmes de Sapho. Hylas réhabilité remplace « feu Céladon », la passion se heurte au goût, la « liste » du roué ou le « catalogue » de Don Giovanni prolongent l'inconstance de Don Juan : en 1768, la « duchesse » de Crébillon est aussi brisée que la princesse de Clèves, et le repos tant vanté en 1749 par la Zilia des *Péruviennes* rappelle de bien près, malgré des élans rousseauistes, la grisaille augustinienne de Mme de La Fayette.

Pourtant, en ce tournant crucial du XVIIe siècle, alors qu'elle semble avoir définitivement perdu sa gloire de la période courtoise, la femme, ange déchu malgré soi, retrouve, non plus à travers la mythologie littéraire de l'époque, mais par la pratique effective d'une certaine littérature, une primauté incontestée qui n'est plus celle de l'amour.

Cette revanche lui est volontiers concédée car la lettre, et principalement la lettre amoureuse, comme le roman qui la codifie, est un « genre » mineur, marginal sinon méprisé, sans frontières bien nettes, vivant à l'écart des règles et des doctes, qui n'appartient pas au domaine étroitement circonscrit des arts poétiques et que l'on peut sans trop de conséquence abandonner au « triomphe du sexe ».

Du reste ne sont en cause que les femmes généralement bien nées, bien apprises et bien pourvues de cette forme d'intelligence intuitive qui sait donner du piquant à la conversation et de la pénétration à la lettre : lorsque Richardson nous montre Paméla, une fille pauvre, devant son écritoire, il a pensé à lui faire donner auparavant une éducation soignée, et Zilia de même, toute sauvage qu'elle est, a vu « son entendement s'orner des sublimes connaissances » par les soins de son royal amant : vraisemblance oblige ! Mais tous — même les antiféministes — s'accordent à reconnaître que les femmes, autodidactes ou non, sont particulièrement douées pour l'art de la correspondance. Ce qu'affirme Bouhours de la conversation des femmes (françaises !) :

> Les mots dont elles se servent semblent tout neufs et faits exprès pour ce qu'elles disent et si la nature même voulait parler, je crois qu'elle emprunterait leur langue pour parler naïvement

est repris par La Bruyère à propos de la lettre qui n'est qu'une « conversation entre absents » :

> Ce sexe va plus loin que le nôtre dans ce genre d'écrire [...] elles sont heureuses dans le choix des termes qu'elles placent si juste, que tout connus qu'ils sont, ils ont le charme de la nouveauté, semblent être faits seulement pour l'usage où elles le mettent ; il n'appartient qu'à elles de faire lire dans un seul mot tout un sentiment.

Ainsi, dans une société qui lui refuse la condition d'écrivain, l'élite intellectuelle féminine trouve dans la pratique épistolaire un compromis entre l'effacement propre à son sexe et la disposition qu'il a à dire « les plus tendres sentiments du cœur ». En effet, par leur conformation spécifique, que se plaît à reconnaître tout un courant médical et sentimental de l'époque, les femmes semblent au plus près de la nature et de la vie immédiate, promptes, grâce aux courtes oscillations de leurs fibres cérébrales [1], à enregistrer fidèlement les mouvements les plus subtils de la sensibilité que recueille précieusement le feuillet ; la lettre, abolissant toute distance entre l'héroïne et la narratrice, est le prolongement de la personne ; écrite dans le secret du cabinet « pendant que les impressions que chaque circonstance [...] doit faire sont encore fraîches » (Richardson), cachée furtivement dans les plis de la robe, elle représente l'activité vitale de « qui rend compte à soi-même de sa situation actuelle ». Dans ses *Réflexions sur les Lettres persanes,* Montesquieu a bien vu que ce mode d'écriture « fait plus sentir les passions que tous les récits qu'on en pourrait faire » et il aurait pu ajouter, comme Mme Suard un peu plus tard, qu'il permet, mieux que d'autres, de « faire passer son sentiment dans d'autres hommes ».

Ainsi, monde intérieur « commenté » et non « raconté », mode d'expression essentiellement transitif puisqu'il s'adresse « à ceux qui ont droit de connaître les pensées

1. Voir l'article « Fibre » dans *L'Encyclopédie*, Éd. de 1761 et 1777.

les plus secrètes de celle qui les écrit» (Richardson), tel serait donc le domaine d'élection des femmes en littérature.

Pourtant, le petit ouvrage paru chez Barbin en 1669 et qui cristallise sur ce point toutes les tendances de l'époque fut le fait d'un homme, Guilleragues, mais qui montrait «comment pouvait écrire une femme prévenue d'une forte passion». C'est ce qu'on attendait. En un temps où se pratiquait le pillage souvent payant des lettres d'amour, l'ami de Racine savait bien que «tous ceux qui se connaissent en sentiments» rechercheraient avec empressement les lettres qu'il se décidait à «rendre publiques». On ne rapportera pas ici la longue curiosité des lecteurs qui ne renoncèrent pas durant trois siècles à retrouver les traces de Mariane et de son amant. La publication presque immédiate d'une «seconde partie» et vingt et une éditions de 1669 à 1675 témoignent suffisamment d'une sensibilité nouvelle à ce qu'on croit être l'expression sincère d'un amour passionné. Dans la littérature romanesque et critique d'alors, c'est un lieu commun que de définir l'originalité distinctive des lettres *d'amour;* celles-ci, «qu'on n'écrit que pour les cacher», répugnent à tout ce qui faisait le charme des lettres *galantes,* esprit sous toutes ses formes, badinage, imagination libérée, agréables folies mêlées aux choses sérieuses, railleries ingénieuses, et surtout répertoire éprouvé d'images et de figures constitutives d'un code linguistique et mondain pour lequel la sincérité n'est plus un critère pertinent: «Je ne m'amuserai point à des louanges générales aussi vieilles que les siècles», écrit Saint-Évremond, «le soleil ne me fournira point de comparaison pour vos yeux ni les fleurs pour votre teint [...]» La rhétorique galante se prête uniquement au déguisement de l'amour dont l'expression ne correspond plus aux sentiments qu'elle est censée signifier. C'est pourquoi vont se trouver reniés les stéréotypes légués par l'héritage humaniste, et banni un langage artificiel qui paradoxalement était devenu le plus spontané quand il s'agissait de parler d'amour.

D'autre part, la recherche de la vérité éloigne de la

vraisemblance et fait rencontrer l'extraordinaire, libéré des normes contraignantes propres à la fiction romanesque. Le vraisemblable, qui consistait à « ne dire que ce qui est moralement croyable » (Du Plaisir), devient simplement la conformité de l'œuvre avec la réalité extérieure. « Quelque jour, je vous conterai des choses qu'on ne trouve point dans les romans de Prévost ni de Richardson » : la vie de Mlle de Lespinasse, vécue comme un roman, passée dans ses lettres, « prouvera que le vrai n'est souvent pas vraisemblable » et que « pour faire vrai » le roman devra désormais s'écrire « par lettres ». Dans le roman épistolaire en effet, « l'auteur ne se montre jamais ; on ne soupçonne pas même qu'il en est un. On est persuadé que ce n'est qu'un recueil de lettres qu'on n'a pas même retranchées » (Marmontel). « Je ne sais point le nom de celui auquel on les a écrites, ni de celui qui en a fait la traduction », dit l'avis « Au lecteur » des *Portugaises ;* ainsi s'amorce ce jeu de trompe-l'œil auquel vont se prêter avec ravissement pseudo-éditeurs, traducteurs, collecteurs — et lecteurs — tous également épris d'« authenticité ». Un siècle plus tard, la « Préface du rédacteur » des *Liaisons dangereuses* ne dirait pas autre chose sur sa modeste contribution à l'établissement du texte, si l'« Avertissement de l'éditeur » qui la précède ne se chargeait de lever le coin du rideau.

Mais avant d'en arriver à une telle dérision du procédé par le retournement du texte sur lui-même, avant même que Rousseau ne réponde avec désinvolture à la question cruciale posée dans la seconde *Préface* de la *Nouvelle Héloïse :* « cette correspondance est-elle réelle ou si c'est une fiction ? », les recueils sont innombrables qui jouent la comédie de l'authentique avec tous les dosages possibles dans la duplicité des présentations. Boursault, rappelant dans une préface « qu'on lira si l'on veut » l'histoire de la quête des lettres qu'il publie, se présente comme éditeur-héros et ne laisse aucun doute sur la nature de son texte. Il est vrai que la façon dont il l'authentifie est assez convaincante : l'exactitude des lieux, le rappel d'événements littéraires contemporains et surtout l'intrusion de Boursault créateur qui, dans une étonnante mise en abyme (lettre

XII), plaide pour la vraisemblance au théâtre et oppose un démenti naïf au futur *Paradoxe du Comédien,* tout cela est bien fait pour entraîner l'adhésion du lecteur. A l'opposé, les *Lettres de la Grenouillère,* léguées « après le mariage des amants à Madame Dubut la mère » ne trompent personne. Crébillon de son côté, sous le couvert d'une préface qui risque bien d'échapper au lecteur trop pressé, se livre à une (auto-) critique stylistique des *Lettre de la Duchesse,* ce qui lui permet d'affirmer encore plus librement : « Encore une fois, ce livre n'est pas un roman. » Ou bien « il n'y a rien du roman que le nom », et c'est le cas étrangement équivoque des *Lettres* de la présidente Ferrand, publiées dans l'édition originale de 1691 sous un double titre encadrant l'« Avis au lecteur » : *Histoire des amours de Cléante et Bélise avec le recueil de ses lettres,* et *Lettres galantes de Mme* ****. Les lettres, appendice documentaire au roman paru deux ans plus tôt, oscillent donc curieusement entre la fiction romanesque, la fiction de l'authentique, et probablement l'authentique : « Bélise » cache mal, c'est vrai, Bellinzani, le nom de l'épistolière. En tout état de cause, les astérisques font partie de l'arsenal typographique indispensable à la garantie de l'anonymat, toujours souhaité par un éditeur délicat : « Cette mutilation est toujours désagréable au lecteur », mais « nous avons cru ne devoir pas y remédier » (Crébillon) afin de ménager les susceptibilités encore trop vives. Si la banalité littéraire des « Cléante » et des « Bélise » dénonce la fiction, l'absence totale d'identité signifie au contraire le vrai. Entre les deux, le XIXe siècle introduira le nom propre.

Il est évident que cette opposition littéraire /non littéraire, ou, si l'on veut, discours romanesque normalisé/ discours épistolaire libéré n'a de sens qu'à l'intérieur d'un système de valeurs déterminé, ordonné par la conscience culturelle dominante de l'époque qui, à un moment donné, privilégie le statut d'authenticité. En dehors de ce système peut en exister un autre, de valeurs différentes, qui vient parfois interférer avec le premier ; c'est ainsi que les *Portugaises,* l'un des textes qui ait su le plus longtemps conserver son énigme, se voient à partir de 1698 « récupérées » par le grammairien Richelet dans son recueil *Les plus belles lettres françaises sur toutes sortes de sujets, tirées des meilleurs auteurs, avec des notes,* recueil de modèles épistolaires à la façon des anciens « secrétaires » ; on voit alors comment les importantes corrections imposées au texte « original », la désintégration de l'ensemble « romanesque » en cinq lettres autonomes adressées à des destinataires différents et le souci constant de normalisation dans la forme comme dans le fond parviennent à faire entrer un texte ambivalent dans le domaine non équivoque de la littérature didactique et morale.

Ce changement de statut devait être encore plus symbolique pour les *Portugaises* qu'il ne l'avait été pour deux lettres authentiques d'Héloïse jointes à deux lettres fictives, toutes les quatre insérées dans le recueil de Grenaille en 1642. En effet, la lettre passionnée dont on connaissait désormais l'archétype pouvait alors recevoir un nom et justifiait pleinement, bien qu'après coup, la création d'une antonomase déjà en circulation dans le langage courant depuis plus de vingt ans. Dès 1671 en effet, Mme de Sévigné parlait d'une *portugaise,* sans majuscule, désignant ainsi plaisamment une lettre « tendre » où l'on parle de son cœur à toutes les lignes, où transparaît « une folie, une passion que rien ne peut excuser que l'amour même ». Un siècle plus tard, Mme du Deffand et Walpole ne cèdent à leur mutuelle agressivité que sous la « menace d'une portugaise », « ténébreuse » et « ridicule » missive aux « emportements indécents ». Qu'importe, le lexique l'a adoptée.

Référence ou repoussoir, les *Lettres portugaises* représentent l'achèvement d'une forme, lentement élaborée depuis les *Héroïdes* d'Ovide et jamais parfaitement reproduite par la suite.

Le modèle portugais offre tout d'abord la peinture typique de la femme abandonnée, livrée au seul recours de la lettre. L'éloignement, l'étirement de l'espace et du temps, comme ils justifient la situation épistolaire, symbolisent aussi l'isolement moral, la rupture, l'abandon. La lettre est une « manière de vous trouver moins absent » ou « un peu plus présent », une façon « de jouir d'une intimité imaginée, écrite, gagnée de haute lutte par toutes les forces de l'âme » (Kafka). Elle est une tentative pour combler le vide, entretenir ou tenter un dialogue, endormir la douleur, survivre — ou mourir d'absence. Où est le badinage de Voiture : « Personne n'est encore mort de votre absence hormis moi » ? L'absence est « le plus grand des maux », le départ a réalisé ce déchirement insoutenable : « Nous allons pourtant nous faire cela, nous séparer de nos vies », partir non pas d'ici, d'un lieu, mais « partir de vous » (M. Duras), se « partager » de l'autre partie de l'androgyne que nous formions. En ces « terribles jours qui ouvrent l'absence », celle qui reste (Mariane ou Mme de Sévigné [1]) sent « qu'on lui arrache le cœur et l'âme », ou pressent « ce qui arrive dans la séparation de l'âme et du corps » ; déjà plane, avec le dégoût de la vie, l'image libératrice de la mort : « Je ne vis plus quand je ne suis plus avec vous », « il n'y a que la mort qui puisse me délivrer du malheur de votre absence », cette mort qui aurait déjà dû frapper : « si je l'eusse crue (votre absence) aussi longue que je vois présentement qu'elle le doit être, je serais morte à vos yeux et vous ne m'auriez point vue survivre à nos derniers adieux » (Ferrand). La femme abandonnée, « en souffrance », se heurte sans cesse à l'abominable évidence du vide, à la privation, trois fois évoquée en quelques lignes dans l'ouverture des *Portugaises*. « Mes yeux qui vous ont tant rencontré [...] ne vous trouvent plus », ou plutôt à la place « ils trouvent partout votre absence » (Crébillon), ce que dans les *Lettres de la Grenouillère* Nanette Dubut appelle naïvement mais non sans vérité « l'absence de votre présence », c'est-à-dire « la présence d'un grand mal » *(Fleurs du bien dire)*.

Traditionnellement, « l'absence amoureuse va seulement dans un sens et ne peut se dire qu'à partir de qui reste — et non de qui part » (Barthes). La formule tant de fois et si diversement modulée « je souffre, je vous aime et je vous attends » (Lespinasse) procède de l'attente des femmes, celles qui guettent le retour du héros couvert de

1. Souvent évoquée par le roman épistolaire du XVIIIe siècle, par exemple dans les *Lettres de Mistriss Fanni Butlerd* (Mme Riccoboni).

trophées — ou de l'amant volage. Ce n'est que chez Monteverdi que la « lettera amorosa » peut se faire chanter indifféremment par un homme ou par une femme. La lettre d'amour, tout au moins de type « portugais », ne peut être que féminine, même sous la plume d'un homme.

Du reste, elle n'est jamais unique, comme l'était l'héroïde, réduite à une seule manifestation épistolaire ; il s'agit de plusieurs lettres, échelonnées dans le temps, à travers lesquelles peut se faire jour, comme nous le verrons plus loin, une progression dramatique ; il y a là une précieuse ressource, inconnue du modèle antique qui offrait avant tout une vue rétrospective sur un passé heureux mais révolu. De plus elles ne sont jamais adressées qu'à un seul destinataire, l'amant ; c'est le cas dans notre recueil, outre les *Portugaises,* des *Lettres* de la présidente Ferrand et des *Péruviennes* (mises à part les cinq dernières adressées au Français Déterville) : formule dépouillée, redoutable par son dénuement qui risque de convertir la monodie en une indigente monotonie pressentie par les épistolières elles-mêmes : « je n'ai qu'un ton, qu'une couleur, qu'une manière », « toutes mes pensées sont sur le même ton ». La multiplicité des destinataires impliquerait au contraire des modifications de style et de comportement : le même événement, transmis par une seule rédactrice, est rendu différemment en fonction de l'attente du lecteur. Rien de tel ici, rien de ce qui serait déjà une ébauche de polyphonie dans ce tête-à-tête à distance.

Mais il y a plus encore car le destinataire de la lettre « portugaise » ne répond pas, ou plutôt, s'il lui arrive de répondre une fois, cette lettre n'est pas insérée dans l'ensemble épistolaire : souci d'unité formelle sans doute, mais surtout absence symbolique, pour une démarche qui ne saurait en quoi que ce soit modifier le cours des événements ; ainsi entre ses lettres IV et V, Mariane a reçu un message de l'officier (on n'ose dire une « réponse »), mais on n'en apprend l'existence que par le « récit » de la narratrice : « Vos impertinentes protestations d'amitié et les civilités ridicules de votre dernière lettre [...] » ; non seulement elle n'a aucune efficacité pour le rétablissement du lien amoureux mais elle précipite même le dénouement en confirmant définitivement la vanité de l'échange : « Je vous écris pour la dernière fois » « je vous conjure de ne m'écrire plus. » Zilia également, entre les lettres I et II, reçoit bien « les plaisirs divins » d'une réponse d'Aza mais celle-ci, en attestant la survie de l'amant, permet simplement la poursuite du monologue durant les trente-cinq lettres suivantes.

Le cas est donc très différent du dialogue effectif d'Abélard et Héloïse, Babet et son ami, Jérôme Dubois et Nanette Dubut, dont les deux voix nous sont intégralement restituées. De plus le dialogue suppose des partenaires sinon d'égale force, tout au moins doués d'une consistance et d'une complexité psychologiques suffisantes pour soutenir la joute épistolaire où excelle, comme on sait, une personnalité aussi impérieuse qu'Abélard. Dans le type portugais au contraire, l'amant est évanescent, lointain; il se définit surtout négativement comme l'anonyme, l'interchangeable, qui pourra aimer indifféremment Mariane, « Bélise », une marquise, une duchesse, une Espagnole ou une Péruvienne sans en aimer aucune; homme à bonnes fortunes, on devine qu'il publie et divulgue ses amours, comme s'en plaignait Hélisenne de Crenne, comme l'en accuse la présidente Ferrand : « J'ai lieu de vous croire indiscret; par là je ne doute pas que vous ne me soyez infidèle. » La littérature du XVIIIe siècle a prononcé de nombreux réquisitoires contre l'amant coupable, mais ce faux héros, vilipendé par l'assemblée des femmes dans le *Cabinet du Philosophe* de Marivaux, démasqué par Mme de Selve dans les *Confessions du Comte de* *** de Duclos, est souvent présenté comme la victime d'une société dépravée qui relègue « le mot d'amour avec ceux de chaîne et de flamme dans les romans qu'on ne lit plus » (Rousseau) :

> Son libertinage [...] le rend illustre [...] Où est-il ? se dit-on ; il vient de paraître; tenez, le voilà (Marivaux).
> L'éducation lui rend l'infidélité nécessaire [...], le préjugé l'encourage à l'infidélité (Laclos).

Au contraire dans le type portugais, l'amant n'est pas devenu autre que ce qu'il est essentiellement, « la société ne lui a pas donné un être différent du sien » : sa vraie nature est l'inconstance, ou du moins une incapacité qu'il partage avec tout son sexe de pouvoir se mettre « à l'unisson de notre cœur ». « Vous ne savez point aimer », « ce qu'il aurait fallu pour remplir mes désirs passait la portée de vos sentiments, votre cœur est bien inférieur à la sensibilité du mien », note la présidente Ferrand ; « vous n'êtes guère capable d'un grand entêtement », écrit Mariane et elle évoque « mille mouvements et mille incertitudes *que vous ne connaissez pas* ». Stendhal retiendra la formule en s'adressant dans la seconde Préface de *De l'amour* aux happy few qui ont été dans leur vie six mois malheureux par amour ; pour les autres, son livre leur fera seulement « soupçonner qu'il existe un certain bonheur qu'[ils] ne connaisse[nt] pas et que connaissait Mlle de Lespinasse » — ou la Portugaise ou quelqu'une de ses sœurs. L'amour lui-même n'est pas en cause ; la plus tendre et la plus passionnée maîtresse du monde ne hait point l'amour, elle ne « hait que vous » (Mme Riccoboni) qui « ne sentez pas l'absence aussi cruellement que moi ». Entre ce goût exclusif qui caractérise l'amour et une « préférence », quel dialogue possible ? « Et n'allez pas croire que des exceptions plus ou moins nombreuses [...] puissent s'opposer avec succès à ces vérités générales » (Laclos) ; ce divorce est une loi de nature ; à ce titre, il ressemble à un destin. Mais tandis que dans les *Liaisons dangereuses* par exemple, on voit le libertin à l'œuvre, dans la monodie portugaise, au contraire, on ne fait jamais qu'en entendre parler, et toujours à travers une sensibilité, une « délicatesse » trop vivement touchées pour que l'on puisse isoler la « réalité » d'avec la vision insultante que s'en forge une imagination persécutée par la passion : « Ne paraîtrez-vous pas agréable à d'autres yeux ? » Le silence seul répond aux interrogations, et l'infidélité supposée se dissout elle-même dans l'indifférence d'un personnage falot, affligé d'une stérilité affective qui l'éloignerait sans doute de tout désordre et dont témoigne son effacement dans l'histoire « vécue » comme dans l'histoire « racontée ». Il est vrai que l'infidèle Aza trahit Zilia pour une belle Espagnole, et que lui-même annonce en personne à l'infortunée la ruine de son amour, mais dans l'ensemble des *Péruviennes,* il reste fidèle à son rôle d'« absent » énigmatique, lointain ferment de trouble et de tourment.

Dans les *Lettres portugaises,* tout l'intérêt est donc centré sur la femme, sur sa psychologie dont elle-même se plaît à rendre compte « jusque dans ses moindres mouvements ». De fait, en l'absence de toute réponse du destinataire, le caractère nécessairement solitaire de l'acte épistolaire s'accompagne d'un repliement du « je » sur son propre discours qui s'oriente donc, en dépit d'un simulacre de dialogue, vers le mode « réfléchi » du monologue. Dans l'« Avis au lecteur » des *Lettres de la Duchesse,* Crébillon, comme aurait pu le faire aussi bien Guilleragues, feint de s'excuser d'un texte qui ne cesse de se nourrir de lui-même, dans de perpétuels retours thématiques et lexicaux :

> S'il y en a qui aiment à suivre le cœur jusque dans ses plus légers mouvements, il y en a davantage, peut-être, à qui cette étude paraît peu nécessaire et qu'on ne fait qu'impatienter en les laissant trop longtemps sur la même situation...

Pourtant, la stagnation n'est qu'apparente, et les modulations qui affectent la reprise des mots-clés « absence » / « abandon » / « oubli », « inclination » / « charme » / « enchantement », invitent à rechercher l'histoire d'une progression insensible mais inéluctable. Comme l'a montré L. Spitzer, dans les *Portugaises* chaque lettre marque l'acte d'un drame, d'une tragédie. Témoin cette quatrième lettre dont on a parfois contesté la place et dont l'étude interne permet d'affirmer la nécessité entre la troisième, la plus désespérée dans son désarroi (« Je ne sais ni ce que je suis, ni ce que je fais, ni ce que je désire »), et la cinquième qui, tout en entretenant des rapports étroits avec la précédente, rompt brusquement le dialogue après une ultime prise de conscience : « Je m'aperçois que vous êtes indigne de tous mes sentiments. » Cette « conquête de la lucidité » est précisément le fait de la quatrième lettre qui, avec une vision négative de l'amant (« votre injustice et votre ingratitude sont extrêmes »), manifeste pour la première fois chez Mariane le sentiment de sa propre responsabilité dans les commencements de sa malheureuse passion : « Mon inclination violente m'a séduite. » Corollairement grandit le sentiment de l'échec de la communication épistolaire qui justifie déjà l'annonce du dénouement : « Je ne dois point vous parler d'une passion qui vous déplaît, et je ne vous en parlerai plus. » Mais dans une démarche contradictoire, l'écriture se poursuit, non plus dialogue mais monologue et monologue conscient : « J'écris plus pour moi que pour vous », qui s'achèvera par le constat définitif : « J'ai éprouvé que vous m'étiez moins cher que ma passion. » Ainsi coïncident dans une même durée la conscience de l'abandon, celle d'un amour de plus en plus narcissique et le présent d'un texte en train de se faire ; l'itinéraire affectif double ainsi les actes successifs de l'écriture, la forme monologique reproduit formellement l'échec du dialogue.

On ne retrouvera pas ailleurs un tel dépouillement, une telle gageure tenue avec un tel génie. Si Mlle de Lespinasse a parfois conscience d'« écrire pour écrire » sans avoir besoin d'un sentiment réciproque pour se livrer aux élans de son cœur, il faut ici mettre en cause non pas l'absence effective de réponses mais bien l'impossibilité d'obtenir une réplique qui soit « au ton d'une âme active, souffrante et agitée ». Car elle reçoit des lettres de Guibert : « A demain, mon ami, votre lettre me touchera et j'aurai soin d'y répondre » ; son amant n'a rien de mythique et son existence épistolaire est incontestée. Ils se voient, se lisent souvent quotidiennement.

Il en va de même pour « Bélise » ; les deux partenaires communiquent, « se voient, mais on ne nous livre qu'une partie du dossier [...], les réponses ne sont jamais reproduites, on assiste à un duo dont on n'entend qu'une voix » (Rousset). Mais cette voix, à la différence de celle de Mariane, garde le souvenir de la présence de l'autre. La lettre est le prolongement d'une rencontre. L'introduction de la lettre VI marque la poursuite d'un entretien : « Oui, je crois que vous m'aimez, vos discours et vos yeux m'en ont donné des assurances trop tendres [...] ». Les amants se verront « ce soir », hier « ils se dirent leur amour », ils « se le jureront encore dans peu de jours », « leurs plaisirs ne sont pas éloignés », ou bien « on vient de m'apporter une lettre de vous ». Bref, présence épistolaire ou effective, l'autre ne se laisse pas longtemps oublier. Même si, durant l'absence, les lettres du jeune ambitieux n'apportent pas toujours dans leur contenu ce que la femme abandonnée en attend, elles ont le mérite d'entretenir de loin une vie défaillante et de donner, au moins pour un temps, un sens au mot « avenir ».

Comme il est normal, les lettres de ce type sont à la fois beaucoup plus nombreuses (soixante-douze) et beaucoup plus courtes que celles du type portugais; écrites sous le coup des événements ou de l'émotion, elles se réduisent parfois à une sorte de billet: « Je vous attends avec une impatience qu'on ne peut imaginer [...] Ah! que faites-vous? [...] Mais Dieu! on me dit que vous arrivez. » Cette rupture dans le rythme et dans le ton, caractéristique du « billet », signale ainsi l'irruption de la réalité — quand ce n'est pas celle du jaloux de comédie: « Mon mari entre. Dieu! » — qui vient s'enchâsser entre les lettres. Réalité vécue et acte épistolaire se découpent des espaces mutuels dont les frontières s'estompent dans les brumes d'une rêverie amoureuse et sensuelle: « Je commence à vous écrire aussitôt que vous venez de me quitter », « pourrais-je être occupée d'autre chose que de vous dans les moments qui succèdent à ceux que nous venons de passer ensemble? L'Amour [...] a fait pour moi des plaisirs tout nouveaux. » La *Jouissance* sort des recueils de la poésie galante, telle que l'avait encore pratiquée la future Mme de Villedieu, devient prose, et célèbre « la privée et secrète fruition des amours » qu'évoquait déjà Hélisenne de Crenne au XVIe siècle. La lettre aide à revivre l'amour, le commente, le laisse attendre. Au lieu que les « désordres » de la religieuse portugaise, supprimés par Richelet au nom des bienséances, sont toujours vus dans un passé onirique, pourtant altéré par les ombres de la culpabilité et de la suspicion, chez la présidente Ferrand au contraire il y a comme des trouées de bonheur, une intrusion du plaisir reconnaissant qui, en écartant « la crainte et la pudeur », éclate dans le texte épistolaire comme dans les actes de la femme comblée; la « langueur dans les yeux » au matin en est la marque, comme aussi cette joie indicible du corps et de l'âme qui fait qu'on se met à chanter hors de propos, follement, tout simplement parce qu'on est encore « pleine de » l'autre. L'idylle a beau être fragile, et ne devoir pas résister aux assauts conjugués de l'ambition, de la légèreté et de la maladie, la réciprocité, même éphémère, même illusoire, d'un amour pleinement réalisé suffit à donner au style un « agrément » qui, malgré des réminiscences parfois littérales, contraste singulièrement avec la tension et l'âpreté des *Portugaises*.

Nous en donnerons pour preuve deux utilisations du mot « amour » dans les deux textes : « Considère, mon amour... », on connaît la célèbre ouverture de la première *Portugaise* qui, chez les contemporains de Guilleragues comme aujourd'hui, a suscité deux lectures contradictoires et apparemment irréductibles. Si, comme il est vraisemblable, l'apostrophe initiale s'adresse bien à la passion de Mariane et constitue ainsi la première des trois personnifications (l'amour / l'absence / la mauvaise fortune) qui font de ce début de lettre un monologue digne de Corneille, on est frappé par la véhémence de l'« attaque » qui d'emblée annonce la tonalité désespérée de l'ensemble. En effet, comme « on ne parle à ces choses insensibles ou éloignées que quand on ne peut plus trouver de grâce dans la personne que l'on veut toucher » (Du Plaisir), c'est dire que, comme dans la tragédie, les jeux sont faits dès le lever de rideau et qu'il ne reste déjà plus à Mariane que la confrontation solitaire avec son amour trahi. Cette interprétation est appuyée par l'absence presque totale d'hypocoristiques, ces « termes de caresse » selon Richelet, si caractéristiques d'un genre et d'un ton : « Je n'ose vous donner mille noms de tendresse », écrit-elle à la fin de la quatrième lettre ; mais il est tout aussi remarquable que ce mouvement vers l'autre auquel elle ne peut s'abandonner se convertisse naturellement en un retour sur elle-même, rendu sur le plan du style par l'exclamation : « Que vous *m'*êtes *cher!* et que vous *m'*êtes *cruel!* » Car ce ne sont pas seulement les appellatifs passionnés qui s'effacent au profit d'une relation purement subjective, mais aussi les injures tragiques, traditionnellement prodiguées par les héroïnes blessées : en dehors d'un seul « ingrat » lancé dans une explosion de colère douloureuse, les adjectifs comme « cruel » perdent leur fonction vocative et s'intègrent dans le flux du discours monologique où prédomine le « je ». Mieux encore, le qualificatif « infidèle », dont le contexte laisserait supposer qu'il désigne tout naturellement l'interlocuteur pris à partie, dévie de façon significative vers une auto-accusation (« Je vis, infidèle que je suis ») où l'ombre de la folie masochiste plane comme autour de Phèdre. On pourrait en dire autant des *adieu* si souvent répétés et en apparence si directement adressés au lecteur de Mariane : là encore, le geste esquissé en direction de l'amant avorte, et c'est la réflexion intérieure qui se substitue au vocatif attendu : « Adieu, je voudrais bien [...] », « adieu, je vous écris [...] », « adieu, il me semble que [...] », « adieu, ma passion [...] ». La formule de congé se réduit à un soupir. Il y a là, à partir de l'équivoque initiale, une étonnante convergence d'effets qui renforcent le côté amèrement élégiaque et solitaire des *Portugaises*.

Rien de tel chez la présidente Ferrand, dont le dialogue est au contraire constamment soutenu par divers hypocoristiques : « Adieu, mon cher », « adieu, mon cher enfant, mon cher amant, mon cœur ». Avec une complaisance bien éloignée de la retenue de Mariane, elle s'abandonne sans remords à la caresse des mots, au plaisir du contact épistolaire : « Souffrez sans scrupule les termes de ma tendresse [...] » Même si la douleur ou le dépit percent à travers un « adieu, Monsieur » ou un « adieu, cruel amant », cela n'empêche pas que toutes ces sollicitations, incompatibles avec le repliement pathétique de Mariane, s'accommodent fort bien d'un contexte qui n'est pas sans rappeler parfois le romanesque aimable de *Psyché* ou d'*Adonis*, curieusement parus le même mois que les *Portugaises*, en ce « grand moment » de 1669 ; ainsi de cette évocation presque plastique des plaisirs amoureux : « Après une si longue absence [...] vous vous verrez entre les bras de l'Amour [...], oui, ce sera de l'Amour que vous recevrez des faveurs car jamais mortel n'a fait sentir à ce cœur tout ce que j'ai prétendu demain faire sentir au vôtre. » N'y a-t-il pas là un peu de cette « grâce alanguie », retrouvée par La Fontaine et la génération de 1670 et dont Mignard donnait à ses contemporains la plus brillante illustration ? Entre cette bienveillante figure de l'Amour (« Laissez faire le reste à l'Amour qui n'abandonne pas des amants si dignes de ses faveurs ») à laquelle s'identifie volontiers l'héroïne (« Je suis une divinité plus équitable que vous ne croyez ») et la sombre fureur de la religieuse, entre cette extériorisation presque maniériste et cette dévastation intérieure, ne peut-on voir les deux aspects contraires du « goût du temps » noté par La Fontaine dans la préface d'*Adonis*, l'opposition du beau et du charmant, d'une Mariane « belle » et d'une « Bélise » seulement — ou à peine — « jolie » ?

Mais les lettres de « Bélise » ne sont pas seulement une version parisienne des *Portugaises* où la « loge » remplacerait le « balcon », transposition vulgarisée à l'intention d'un public de lecteurs que ne satisfait plus la tension héroïque de Guilleragues ; le changement de registre qui les caractérise paraît, en effet, essentiellement lié au statut formel du dialogue, fût-il incomplet, et de fait, il est significatif que le type portugais monophonique soit aussi le seul « tragique ».

La voix solitaire qui crie dans le désert est en effet le symbole d'une solitude irréductible qui ne se résoudra que par la mort — ou la mort du sentiment, ce qui, chez ces êtres « sensibles », constitue plus qu'une mort métaphorique. On a pu voir dans la cinquième *Portugaise* l'annonce d'un changement de vie, mode « plus tranquille » d'existence qui garantirait à la fois la santé du corps, du cœur et de l'esprit : catharsis rendue opérante par le déferlement des mots, ces lettres, comme « vomies dans une phrase unique » (Kafka), auraient-elles suffi à guérir celle qui n'aspire plus qu'à rendre sa traînante existence ? Malheureusement, on le sait, Mariane, ainsi du reste que la « marquise » de Crébillon, « Bélise », Zilia ou les amants de Rousseau, non seulement « vivent pour aimer », mais, comme le corrige l'amie de Saint-Preux, « aiment pour vivre ». Mme de Sévigné déjà réécrivait à sa manière un

« cogito sensible [1] » que venait plaisamment doubler le souvenir de Descartes : « Ainsi, ma bonne, je pense donc je suis ; je pense avec tendresse, donc je vous aime » ; Mlle de Lespinasse, quant à elle, se livre à une transposition sans équivoque : « J'existe parce que je vous aime. » Si l'existence signifie l'amour, si le silence de l'autre dit la fin de l'amour, alors le monologue qui s'épuise équivaut à la mort. Et quand la retraite — ou mieux encore le couvent — offre un refuge à l'amour éteint ou déçu, il faut tout le rêve de Rousseau ou de Mme de Grafigny pour ne pas l'assimiler au néant.

Mais le tragique ne réside pas dans le « vécu », dans l'histoire. Quoique la dernière lettre de Bélise soit écrite « dans les bras de la mort », la comparaison respective de quelques traits stylistiques chez Guilleragues et chez la présidente Ferrand a suffisamment montré combien différentes étaient les deux œuvres et comment la forme dialoguée, même à une voix, pouvait expliquer la dissemblance de leur « caractère ».

A plus forte raison lorsque le dialogue est explicite. Si les lettres *de* Babet et *à* Babet « se terminent mal », si la grille d'un couvent, avant la mort effective, vient à jamais ruiner les espérances du héros (sans qu'il envisage le moins du monde de venir romanesquement délivrer la religieuse forcée), elles n'en sont pas pour autant « tragiques ». Le tragique, on le sait, suppose la conscience à la fois révoltée et consentante d'une force transcendante à laquelle on sait ne pouvoir échapper, « sorte de prédestination divine », disait Hélisenne de Crenne. « Je connais trop bien mon destin pour tâcher à le surmonter, je suis entraînée vers vous par un attrait, un sentiment que j'abhorre mais qui a le pouvoir de la malédiction et de la fatalité » (Lespinasse). Lucidité et impuissance, tels sont les repères de l'univers tragique. Or si au milieu de réminiscences raciniennes évidentes, on rencontre les termes attendus de « destin », « destinée », « fatalité » dans

1. Formule de Jacques Derrida, reprise par Solange Guénoun dans sa communication : « Correspondance et paradoxe », *Papers on French Seventeenth Century Literature*, Vol. VIII, 1981, No. 15, 2, p. 137.

les *Portugaises,* chez la présidente Ferrand et chez Mme de Grafigny, Boursault au contraire ne les emploie précisément jamais : de façon révélatrice, il les remplace par « le diable », ou « le diantre » dont Richelet nous dit qu'il est un euphémisme burlesque réservé au style « simple » ; nous voici donc, malgré l'importance de l'enjeu et la cruauté du dénouement, dans l'univers « médiocre » de la comédie, complété par le personnage moliéresque du sieur de Launay, version normande de M. de Pourceaugnac, lui aussi apparu sur la scène française en cette même année 1669. Le diantre, esprit apparemment débonnaire que l'on croit jusqu'au bout pouvoir apprivoiser comme l'amant ridicule, se joue du tragique.

L'examen des diverses valeurs du passé simple, chez Boursault et ailleurs, va dans le même sens et conduit à la même constatation. Rappelons qu'au XVIIe siècle ce temps verbal, dont le statut particulier a retenu tous les grammairiens de l'époque classique depuis H. Estienne (1569), s'oppose au passé composé et partage avec lui l'expression du passé selon une délimitation temporelle qui recoupe la « règle des vingt-quatre heures ». On aura donc l'opposition : « hier, je fis / aujourd'hui, ce matin, j'ai fait ». Cette répartition ne fait que refléter l'originalité propre à chacun des deux temps, le passé simple s'attachant à la vision ponctuelle, « définie » d'un acte quelconque désormais coupé de moi, le passé composé au contraire se prolongeant jusqu'à moi et pénétrant mon présent : deux façons donc pour le sujet parlant de marquer la distance qu'il entretient subjectivement avec tel événement, indifféremment situé dans le temps.

Le texte de Boursault n'offre rien d'autre qu'une parfaite illustration de ces principes. Le plus souvent accompagnés de notations temporelles s'inscrivant à l'intérieur d'une durée restreinte, généralement inférieure à une semaine (« dimanche / lundi / mardi / hier / dernièrement, je fus »), les passés simples témoignent avant tout de la fréquence des rencontres et, de ce point de vue, la symétrie est parfaite avec l'abondance des futurs proches, précédés ou non de « demain ». Comme dans les lettres de « Bélise », la proximité spatiale double la proximité temporelle, et un rendez-vous au Luxembourg « sur les 7 ou 8 heures » n'a rien que de très rassurant. On pourrait sans doute considérer à part deux rappels, d'ailleurs très fragmentaires et incomplets, de la première rencontre : « La première fois que je vous rendis visite », « la première fois que j'eus le bien de vous voir ». Car s'il est vrai que « le coup de foudre se dise toujours au passé simple » (Barthes), l'emploi de celui-ci est alors très équivoque chez Boursault : trait de langue d'époque, ou recréation par l'imaginaire d'un passé à jamais révolu ? La réponse est donnée par le voisinage révélateur de passés composés : « Je sais trop bien ce que m'a coûté votre première vue », et le ton du badinage galant avec l'arsenal traditionnel des « attraits », « beautés » et « garnisons d'appas ». C'est qu'il ne s'agit justement pas d'un « coup de foudre » ; selon les meilleures règles de la stratégie romanesque et amoureuse, la conquête est lente, l'attaque préméditée des deux côtés, les avantages cachés se découvrent peu à peu (« dites-moi où vous aviez mis tant de beautés que je n'avais pas vues la première fois que je vous rendis visite »), la première étape décisive n'est franchie qu'à la lettre VIII : « Je vous aime Babet, je vous le dis sérieusement. » L'écriture accompagne ainsi la « naissance, le progrès », on n'ose dire la « violence » de l'amour, et cette perspective suffirait à distinguer les lettres de Boursault des autres textes de notre recueil, et en particulier des *Portugaises*.

En effet, la pratique épistolaire de Mariane n'a de sens qu'une fois la rupture consommée ; c'est le vide qui provoque l'écriture ; le présent de l'épistolière n'a d'autre réalité que cette activité même à laquelle il se réduit ; de plus il ne peut s'appuyer ni sur un passé qui, toutes amarres rompues, flotte désormais à la dérive, ni sur un futur qui n'apportera que le malheur, la mort, ou l'oubli « qui est comme une mort ». Et pourtant ce passé heureux, fou, revécu, embelli, traqué, resurgit par éclairs plusieurs fois dans les lettres (mais ni dans III ni dans V) ; l'évocation la plus précise de la « première vue » se situe au milieu de la lettre IV où, dans une concentration étonnante, des passés simples rappellent ce rêve d'amour devenu mauvais rêve : « Le jour fatal que je commençai à sentir les premiers effets de ma passion malheureuse [...], vous me parûtes aimable [...], il me sembla [...], il y aura un an dans peu de jours que je m'abandonnai toute à vous sans ménagement. » Loin de réduire ces passés simples à leur banal sens classique (« il y a demain un an que vous partîtes, que vous me quittâtes », Mme de Sévigné), il faut, pour en saisir ici la valeur prégnante et cruelle, leur opposer des formulations voisines, l'une dans la lettre I : « Je vous ai destiné ma vie aussitôt que je vous ai vu », l'autre dans la lettre II : « Je me donnais toute à vous. » La première au passé composé atteste la continuité de l'amour, la permanence de l'engagement, de l'espoir peut-être, la seconde, déjà plus lointaine, revit de l'intérieur ces instants heureux que l'imparfait dilate dans une durée délicieuse. Le passé simple, lui, marque seulement la victoire de la lucidité et le triomphe du désespoir.

Une remarque sur le rôle inversé du tutoiement familier et confiant entre Babet et son ami, face à un vouvoiement gentiment querelleur (« Dites-moi un peu, s'il vous plaît, Monsieur le vagabond »), achèverait de nous convaincre que le tragique ne traverse pas le cheminement amoureux et « enjoué » des deux jeunes Parisiens.

Exactes contemporaines des *Portugaises*, les lettres de Boursault en présentent ainsi le modèle antithétique le plus pur; dialogue restitué intégralement ou presque, « intercalé » entre les rencontres qui assurent la progression parallèle de l'« histoire » et du texte, cet échange s'appuie sur un « hic et nunc » qui laisse peu de place aux désillusions du passé et aux illusions de l'avenir. Loin des évanescences du subjonctif « portugais », l'indicatif, solidement ancré dans une réalité soigneusement authentifiée, nous installe ici dans un climat de santé physique et morale où l'on n'oublie ni de manger ni de rire. Paris offre aux rendez-vous de la première heure l'asile de ses églises, les parties chez les connaissances communes, quelques manifestations mondaines ou culturelles prolongent les soirées innocentes, quand un incident truculent n'invite pas Boursault à se faire le rival de Scarron. Monde bourgeois, suffisamment suggéré par le mélange des tons qui fait passer de l'élégie à l'équivoque scabreuse, univers sans embûches où règne un « papa » inopportunément devenu ogre, la Ville s'ouvre librement aux amants pour lesquels l'écriture ne fait que confirmer l'existence et la validité d'un sentiment partagé. La séduction du « bel esprit », des yeux « ravissants » mettent rapidement fin à la guerre déclarée par la coquette Babet, et les feintes attaques semblent simplement vouloir susciter la réplique dans un jeu où le contact entre les partenaires n'est jamais sérieusement menacé. Réciprocité de l'amour, réciprocité du discours où les mêmes formules s'échangent et se répondent d'un interlocuteur à l'autre dans un rythme dramatique qui fait reconnaître en Boursault l'homme de théâtre, l'inoffensif rival de Molière : les couples de lettres XIX/XX, XXIX/XXX, XXXI/XXXII, etc., à travers lesquelles la symétrie des tours repris crée l'illusion d'un dialogue stichomythique, en offrent de bons exemples.

Mais si le « point du tout » de la lettre XVII peut annoncer le « quoi qu'on die » des *Femmes savantes,* il illustre surtout — presque jusqu'à la caricature — ce genre de lettres qui supposent implicitement une réponse, la portent intérieurement, la suscitent, l'attendent. Par opposition aux lettres de Mariane qui par leur nature foncièrement monodique découragent par avance l'éventuelle bonne volonté du destinataire et se coupent de toute réponse possible par la crainte d'être reçues « avec dégoût », les lettres de Boursault marquent le triomphe du dialogue réussi où l'art de s'attirer des réponses entretient par contrecoup la vivacité et l'esprit de l'épistolier, car « une éloquence qui s'adresse à un muet est bientôt ralentie » (Mme de Perne). « Je parle et vous me répondez », tel est bien en effet l'idéal de la conversation épistolaire : si l'on a pu à travers les lettres de Mme de Sévigné reconstituer, au moins partiellement, quelques fragments des lettres absentes de sa fille, c'est que les « épistolières au miroir » ont goûté leur texte réciproque au point de l'incorporer à leur propre prose et de « se renvoyer quasi leurs lettres » dans un mutuel hommage. Ne pourrait-on à la limite déduire pareillement chez Boursault un texte à partir de l'autre ? N'y a-t-il pas entre les correspondants une semblable émulation, moins discrète sans doute car moins contrôlée et moins analysée, mais tout aussi favorable à la jubilation d'écrire ? La communauté d'esprit qui liait Mme de Sévigné à Mme de Grignan et qui leur donnait à toutes deux la certitude d'être appréciées à leur juste valeur (« Je m'y connais »), ressemble à celle qui lie aussi Babet et son ami : « Vous imaginez-vous, parce que je ne puis faire de vers, que je n'aie pas assez d'esprit pour connaître comme il faut qu'ils soient pour être beaux », et pour goûter tout ce qui sort de vos mains ? Dans ce tête-à-tête complaisant, « les personnes qui écrivent [...] prennent du plaisir comme elles sont assurées d'en donner ; et cette satisfaction mutuelle est le premier but de ces lettres » (Du Plaisir). Sans qu'on doive pour autant méconnaître l'importance de l'intrigue amoureuse sous-jacente, l'échange ludique de ces lettres que deux « personnes d'esprit » se renvoient comme des balles constitue bien l'un des principaux attraits de l'œuvre de Boursault.

Vadé en présentant avec les *Lettres de la Grenouillère* (1749) la version poissarde du dialogue épistolaire amoureux témoigne du dernier abâtardissement d'une forme dont pouvait se régaler une société à son déclin, également éprise de farce et de tragédie, aussi désireuse de se distraire à l'opéra qu'à la folie-parade.

Amuseur public, plaisant de profession, lointain parent du Neveu de Rameau, Vadé met au service des riches dont il est l'aimable parasite les ressources de son esprit peu cultivé mais joyeux, prompt à exploiter, comme un peu plus tard Beaumarchais avec *Les Députés de la Halle et du Gros Caillou*, les trésors du langage « ignoble », « poissard [1] », recueilli place Maubert ou dans les faubourgs. Dans ce siècle paradoxal où la pureté de la langue française irradie à travers l'Europe entière, les Parisiens se divertissent « pendant quelques années » — et bien davantage — « des jurements des poissardes ». Sébastien

1. Sur le langage poissard, voir p. 368.

Mercier dans son *Tableau de Paris*, tout comme l'« Avertissement » des *Quatre Bouquets poissards* contemporains des *Lettres*, confirme cet engouement qui incite les grands « encanaillés » à « copier le ton, imiter les inflexions de voix » et les expressions de cette langue triviale : Marie-Antoinette en 1775 ne convoquera-t-elle pas à Versailles les femmes de la Halle pour s'inspirer de leur accent avant de jouer elle-même une pièce poissarde ?

C'est, en effet, avant tout sous l'angle de la gaieté qu'il faut considérer les *Lettres* de Vadé ; l'« Avertissement » précise, s'il en était besoin, qu'« on les donne au public autant pour son amusement que pour la gloire de M. Jérôme Dubois et Mlle Nanette Dubut » : amusement parodique puisque le bas-langage poissard est la réplique inversée du « beau langage » de l'aristocratie parisienne. Du reste, Vadé en se désignant lui-même comme « un Narcisse nouveau qui se mire dans le vin et non dans l'eau », en commençant un poème tragi-poissard sur le mode de Scarron, fait participer le commerce épistolaire de Nanette et son ami de cette vogue de dérision joyeuse qui fait de la nymphe Platée un travesti grotesque [1] et des « Lettres galantes » des « Lettres facétieuses », comme les appelle l'éditeur de 1875. C'est bien ce que dit « l'Epître dédicatoire » des *Bouquets poissards :* « le naïf de vos *Lettres de la Grenouillère* est encore remarqué par des personnes de goût ; on aperçoit à travers l'enveloppe burlesque du style une intrigue intéressante, suivie et délicate ».

Aristocratiques de naissance, véritablement « encanaillées » dans une rusticité de bon aloi, rabaissées au langage des Grenouilleux [2], plongées dans l'intimité laborieuse des humbles, les *Lettres,* comme toute parodie, gardent à travers leur métamorphose bouffonne, le souvenir des grands poncifs amoureux, tant épistolaires que romanesques, qu'elles achèvent de constituer en éléments

1. L'opéra *Platée* de Rameau date de 1745.

2. « Grenouiller » signifie « ivrogner » mais aussi pêcher dans un marais à grenouilles, comme l'était encore le faubourg parisien du Gros-Caillou.

fondamentaux du genre. Rien n'y manque : la première rencontre au bal (de campagne), l'hommage de « l'offrande » (poissonneuse), la menace du suicide (« sur la gueule du bachot »), le départ de l'amant (... pour Saint-Cloud), l'absence (de quatre jours), la crainte de la mésalliance et l'opposition de la mère (qui « applique des baffes »), la langueur amoureuse (qui fait « lâcher d'grosses respirations »), le repas avec le rival, et jusqu'à l'éventualité du couvent. La chanson, de la même veine que les « airs » d'opéra-comique de l'auteur, remplace le couplet versifié, souvent inséré dans la lettre amoureuse, comme en témoigne encore Boursault ; mais si la chanson populaire d'Alceste, en répondant au sonnet galant d'Oronte, rompait l'unité de ton de la grande comédie, ici le couplet poissard confirme la transposition résolument burlesque d'un modèle devenu inimitable.

Le dernier message de Nanette nous inviterait sans doute à aller plus loin ; en effet, si l'acte épistolaire nous est apparu jusqu'ici comme la figuration, la préfiguration ou la confirmation d'une faillite, dans les *Lettres de la Grenouillère* au contraire le dénouement heureux, en assurant la possibilité du bonheur entre les « accordés », manifeste surtout l'exclusion de toute appartenance autre qu'inversée à une tradition littéraire. C'est pourquoi ces lettres, dans la seule mesure où elles « se terminent bien », mériteraient sans doute d'être appelées « anti-lettres », comme Sorel appelait son *Berger extravagant* un « anti-roman », si elles ne gardaient précisément intacte la structure traditionnelle du commerce épistolaire qui les retient à l'intérieur du genre qu'elles parodient.

Mais ces *Lettres* ne renvoient pas seulement au modèle épistolaire de référence ; leur « enveloppe burlesque » ne se charge pas seulement d'allusions et de rappels transparents ; si elle n'est pas seulement « comique », au sens ordinaire du mot, par le contraste stylistique qu'entraîne l'exotisme social, c'est que ce pittoresque formel ne saurait se dissocier du « naïf » de l'intrigue, du cadre, des mœurs ; ou plutôt, il est lui-même « naïveté », et à ce titre il suffit à faire des *Lettres de la Grenouillère* des « lettres comiques » au sens qu'avait cet adjectif au XVIIe siècle, c'est-à-dire précisément « naïves », « basses », « réalistes », par opposition au type aristocratique dont elles sont issues et dont elles veulent se démarquer.

En effet, les pléonasmes, les interversions plaisantes, les proverbes, les périphrases, les archaïsmes, les « cuirs », sans parler de toutes les déformations morphologiques, signalent traditionnellement la « bassesse » des héros, mais la « naïveté » se manifeste surtout dans l'utilisation des images dont le maniement a toujours constitué la pierre d'achoppement du langage amoureux. Comme on peut s'y attendre, le répertoire métaphorique se trouve inversé : clou à soufflet, épingle, paille, céleri, loup, mouton, grenouille voisinent avec la « parle d'or », le soleil et le miracle, eux-mêmes intégrés à des tours approximatifs — ou surréalistes — (« Vous chantez comme un soleil »), mais l'ouverture de la correspondance, avec la déclaration de Jérôme, offre un intérêt particulier. Prenant au pied de la lettre le cliché classique « mon cœur est à vous », il le désarticule en tautologies naïves (« quand d'abord qu'on n'a plus son cœur à soi, c'est signe qu'une autre personne l'a ») que Nanette, dans sa réponse, reprend et intègre à la défense de son honnêteté : « Une fille d'honneur ne prend rien, par ainsi j'n'ay pas vote cœur. »

Il y a naturellement là l'exploitation d'une ressource comique éprouvée, mais peut-être aussi une tentative pour démasquer les pièges du langage, le contraindre à signifier exactement ce qu'on peut attendre des mots, lui redonner à lui aussi son honnêteté. Le langage naïf — à l'opposé de la « métaphysique », — révèle, *avant* même ou *avec* la condition sociale du personnage, la sincérité et la vérité des sentiments exprimés : « Quoique j'n'soyons qu'un guernoyeux, j'ons peut-être plus d'insperiance dans la vérité qu'non pas un habile homme. » Entre un « honnête garçon » « bon travayeux », et une « fille de vertu » « blanchisseuse en menu », il n'y a pas de place pour les « farauds » qui peuvent porter ailleurs leurs désirs de « parpillons ». De même que l'amant volage portait, au même titre que la tyrannie de parents abusifs, la responsabilité de l'échec final, de même ici c'est la qualité sentimentale des amoureux, ainsi que l'affectueuse compréhension de la mère, qui assure le triomphe de l'amour.

Lorsque Nanette évoque les « garçons du jour d'aujourd'hui qui savont si bien emboiser les filles », Vadé rappelle la tentation de l'érotisme et du libertinage et oppose à ces « messieurs qui se disent bien amoureux » les gens simples qui sentent vrai ; comme dans sa *Nouvelle Bastienne* (1755), Nanette et Jérôme pourraient conclure : « Leus soupirs, leus désirs, leus feux, / Ah ! c' n'est qu'une peinture / Mais les tiens et les miens, voilà la nature ». L'opposition entre la peinture et la nature, le vrai et le faux, ne renvoie-t-elle pas Vadé, au-delà d'un burlesque bienveillant, à la nostalgie de son siècle rêvant d'un monde pastoral où bergers — et pêcheurs — dédaigneraient houlettes et cannes enrubannées, où Colin et Colette, comme Nanette et Jérôme, n'auraient même pas besoin du Devin du village pour construire leur bonheur ?

On voit donc qu'en ce milieu du XVIIIe siècle le dialogue épistolaire amoureux devenu parodique ne pouvait plus que laisser la place à autre chose. Si Crébillon en 1768 affine avec les *Lettres de la Duchesse* les procédés parfois disparates qui nuisent à l'homogénéité des *Lettres de la Marquise* écrites trente ans plus tôt, on se rend compte en lisant ses *Lettres athéniennes* que, mises à part les ressources de la polyphonie bientôt exploitées par Laclos, l'analyse intérieure, poussée dans les derniers retranchements que permet l'expression immédiate de la lettre, s'exposait à l'enlisement dans les méandres inextricables d'une phrase trop longue, coupée de concessions, perpétuellement retardée dans son déroulement par l'afflux de subordonnants, de relatifs, de corrélatifs, manifestement réfractaires à l'harmonie de la prose française ; de tels défauts, déjà présents en 1768, ont beau être mis comme d'ordinaire au compte de l'authenticité, on peut bien penser, et même sans avoir la méchanceté de Mme du Deffand, que le roman épistolaire risquait de s'étouffer lui-même et de se perdre dans les labyrinthes qu'il essayait de sonder.

Or avec ses *Lettres persanes* Montesquieu avait déjà démontré la possibilité pour ce genre d'ouvrages de s'ouvrir à d'autres domaines que la psychologie, féminine ou non : « Dans la forme des lettres [...], l'auteur s'est donné l'avantage de pouvoir joindre de la philosophie, de la politique et de la morale à un roman et de lier le tout par une chaîne secrète ». La leçon ne fut pas perdue pour Mme de Grafigny qui dans l'« Avertissement » des *Péruviennes* (1747) rappelait ouvertement une illustre filiation : « Comment peut-on être Persan ? », ou, en d'autres termes, comment peut-on être Péruvienne ?

Montesquieu lui fit du reste l'honneur d'associer son nom à celui de Richardson en évoquant plus tard « le succès de quelques ouvrages *charmants* qui ont paru depuis les *Lettres persanes* ». L'adjectif, s'il convenait évidemment peu à ces dernières, s'appliquait en revanche parfaitement à l'œuvre de Mme de Grafigny où la critique du temps salua la peinture attendrissante d'un amour passionné et naïf plutôt que l'avènement du « premier roman socialiste » avant Rousseau et le reflet un peu mièvre des préoccupations philosophiques contemporaines. Zilia note elle-même le double dessein de ses lettres : à la fois « peindre » pour Aza, l'amant lointain, « les expressions de sa tendresse » ou de ses douleurs, et « conserver la mémoire des principaux usages de cette nation singulière » (la France), c'est-à-dire unir les deux courants, galant et satirique, qui se partagent l'essentiel de la production romanesque française entre 1715 et 1750.

La situation de départ rappelle celle des *Portugaises* avec le thème de la femme abandonnée, du fait cette fois des hasards de la guerre, séparée par les océans et la cruauté des hommes du « Soleil de ses jours » qu'elle attend avec confiance au fil d'une durée imprécise, jusqu'à la trahison finale, confirmée, assumée puis dépassée. A la différence des *Persanes*, la trame romanesque n'a rien ici de secret ni d'« inconnu » ; l'intrigue est pourtant assez délicatement suivie avec l'apparition des premiers doutes qui accompagnent l'annonce de l'arrivée d'Aza à la cour d'Espagne, les soupçons plus nets après quelques formules équivoques de Déterville, l'indifférence inquiétante d'Aza à leur première rencontre, son infidélité reconnue et son mariage présumé avec une Espagnole et, enfin, le congé définitif qu'il signifie lui-même à Zilia. « C'est bien toujours l'amour que ces lettres peignent, mais sous des couleurs si nouvelles, si variées, si intéressantes qu'on ne peut les lire sans être ému » (Raynal) : peinture d'un « cœur sensible » par un « cœur sensible », maltraité par la vie, qui sut au moins éviter le « jargon de ruelle » au profit d'un ton élégiaque, parfois désespéré, où les souvenirs de Racine se mêlent aux « expressions sublimes » du langage péruvien.

Parallèlement, trop parallèlement sans doute, se développe la fiction (très en vogue, même avant les *Persanes* et déjà chez Cyrano de Bergerac) de l'étranger « ingénu », précipité dans la réalité d'une société qu'il ne connaît pas, qu'il découvre, observe et juge. De cette confrontation d'une conscience et du monde naît, sous les modes de la surprise et de l'étonnement, ironique et satirique chez Montesquieu, seulement naïvement critique chez Mme de Grafigny, la peinture à la fois innocente et subversive d'une civilisation « dénaturée », qui invite en retour à une interrogation sur le bonheur, les vraies valeurs et le sens de la vie. Les lettres-reportages de Zilia accompagnent ainsi la découverte d'un Paris policé, lieu de magnificence et de misère, refuge de l'esprit et de la perversité, symbole d'un Occident historique et précis (malgré l'absence de repères chronologiques, comme l'était par exemple la mort de Louis XIV dans les *Lettres persanes*), face au mythe du primitivisme indien, le plus souvent réduit au décor clinquant et doré d'un opéra baroque — ou rococo — et plus apte à représenter un « modèle expérimental imaginaire » (Laufer) qu'une évocation réaliste du Nouveau-Monde. Le Français Déterville permet à la Péruvienne de pénétrer rapidement les mœurs européennes et de fixer, à l'intention de son lointain lecteur, plusieurs scènes de la vie parisienne : les maisons « prodigieusement élevées », la vie des salons, une soirée à la tragédie, une autre à l'opéra, les couvents, les directeurs, etc., sur lesquelles se greffent quelques discussions critiques touchant le mariage, la condition des femmes et leur éducation, l'infidélité masculine, la tolérance ou le luxe.

Rien de tout cela sans doute n'est très neuf à l'époque ; pas plus qu'on ne trouve de véritable réflexion sur l'amour à travers les plaintes de Zilia, on ne trouve ici de réflexion politique ou sociale approfondie qui annoncerait la richesse de *L'Esprit des lois*, publié un an après les *Péruviennes*. Si Rousseau aurait pu célébrer la lettre XX qui dénonce la propriété « source de tous les maux », Turgot trouva ample matière à des « additions » plus largement philosophiques, et Voltaire ne se formalisa même pas de voir les thèses du *Mondain* si radicalement rejetées par la générosité de son amie.

Du point de vue de la construction romanesque également, on n'assiste pas comme dans les *Persanes* à une transformation du personnage principal (Usbek) au contact de la nouvelle civilisation, non plus qu'à une évolution du milieu d'origine (le sérail) ; la Péruvienne et son Pérou réussissent jusqu'au bout à se désolidariser de l'aventure occidentale et les valeurs célébrées dans les dernières lettres, la vertu et l'amitié, ne relèvent dans leur perfection que de la « naïve simplicité » des mœurs indiennes.

Si enfin les *Péruviennes* ne peuvent pas non plus rivaliser avec les *Persanes* pour l'art de la mise en scène et de la formule, il faut se résigner à chercher ailleurs l'originalité de Mme de Grafigny qui ne se confond pas nécessairement avec les raisons de son immense succès. Nous la verrions volontiers dans le drame linguistique que les *Lettres* racontent et miment à la fois, avant que Zilia en fasse le drame de la sincérité.

L'« Avertissement », d'emblée, dans une tentative désespérée pour concilier la réalité des lettres, leur « vraisemblance » et la couleur locale, fait savoir que « les premières lettres de Zilia ont été traduites par elle-même » puisque, étant composées dans la langue indienne au moyen de *quipos*, il nous eût été difficile d'accéder à leur intelligence si l'épistolière, une fois en possession de notre langue, ne nous y eût aidés.

Contrairement aux *Lettres persanes*, simplement « traduites », où l'« on a été surtout attentif à faire voir la génération et le progrès des idées » chez les protagonistes sans que l'on perçoive jamais la présence d'un obstacle linguistique, les *Péruviennes* consignent régulièrement les progrès de Zilia dans sa langue d'adoption, qui conditionnent simultanément la perception du monde qui l'entoure. Le premier contact avec la langue de ses tyrans ne lui permet de rien « distinguer » dans la continuité du flux verbal, puis elle « entend » plusieurs mots, les acquisitions se poursuivent et six mois plus tard, la révélation du sens des mots — comme les premiers exercices d'écriture qui prennent le relais des *quipos* — lui offre un « nouvel univers ». A partir de là en effet, lorsqu'elle « est en état de tout comprendre », son analyse, aidée par quelques livres, devient plus aiguë : réduite jusqu'alors à la perception des gestes, des apparences, des usages matériels, elle se heurte désormais aux principes et aux dogmes d'une « nation entière » qui lui paraît d'autant plus singulière qu'elle la pénètre mieux. Son style se modifie en conséquence et renonce aux hypocoristiques les plus exotiques pour s'en tenir au monotone « Mon cher Aza ». Les périphrases naïves pour désigner, soit les choses connues dont elle ne sait pas le nom « étranger » soit les choses inconnues dont il n'existe pas d'équivalent indigène, disparaissent également pour faire place au mot propre.

Il y a là, de la part de Mme de Grafigny, une liaison intéressante entre le respect d'une certaine vraisemblance de l'histoire, le développement de l'esprit d'examen, la progression romanesque et la variété stylistique. Il est en effet à remarquer que le thème de la méprise linguistique sur le « je vous aime », déjà annoncé dans la lettre IX, se trouve au centre de l'œuvre (lettre XXIII) et entraîne à sa suite deux autres méprises, l'une de Déterville sur un balbutiement de Zilia, l'autre de Zilia sur les larmes de Déterville, avant l'éclaircissement douloureux : « Je vous aime presque *autant* [...] mais pas *comme* [...] » ; ainsi se trouve posé le problème central et crucial de la sincérité, de la transparence des êtres chez lesquels l'univocité du langage — ou de tout autre mode d'expression — renverrait à un contenu de signification non ambigu, étranger à tout « malentendu ». Le langage, instrument de vérité s'il est bien manié, devient un piège redoutable, Zilia en fait l'expérience, lorsque son fonctionnement est vicié ; si l'on n'a pas « une idée juste des termes qui désignent les choses », ou si l'on ne met pas le même contenu sous les mots (*bonté* ou *amour* par exemple), on en arrive à parler une langue étrangère au sein d'une même communauté : « si j'essaie d'expliquer [aux femmes françaises] ce que j'entends par [...], elles me soupçonnent de parler la langue péruvienne », car elles-mêmes « ignorent jusqu'à l'usage de leur langue naturelle ».

Un rapide examen du thème de la conversation respectivement traité dans les *Péruviennes*, les *Persanes* et la *Nouvelle Héloïse* permet de préciser encore l'originalité de Mme de Grafigny. Réduite sous la plume de Rica à quelques lignes satiriques fustigeant le badinage, la conversation parisienne est, au contraire, longuement observée par un Saint-Preux philosophe, désireux d'étudier l'homme et non le Parisien, soucieux de relever, avec les termes appropriés, les principales caractéristiques de cet échange mondain où dominent, avec le « raffinement » et la « pédanterie » d'un « langage quintessencié » et « métaphysique », les figures déconcertantes d'un « jargon » métaphorique. C'est précisément la métaphore que découvre Zilia dans les propos du « beau monde » et dont elle donne, sans la nommer, une définition étonnante au moyen d'une périphrase étymologique : aptitude « à saisir les différentes significations des mots et à *déplacer* leur usage ». Dépourvue de tout « métalangage » qui l'aiderait à parler du langage, elle lui substitue une sensibilité accrue au fait linguistique, dans la mesure surtout où l'utilisation qu'elle en voit faire heurte ses convictions d'aristotélicienne intègre : des « paroles sans signification », qui dépassent la pensée, l'apprêtent, l'obscurcissent, suffisent à condamner l'incroyable légèreté d'un peuple, par ailleurs « naturellement sensible » et « touché de la vertu ». Par le décalage constant entre le dit, le pensé et le cru, par une déplorable malversation du langage, le rêve de « lire un jour dans les âmes » se perd dans les brumes mythiques d'une simplicité originelle.

De même l'opéra « où l'on chante au lieu de parler » ne

l'entraîne ni à une réflexion sur la condition sociale des acteurs comme dans les *Lettres persanes*, ni à un nouvel épisode de la Querelle des Bouffons comme dans la *Nouvelle Héloïse*. A un moment où Zillia « noue les derniers nœuds de ses *quipos* » sans posséder encore la maîtrise d'un idiome étranger, en plein désarroi linguistique, la musique se présente simplement à elle comme la « première langue », le moyen de communication universel, face à la diversité des « paroles entendues dans une partie du monde et qui n'ont aucune signification dans l'autre » ; donnée par la nature, l'intelligence des sons permet de partager avec autrui les émotions primitives du plaisir et du besoin que la mélodie, émanation du cri, imite au plus juste, sans jamais les trahir comme le fait le langage conventionnel des hommes : où est le temps où « dire et chanter étaient une même chose » ?

Si tout le passage rencontre les idées de Rousseau, les rapports qu'il entretient avec la psychologie de l'héroïne et la progression dramatique lui évitent de trop paraître le résumé artificiellement transplanté d'une thèse. Le dénouement, du reste, conclut dans le même sens ce roman de la communication et confirme l'importance des préoccupations linguistiques; tout d'abord, si la sincérité dépourvue d'artifice d'Aza semble se retourner contre Zilia au point de lui faire un moment regretter d'être éclaircie sans ménagements, elle témoigne tout autant de la fidélité de l'infidèle aux mœurs d'une nation éprise de « confiance » et de « franchise ». Enfin, lorsque Zilia dans un élan de ferveur rousseauiste propose à Déterville un Eden digne de Clarens, c'est qu'elle a parfaitement compris le sens de mots qu'elle ne confondra plus : *amour* et *amitié*.

Pas plus qu'on ne saurait confondre la lettre d'amour avec les autres types de message épistolaire.

Néant des plumes et du papier, face à la présence imaginée dont l'intensité s'impose parfois avec l'autorité d'un spectre ; puissance de cette créature fictive à laquelle on parle, impuissance du simulacre à s'échanger contre la chaude réalité de la vie ; vanité de chercher à retenir avec des mots un être qu'on n'a su retenir avec les mains, scandale de la lettre, bientôt tenue, baisée, caressée ; inutilité d'un corps brûlé par le désir, réduit à ne toucher que du vent quand chaque mot entretient l'illusion du contact, absurdité de ce geste vers l'autre qui ne saurait percer la nuit quand on a l'espace pour ennemi ; hybride intolérable de présence et de distance…

Ainsi placée sous le signe de la contradiction, la lettre d'amour, tout en appelant une réponse, ne la suppose sans doute pas fondamentalement. Répondre est avant tout l'affaire du discours oral ; l'écriture amoureuse laisse seulement pressentir le bonheur ou le malheur : elle ne fait souvent que traduire en mots ce que la présence exprimerait par le silence. Ce n'est pas une coopération qu'elle demande, c'est une séduction qu'elle opère, ou la poursuite d'une séduction. Elle ne raconte rien, elle n'apprend rien, sinon par le « je t'aime », formule magique qui en occupe le centre et qui permet à deux êtres de connaître l'essentiel d'eux-mêmes sans se voir, sans se parler, sans même tout s'écrire. Formule d'asservissement et de conquête, le « je t'aime » agit à la façon de ces « actes de langage » qui transforment les rapports avec l'interlocuteur, l'introduisent, par leur seule profération, dans un univers qui n'est celui ni du vrai ni du faux mais du pacte et de l'engagement. C'est bien ainsi que l'entend Déterville, représentant attardé du vieil idéal chevaleresque, égaré dans un monde libertin, et désireux de rendre à la formule consacrée sa force de contrat. Énoncé pour les deux parties redoutable, d'abord dérobé derrière le paravent des modes verbaux (« quand même ce serait vrai que je vous aimasse »), caché sous d'illusoires dénégations (« vous que je n'aime pas, vous qu'on aime un peu »), puis retardé (« je vous écris que je vous aime »), hasardé enfin sans nuance sous sa forme nue de stéréotype réfractaire à toute flexion : « je vous aime ». On voit alors les termes de l'équivalence classique s'inverser : si « faire l'amour » a pu jadis signifier le « dire », dans le monde épistolaire « dire » (ou écrire) l'amour (ou « je vous aime ») équivaut à le « faire » puisque l'amour n'y a d'autre réalité que l'écriture. De là le péril de son apparition : découvert au coin du feuillet qu'il dévore, reçu « de plein fouet », le mot, la « venimeuse amour », transperce insidieusement le cœur dont il sollicite l'aveu : « ce malheureux je vous aime a tout gâté, mais il faut que vous l'y ayez mis par distraction » s'inquiète la « duchesse » de Crébillon. Comme le Verbe de Dieu créa le monde, le mot crée le sentiment, puis se charge de l'entretenir : « rien ne nourrit tant une passion [...] que d'en parler souvent », écrit « Bélise » ; Zilia va plus loin et voit dans la manifestation concrète de l'écriture « une façon de donner à ce sentiment toutes les sortes d'existence qu'il peut avoir ».

Comme Paméla, comme Zilia, tous les amants aiment à parler leur amour, fût-ce devant leur « directeur », car l'amour ne se sépare pas des « expressions de l'amour » : « on ne peut ni vous aimer davantage ni prendre plus de plaisir à le dire », écrivait Mme de Sévigné à sa fille ; mais tous savent aussi que « dire l'amour » ne se confond pas nécessairement avec dire « je vous aime ». Fanni Butlerd oppose un peu lourdement les lettres de son amant : « l'esprit, l'amour et la variété brillent dans [ses] lettres », et les siennes : « moi, je dis, je vous aime, je répète, je vous aime. Il faut me le pardonner ». Boursault désigne plus finement la spécificité de la formule, face aux embellissements du langage galant mis en œuvre par ses rivaux pour séduire Babet : même difficilement articulé, un « je t'aime » persuade mieux « que l'éloquence qui a moins d'effet que mon bredouillement ». Cet « effet », le « je t'aime » le tient du « sublime » auquel sa simplicité monolithique le fait accéder naturellement. La réflexion esthétique du XVIIe siècle avec Boileau l'a en effet défini comme le dépouillement absolu de l'expression, le dénuement érigé en perfection, la « figure zéro » qui renonce à tous les enjolivements des mots pour traduire l'élévation de la pensée : « ce sont là des choses que Longin appelle sublimes », ce que Mme de Sévigné exprimait littéralement par le tour familier « en un mot comme en mille » et ce que Mlle de Lespinasse explicite d'une façon plus tragique, conforme à l'« absolu » de sa passion :

« Dans cet état qui est le mien, on ne peut s'expliquer et s'exprimer que par ces mots, je vous aime », ou, en d'autres termes, « tant de contradictions, tant de mouvements contraires sont vrais et s'expliquent par ces trois mots, je vous aime », mots qu'elle prononce avec « autant de plaisir et de déchirement que si c'était la première et dernière fois de sa vie » qu'elle les prononçât. Où trouver meilleure justification de l'épanorthose, cette figure du chaos intérieur, devenue, à la suite des *Portugaises,* un des traits consacrés de la stylistique amoureuse : « je suis déchirée par mille mouvements contraires » (Guilleragues), « vous savez bien que quand je vous hais, c'est que je vous aime » (Lespinasse). Signalés par un « Mais non » introducteur, les revirements de l'âme se résolvent en un cri d'amour où la juxtaposition des contraires rétablit l'évidence intérieure : je ne sais plus ce que je veux, sinon vous, et l'on pourrait ajouter comme Mme de Sévigné, « cela est bien simple, mais il est bien vrai ».

Pourtant une telle sobriété n'est pas toujours le fait de la lettre amoureuse ; si l'on ne reconnaît guère, dans la languissante paraphrase qu'en fait « Bélise » (lettre LVI), le sublime « et tout le reste n'est rien » de Mariane, aussi fier et pur qu'un air de Mozart, il ne s'agit pourtant point là de ce style figuré inséparable, selon Rousseau, de l'expression des passions portées à un vif degré d'intensité : « pour peu qu'on ait de chaleur dans l'esprit, on a besoin de métaphores et d'expressions figurées pour se faire entendre » ; l'amour ne parle pas en « termes rampants », il lui faut une « diction dans les nues », comme le fut d'emblée le premier langage de l'humanité. Ce n'est donc pas seulement parce que l'enthousiasme de l'amour s'identifie avec celui de la dévotion que les lettres d'amour sont des « hymnes », c'est d'abord parce que ce sont des lettres passionnées et que l'enthousiasme « déplace » son objet, dans le ciel ou ailleurs. Lorsque les troubadours ont fait de la femme une citadelle à conquérir, ils ont créé le champ métaphorique de l'« attaque », qui devait être si cruellement mis en paroles et en actes par le Valmont des *Liaisons dangereuses* et jusqu'à Montherlant ; Boursault lui-même ne puise pas ailleurs et il est frappant de voir comment les premières lettres à Babet, tout entières dans la lignée du badinage galant, s'opposent à l'analyse du « je t'aime » vue plus haut et constituent ainsi une parfaite illustration des deux aspects contradictoires du style amoureux : à la fois simple et figuré. Du reste, si leur partage dément les allégations de Rousseau puisque l'absence de figures coïncide précisément avec l'avènement de la passion, c'est probablement que le code épistolaire mondain a imposé à la figure une mutation essentielle, la faisant passer de l'ordre de la fascination et du délire à l'ordre du jeu : de ce point de vue, le début de la correspondance de Boursault peut être compris comme un jeu à deux degrés, jeu avec les images en même temps que premier pastiche de Voiture auquel les dernières lettres renvoient par deux fois de façon explicite. A l'inverse, les *Portugaises* redonnent au thème des yeux par exemple, traditionnellement cible et siège de l'Archerot vainqueur, leur valeur à la fois naturelle et tragique qui fait assimiler la vue de l'autre à la vie de l'amour, à la vie. Richelet en proposant, dans ses « corrections », de « charmants yeux » là où il ne s'agissait que de « regarder ces yeux » signalera lui-même la métamorphose.

Style figuré, non figuré, mythologies contradictoires de la lettre passionnée, esthétiques opposées du sentiment amoureux, tout cela suppose au moins une confiance, toute classique, dans le pouvoir des mots, liée à la conviction qu'il existe un archétype du style passionné qui seul peut exprimer le sentiment vrai : « le style dont vous vous servez pour me dire que vous m'aimez est une preuve claire que vous ne m'aimez plus » (Ferrand). Ainsi le désordre de la lettre qui trahit le désordre de l'esprit et qui prouve d'autant plus qu'il raisonne moins, la longueur (« le cœur pense sans fin »), la négligence, la « confusion », le « mouvement », l'extravagance même et la discontinuité sous toutes ses formes, comptent-ils parmi les attributs les plus constamment requis pour la lettre d'amour.

Mais, bien qu'« il n'y ait rien de si difficile en amour que d'écrire ce qu'on ne sent pas » (Laclos), les mots peuvent tromper. Ce n'est pas l'un des moindres paradoxes de la lettre amoureuse que dans un type de message où se trouve engagée au premier chef la sincérité de celui qui l'écrit, la vérité puisse aussi aisément devenir feinte, et le désordre artifice ; que le cœur se fasse impunément la dupe de « l'esprit ». L'on voit alors les « maîtresses les plus éclairées » interroger les « vivacités » qui, peut-être, sont dans la tête ou la plume mais pas dans le cœur, scruter le « style si tendre de lettres » qui ne seraient « dictées que par l'esprit » (Ferrand), opposer l'impétuosité des transports écrits à la froideur des propos... Comment pourtant se tromper ? « l'esprit ne parle pas au cœur, il ne parle pas comme le cœur ». Dans l'éternel débat entre la rhétorique et la candeur, la confidence et la littérature, perce la difficulté inhérente à tout commerce épistolaire amoureux : comment se dire ? comment lire l'autre ? et en fin de compte, comment se faire aimer ? Car l'échec de l'amour est d'abord l'échec de la lettre : « j'ai trop vécu puisque j'ai pu vous dire que je vous aime et que je n'ai pu me faire aimer de vous » (Ferrand). A qui la faute ? Comment ne pas incriminer la façon de dire l'amour ? « Mes lettres n'auront apparemment pas plus de pouvoir que n'en ont eu mes larmes » : c'est sans doute que « les expressions sont faibles pour rendre ce que l'on sent fortement, l'esprit trouve des mots, mais l'âme aurait besoin d'une langue nouvelle » (Lespinasse). Malgré la recherche constante de l'intensité expressive et l'ignorance de la litote, les épistolières accusent l'insuffisance du langage pour traduire la violence de leur amour ; Mme de Sévigné trouvait, elle aussi, les paroles trop « courtes », « épuisait » tous les mots sans parvenir à épuiser le sentiment et rencontrait le sublime en désespoir de cause.

Et si le sublime ne convainc pas ? C'est l'heure du repli : « J'écris plus pour moi que pour vous. » Symbolisé par la lettre qui ne partira pas ou qui n'arrivera pas, le solipsisme n'est pas seulement la tentation de la lettre amoureuse, il en est l'envers inséparable, à la fois dangereux et salutaire : « Si tu ne m'écris que pour moi, écrira Kafka à Félice, c'est affreux. » Car la lettre, en même temps qu'elle attend un signe de l'autre en réponse à son désir, est aussi essentiellement épanchement, soulagement de soi : « savoir que ces choses que je vais écrire ne me feront jamais aimer de qui j'aime, c'est le commencement de l'écriture » (Barthes), et le solipsisme n'est sans doute que la perversion de la virtualité monologique, inséparable de toute pratique épistolaire : « il y a des gens si remplis d'eux-mêmes que lorsqu'ils sont amoureux, ils trouvent moyen d'être occupés de leur passion, sans l'être de la personne qu'ils aiment ». Les amantes délaissées ne démentent pas cette réflexion de La Rochefoucauld : « mon amour ne dépend plus de la manière dont vous me traiterez », écrit Mariane, « mon cœur est à vous, indépendamment de la tendresse du vôtre » répond en écho « Bélise » et Mlle de Lespinasse affirme encore : « je vous aime et n'ai pas besoin de votre sentiment pour que mon cœur se donne, s'abandonne à vous ». A vous ou à soi ? Les déferlements de l'amour annulent l'objet aimé qui n'est plus nécessaire, ou plutôt l'amant le crée et le recrée sans cesse à partir de sa capacité d'aimer, de son besoin d'aimer. L'« idée » si fréquente dans le lexique de l'amour classique, a perdu le souvenir de son origine platonicienne, elle n'est même plus l'émanation de l'effigie peinte dans le portrait de l'absent, elle est l'illusion pure, détachée de son support, dont je me repais, sans vouloir la chasser et dont je pleurerai la perte dans le « deuil de l'imaginaire » : « vous n'êtes plus celui que j'aimais... vous ne l'avez jamais été » (Riccoboni). Mais l'aliénation est réciproque car si le *vous* est altéré, sinon reconstruit à partir de *moi*, « je sens positivement que je ne suis point moi, je suis vous » (Lespinasse). Ainsi s'enclenche le jeu de cette machine infernale qui va seule, tourne sur elle-même dans la spirale de la lettre et du style jusqu'à expiration des forces.

Pourtant cet « être », si exténué soit-il, est encore supérieur au néant d'où m'a tirée ton premier regard et d'où me tire perpétuellement ce regard narcissique que je porte sur moi-même, en train d'aimer et d'écrire. Je n'existais pas avant d'écrire, je ne traînais même pas derrière moi le mythe d'un passé tragique, je n'étais rien. Je ne serai rien après la lettre (seule Zilia croit pouvoir goûter « le plaisir d'être » indépendamment de son existence épistolaire). L'écriture seule me persuade si fort que j'existe que « je me surprends à aimer à la folie jusqu'au malheur » qui me fait écrire (Lespinasse). L'insensibilité, la tranquillité me renverraient au néant d'où je sors. Dans l'écriture solitaire du désespoir, il reste au moins la jouissance d'une « sensibilité » qui, comme le dira Julie mourante à la fin de la *Nouvelle Héloïse*, « porte toujours dans l'âme un certain contentement de soi-même, indépendant de la fortune et des événements ».

I. L.-H.

GUILLERAGUES

LETTRES PORTUGAISES TRADUITES EN FRANÇAIS

NOTICE

Le 28 octobre 1668 fut accordé à Paris un privilège pour l'impression d'« un livre intitulé *Les Valantins, lettres portugaises, Épigrames et Madrigaux* de Guilleraques » *(sic)*. Le libraire-éditeur Claude Barbin était le bénéficiaire de ce privilège, qui fut enregistré le 17 novembre suivant. Mais le livre que Barbin acheva d'imprimer le 4 janvier 1669, qui obtint aussitôt un immense succès, et qu'on considère encore aujourd'hui comme un prototype dans le domaine de la littérature amoureuse, s'intitule simplement *Lettres portugaises traduites en français*. L'ouvrage ne se compose que de cinq lettres censées écrites par une religieuse portugaise, précédées d'un bref avis « Au lecteur ». Le 20 août suivant Barbin publia les *Valentins, Questions d'amour et autres Pièces galantes*, c'est-à-dire l'autre partie du recueil qu'il avait d'abord été prévu de faire paraître sous une reliure unique.

L'auteur de ces deux ouvrages publiés anonymement est un gentilhomme gascon nommé Gabriel de Lavergne, sieur de Guilleragues, établi depuis quelques années à Paris, où son esprit et son goût pour la vie mondaine l'avaient introduit dans plusieurs salons littéraires. La minceur des opuscules, et le fait qu'ils relèvent tous deux, selon les critères de l'époque, d'une littérature de pur divertissement destinée au premier chef à un étroit public de connaisseurs, pourraient suffire à expliquer que Guilleragues n'ait pas revendiqué la paternité des *Lettres portugaises*. Mais deux raisons plus importantes justifient le maintien de l'anonymat.

La première est que si l'œuvre avait été dévoilée pour ce qu'elle était réellement, c'est-à-dire une ingénieuse supercherie, et si la fiction d'une religieuse portugaise s'était trouvée ainsi détruite, les *Lettres* auraient perdu par là même une grande part de leur piquant, dû précisément à ce que la plupart des lecteurs, peu soucieux d'y regarder de près, attribuèrent ces accents à la plume d'une amoureuse abandonnée par son amant et inconsolable. Reconnu comme l'auteur de ces pages, Guilleragues n'aurait retiré de la publication qu'une passagère célébrité ; restant dans l'ombre, il laissait la mystification se développer de son propre mouvement et le succès s'accroître d'autant, il donnait plein sens à une œuvre qui reproduisait dans son principe, mais perfectionnait largement dans sa technique la dixième *Héroïde* d'Ovide, l'épître d'Ariane à son infidèle séducteur Thésée.

La seconde raison est la suivante : Guilleragues, parlementaire bordelais, était avant la mort du prince de Conti en 1666, l'intendant de celui-ci. En 1667, l'importante charge qu'il occupe d'autre part à la cour des Aides de Bordeaux est supprimée. En 1668-1669, il cherche toujours un emploi, et s'approche de la cour. Le 21 octobre 1669, fort, selon toute vraisemblance, de l'approbation personnelle de Louis XIV, il acquiert une charge de « secrétaire ordinaire de la chambre et du cabinet de Sa Majesté », qui fait de lui l'un des dépositaires intimes des secrets de la vie privée du roi. Cette opération n'eût sans doute pas été possible si Guilleragues ne s'était fait reconnaître comme un habile auteur de lettres amoureuses, s'il n'avait dans quelques vers des *Valentins* fait acte d'allégeance et de flatterie vis-à-vis du roi, enfin si par son silence il n'avait donné la preuve de sa rigoureuse discrétion.

Aujourd'hui encore, au catalogue de la plupart des bibliothèques, ce chef-d'œuvre du roman épistolaire est classé au nom de son héroïne, Mariana (ou Mariane) Alcoforado, comme si la religieuse portugaise était l'*auteur* de ces pages, soit qu'elle les eût directement rédigées en français, soit qu'on considère le texte définitif comme la *traduction* d'un original portugais. Beaucoup d'éditeurs, d'autre part, respectent l'anonymat initial, et s'abstiennent d'indiquer tout nom d'auteur. Enfin, on observera que maintes éditions et références mentionnent le titre sous la forme suivante : « Lettres de la religieuse portugaise », titre qui fut utilisé dès l'origine, ainsi d'ailleurs que d'autres libellés analogues ou même plus précis (par exemple, *Lettres d'amour d'une religieuse écrites au chevalier de C., officier français en Portugal,* Cologne, Pierre du Marteau, 1669) : profitant de la relative liberté que leur laissait l'incognito de l'auteur, les éditeurs développaient le succès de l'ouvrage en mythifiant « la » religieuse, ou en suggérant une identité précise du destinataire.

Il est intéressant de constater que durant les vingt ou trente années qui suivirent la publication nul, apparemment, ne se soucia de connaître le nom de la religieuse qui aurait pu écrire les lettres. En revanche, on tenta de savoir qui était l'officier français auquel s'adressait « Mariane ». Un consensus s'établit, que l'intéressé ne démentit pas : c'était un gentilhomme nommé Noël Bouton de Chamilly (1635-1715), qui prit part (jusqu'en 1667 probablement) à l'expédition française venue au Portugal dans les années 1663 à 1668 pour aider ce pays à conquérir son indépendance, enfin consentie par l'Espagne au traité d'Aix-la-Chapelle en 1668.

Quant à l'épistolière, ce n'est qu'au XIXe siècle qu'une identité lui fut attribuée, d'après une « note » manuscrite anonyme figurant sur un exemplaire aujourd'hui disparu de l'édition originale, note dont le contenu fut précisé par des recherches menées au Portugal : il s'agirait de Mariana da Costa Alcoforado (1640-1723), religieuse au couvent de la Conception de Beja. Quelques-unes des rares indications matérielles présentes dans le texte autorisent l'identification de cette réelle Mariana avec l'héroïne du roman, d'autres au contraire soulèvent de sérieuses difficultés : ainsi Mariane, dans la lettre V, murmure contre « la médiocrité de [sa] condition », formule incompatible avec l'appartenance de la famille Alcoforado à la noblesse portugaise.

De longues discussions, parfois de ton polémique, sont

intervenues entre, d'une part, des éditeurs et commentateurs pour lesquels le mondain Guilleragues, auteur d'une correspondance littéraire et diplomatique d'une bonne tenue ainsi que d'un mince divertissement de salon, ne peut avoir écrit ces lettres de ton intense, et qui semblent plonger si profondément dans la psychologie de l'amour, et d'autre part ceux qui, plus attentifs à la construction savamment désordonnée de l'œuvre, à ses incontestables sources littéraires, aux rythmes et effets stylistiques, attribuent formellement sa rédaction à l'esprit cultivé et à l'homme habile que fut Guilleragues. Toutes les pièces à conviction ont été reproduites ou recensées dans les deux éditions successives procurées par F. Deloffre et J. Rougeot en 1962 et 1972, dans leurs articles complémentaires, et dans les travaux de J. Chupeau (voir la bibliographie).

Nous sommes convaincus, comme ces érudits, que ni Mariana Alcoforado n'a jamais écrit, en quelque langue que ce soit, les cinq lettres publiées par Barbin, ni Chamilly ne les a jamais reçues : à nos yeux la paternité de Guilleragues ne peut être sérieusement mise en doute. Les arguments avancés par les partisans d'une correspondance authentique ne prennent de cohérence et de force qu'à l'abri du préjugé selon lequel la beauté d'une œuvre littéraire serait directement liée à des coefficients de « sincérité » ou d'« authenticité ». Mais on sait maintenant qu'il existe un art de la lettre amoureuse, et que depuis le petit roman d'Étienne Pasquier (1555) des dizaines d'ouvrages où se mêlent fiction et réalité ont peu à peu dans ce domaine éveillé l'intérêt croissant des salons, approfondi les enquêtes psychologiques, encouragé les essais d'amateurs, de sorte que Guilleragues, s'il est vrai qu'il a écrit les *Lettres portugaises* « par l'ordre d'une princesse et pour lui montrer comment pouvait écrire une femme prévenue d'une forte passion », a sans doute cristallisé avec une géniale adresse des tendances qui ne s'étaient manifestées jusque-là que dans des exercices, des démonstrations, des jeux.

Dans ces conditions, il reste seulement à savoir si l'écrivain a pu s'inspirer, pour rédiger ses *Lettres*, d'une aventure réellement vécue par un officier français durant la campagne de Portugal. L'histoire ne nous a laissé sur ce point aucun témoignage digne de confiance. De nombreuses objections empêchent d'admettre qu'il ait pu être, en 1668, le destinataire de ces lettres portugaises, que date avec précision l'allusion à « la paix de France ». Certes, l'écho d'une lointaine liaison galante a pu se faire entendre dans quelque salon : il n'en faudrait pas davantage, à notre avis, compte tenu de toutes les découvertes récentes sur Guilleragues, le milieu littéraire qu'il fréquentait, et les modèles dont il a pu s'inspirer, pour « expliquer » la naissance d'un chef-d'œuvre, qu'il importe aujourd'hui de tirer définitivement hors des catégories de l'*énigme* ou du *miracle*.

Que retenir de la biographie de cet auteur enfin identifié ? Gabriel-Joseph de Lavergne, vicomte de Guilleragues, est issu d'une lignée de magistrats bordelais. Né dans la capitale de la Guyenne en 1628, il fit ses études au collège de Navarre à Paris, puis sans doute à l'École de droit, avant de rentrer à Bordeaux comme avocat au Parlement. Il se trouve rapidement investi de la confiance du prince de Conti, alors gouverneur militaire de la ville, et s'attache à ce personnage auprès duquel il remplit des charges d'importance croissante (secrétaire puis intendant) à Montpellier, à Pézenas, en Italie, ou à Bordeaux. C'est en 1660 qu'il achète dans cette ville la charge de premier président de la cour des Aides, à laquelle il devra renoncer en 1667. La mort de Conti, gouverneur de Languedoc, en 1666, le libère : il prend pied à Paris, fréquente Molière, Racine, La Rochefoucauld, Mme de Sablé, exerce un autre secrétariat auprès d'un grand seigneur, plus tard figure parmi les familiers de Boileau (qui lui dédie sa cinquième *Épître* en 1674), et se rencontre régulièrement dans le cercle de Mme de Lafayette, Mme Scarron (la future Mme de Maintenon), Mme de Coulanges, Mme de Sévigné, etc. Comparable à celle des historiographes de Louis XIV, Racine et Boileau, l'ascension sociale de Guilleragues s'achève, après l'acquisition de la charge de secrétaire de la chambre en octobre 1669 et la période de faveur royale qui marqua les années suivantes, par sa nomination à l'ambassade de France à Constantinople (décembre 1677), ville où il mourut le 4 mars 1685. Connu pour ses traits d'esprit, son « art de plaire » (Boileau), son caractère officieux et zélé, Guilleragues fut d'abord, non pas un écrivain inspiré, au génie puissant et original, mais un homme qui fit servir sa plume à des tâches occasionnelles, secrétariats, jeux mondains (les *Valentins*), chansons, journalisme (collaboration à la *Gazette de France*), puis dépêches diplomatiques.

La composition des *Lettres portugaises* doit pouvoir être envisagée dans cette perspective relativement modeste, qui ne porte nul préjudice, bien au contraire, à l'estimation de l'ouvrage. Car il n'y a aucune raison pour qu'une création littéraire « artificielle », c'est-à-dire déterminée par un ensemble de conditions extérieures telles que commande ou volonté de démonstration, ne puisse donner naissance à un chef-d'œuvre. Dans toute l'histoire de la lettre amoureuse l'artifice côtoie le naturel. Exemples, modèles, imitations, traductions, adaptations se succèdent dans les « secrétaires » et les recueils de toutes sortes. Guilleragues prend place dans cette tradition, dont il profite pour mieux la dépasser. N'oublions pas qu'y figurent d'abord, agencées par Virgile ou Ovide, les plaintes de Didon, celles d'Ariane et de quelques autres belles abandonnées. Quant à la correspondance d'Héloïse et Abélard, déjà bien connue dans son original latin, elle paraît avoir été pour la première fois traduite en français ou plutôt paraphrasée et partiellement transposée, par François de Grenaille dans son *Nouveau Recueil de lettres des dames tant anciennes que modernes* (1642): point de départ d'une diffusion qui atteignit son apogée au XVIIIe siècle. Le même recueil de Grenaille faisait découvrir, dans sa IIIe section consacrée aux « lettres d'amour », les brûlantes missives d'une Italienne, Isabella Andreini, héritière des nombreux maîtres de l'épistolographie italienne qui, au début du XVIe siècle, mirent à la mode en Europe le ton alambiqué et les métaphores fleuries qui longtemps caractérisèrent l'expression de l'amour galant. Et lorsque les canons de la « lettre d'amour» (ou lettre passionnée), secrète, violente, désordonnée, remplacent vers 1660 ceux de la «lettre galante», dont l'ornementation devenue conventionnelle n'est plus recommandée que dans les manuels les plus médiocres, plusieurs textes témoignent de l'intérêt renouvelé qu'on porte dans certains cercles (autour d'Henriette d'Angleterre, par exemple) à ce «genre» décidément fort répandu que représente une lettre féminine, inquiète, ardente, adressée à un cavalier volage, ou qu'a éloigné quelque campagne militaire.

Le lecteur d'une telle correspondance éprouve un sentiment confus d'audacieuse indiscrétion. Il pénètre par une sorte d'effraction («J'ai trouvé les moyens, avec beaucoup de soin et de peine, de recouvrer une copie [...]», écrit Guilleragues dans son avis «Au lecteur») dans l'intimité d'un dialogue confidentiel. Les nombreux exclamatifs, les anomalies stylistiques, la violence du ton, certaines incohérences, renforcent cette impression d'écriture brute, non surveillée. Le relevé de ces effets a été établi par F. Deloffre, J. Rougeot et J. Chupeau dans leurs études déjà citées. Deux questions, souvent débattues et sur lesquelles il faut ici prendre parti, peuvent être examinées dans le cadre de cette esthétique du désordre.

La première question concerne précisément l'ordre de succession des cinq lettres de Mariane. Des commentateurs ont proposé des dispositions différentes de celle de l'édition originale, pour tenter d'harmoniser les quelques indications chronologiques figurant dans le texte. Une édition récente (celle qu'a présentée Y. Florenne en 1979 dans la collection du «Livre de poche classique») intervertit les lettres II et IV, suivant l'exemple donné par C. Aveline. Dans un compte rendu de 1975, A. Niderst a affirmé, quant à lui, que l'«intrigue» s'organise d'une manière satisfaisante si les lettres sont lues dans l'ordre: IV, II, I, III, V, déjà suggéré en 1895 par M. Paléologue. Ces hypothèses n'offrent d'intérêt que si le lecteur cherche à tout prix à retrouver dans le texte des lettres un document authentique, éventuellement adapté par Guilleragues: aussi ne nous y arrêterons-nous pas. Nous donnons les cinq lettres dans l'ordre de l'édition originale, estimant (voir l'Introduction, p. 28) que cet ordre est bien celui qu'a voulu l'auteur, et qu'il correspond rigoureusement à l'évolution des sentiments de Mariane, en quoi consiste le véritable sujet de l'ouvrage.

Le second point de litige porte sur le sens qu'il convient d'attribuer au mot *amour*, à la première ligne de la lettre I : Mariane emploie-t-elle un hypocoristique et s'adresse-t-elle à son infidèle amant ? ou apostrophe-t-elle la personnification de son amour ? Nous ne revenons que rapidement sur ce point qui a été abordé dans l'Introduction (p. 31) : les deux interprétations s'étant dès l'origine trouvées en concurrence, il est difficile de déterminer laquelle fut voulue par l'auteur — si même il est certain que toute ambiguïté volontaire doit être exclue. Du Plaisir nota dans son traité épistolaire de 1683 qu'au Portugal à la rigueur mais non en France, on peut « parler à son amour » : manière de souligner que cette extravagance stylistique trouve une justification en quelque sorte géographique. Le tutoiement d'autre part s'explique difficilement si Mariane s'adresse à celui qu'elle aime, qu'elle vouvoie normalement par la suite. Enfin, parlant à sa passion, c'est-à-dire à elle-même, l'héroïne inaugure dès l'exorde le discours monologique qu'elle va progressivement développer dans ses lettres sous les apparences du dialogue. Dans la discussion qui, sur ce point, a surtout opposé F. Deloffre à W. Leiner (voir la note bibliographique) nous préférons donc, avec ce dernier, croire que c'est l'amour personnifié de Mariane, et non son amant, qui a « manqué de prévoyance », « été trahi », et souffre « présentement [d'] un mortel désespoir ».

Il reste, pour rendre compte du très grand succès, immédiat et prolongé, qu'obtint le petit volume lancé par Barbin, à mentionner les « réponses », pastiches et adaptations qui se succédèrent dès l'année 1669. D'une part, une « Seconde partie », parue chez le même éditeur, et comportant sept « nouvelles lettres » censées écrites, non plus par une religieuse, mais par « une femme du monde » également portugaise, se présente à nous comme une fort plate imitation des principaux mouvements et effets mis en œuvre par Guilleragues. D'autre part, deux recueils de

Réponses furent publiés par d'autres éditeurs, l'un à Paris, l'autre à Grenoble. Les *Réponses* de Paris (cinq lettres) sont un pur et simple démarquage du texte de Guilleragues : l'auteur s'est le plus souvent contenté de répéter à la première personne ce que Mariane avait dit à la seconde, et inversement ; frauduleux travail, qui plut pourtant au point d'avoir souvent été joint à l'original sous une même couverture. Les *Réponses* de Grenoble (six lettres) sont le meilleur de ces trois produits d'imitation : l'amant y apparaît sous une stature vraisemblable, son style, plus « français », plus maniéré que celui de Mariane, a néanmoins quelques accents de sincérité, et ses « divers mouvements » sont assez habilement calqués sur ceux de son modèle féminin.

Ces trois pastiches, qu'on peut trouver commodément aujourd'hui dans l'édition du « Livre de poche classique », parurent sous l'anonymat en 1669 ; leurs auteurs nous sont restés inconnus. Au XVIIIe siècle, la mode des héroïdes s'empara de Mariane comme de tant d'autres amantes délaissées, et nous avons de mièvres *Lettres portugaises en vers,* œuvre du marquis de Ximenes, publiées à « Lisbonne » (Paris) en 1759, ainsi qu'une fade adaptation de C. J. Dorat (1770) : *Lettres d'une chanoinesse de Lisbonne à Melcour, officier français.* Au XXe siècle, dans un récent contexte de libération politique et sociale, trois jeunes Portugaises, toutes trois prénommées Maria, firent paraître dans leur langue de *Nouvelles Lettres portugaises,* traduites en français en 1974, mi-roman mi-pamphlet, où l'aventure de Mariane, librement développée, sert de point de départ à diverses revendications féministes. Ce livre fut porté à la scène à Paris en 1978 — comme d'ailleurs l'avaient été les lettres originales de Guilleragues, à Paris en 1972 : là, l'actrice ne s'entourant d'aucun autre accessoire qu'une table, une écritoire, une bougie, une plume d'oie, sa simple récitation du texte, rythmée et frémissante, suffisait à en rendre la densité, la profondeur, le classicisme et le modernisme à la fois.

Notre texte est celui de l'édition originale, l'orthographe et la ponctuation étant modernisées.

AU LECTEUR

J'ai trouvé les moyens, avec beaucoup de soin et de peine, de recouvrer une copie correcte de la traduction de cinq Lettres portugaises qui ont été écrites à un gentilhomme de qualité, qui servait en Portugal. J'ai vu tous ceux qui se connaissent en sentiments, ou les louer, ou les chercher avec tant d'empressement que j'ai cru que je leur ferais un singulier plaisir de les imprimer. Je ne sais point le nom de celui auquel on les a écrites, ni de celui qui en a fait la traduction, mais il m'a semblé que je ne devais pas leur déplaire en les rendant publiques. Il est difficile qu'elles n'eussent enfin paru avec des fautes d'impression qui les eussent défigurées.

I

Considère, mon amour, jusqu'à quel excès tu as manqué de prévoyance. Ah ! malheureux ! tu as été trahi, et tu m'as trahie par des espérances trompeuses. Une passion sur laquelle tu avais fait tant de projets de plaisirs, ne te cause présentement qu'un mortel désespoir, qui ne peut être comparé qu'à la cruauté de l'absence qui le cause. Quoi ? cette absence à laquelle ma douleur, tout ingénieuse qu'elle est, ne peut donner un nom assez funeste, me privera donc pour toujours de regarder ces yeux dans lesquels je voyais tant d'amour, et qui me faisaient connaître des mouvements qui me comblaient de joie, qui me tenaient lieu de toutes choses, et qui enfin me suffisaient ? Hélas ! les miens sont privés de la seule lumière qui les animait, il ne leur reste que des larmes, et je ne les ai employés à aucun usage qu'à pleurer sans cesse, depuis que j'appris que vous étiez enfin résolu à un éloignement qui m'est si insupportable qu'il me fera mourir en peu de temps. Cependant il me semble que j'ai quelque attachement pour des malheurs dont vous êtes la seule cause : je vous ai destiné ma vie aussitôt que je vous ai vu, et je sens quelque plaisir en vous la sacrifiant. J'envoie mille fois le jour mes soupirs vers vous, ils vous cherchent en tous lieux, et ils ne me rapportent, pour toute récompense de tant d'inquiétudes, qu'un avertissement trop sincère que me donne ma mauvaise fortune, qui a la cruauté de ne souffrir pas que je me flatte, et qui me dit à tous moments : cesse, cesse, Mariane infortunée, de te consumer vainement, et de chercher un amant que tu ne verras jamais, qui a passé les mers pour te fuir, qui est en France au milieu des plaisirs, qui ne pense pas un seul moment à tes douleurs, et qui te dispense de tous ces transports desquels il ne te sait aucun gré. Mais non, je ne puis me résoudre à juger si injurieusement de vous, et je suis trop intéressée à vous justifier: je ne veux point m'imaginer que vous m'avez oubliée. Ne suis-je pas assez malheureuse sans me tourmenter par de faux soupçons? Et pourquoi ferais-je des efforts pour ne me plus souvenir de tous les soins que vous avez pris de me témoigner de l'amour? J'ai été si charmée de tous ces soins que je serais bien ingrate si je ne vous aimais avec les mêmes emportements que ma passion me donnait, quand je jouissais des témoignages de la vôtre. Comment se peut-il faire que les souvenirs des moments si agréables soient devenus si cruels? Et faut-il que contre leur nature, ils ne servent qu'à tyranniser mon cœur? Hélas! votre dernière lettre le réduisit en un étrange état; il eut des mouvements si sensibles qu'il fit, ce semble, des efforts pour se séparer de moi et pour vous aller trouver; je fus si accablée de toutes ces émotions violentes, que je demeurai plus de trois heures abandonnée de tous mes sens: je me défendis de revenir à une vie que je dois perdre pour vous, puisque je ne puis la conserver pour vous; je revis enfin, malgré moi, la lumière; je me flattais de sentir que je mourais d'amour, et d'ailleurs j'étais bien aise de n'être plus exposée à voir mon cœur déchiré par la douleur de votre absence. Après ces accidents, j'ai eu beaucoup de différentes indispositions: mais puis-je jamais être sans maux tant que je ne vous verrai pas? Je les supporte cependant sans murmurer, puisqu'ils viennent de vous. Quoi? est-ce là la récompense que vous me donnez pour vous avoir si tendrement aimé? Mais il n'importe, je suis résolue à vous adorer toute ma vie, et à ne voir jamais personne, et je vous assure que vous ferez bien aussi de n'aimer personne. Pourriez-vous être content d'une passion moins ardente que la mienne? Vous trouverez peut-être plus de beauté (vous m'avez pourtant dit autrefois que j'étais assez belle) mais vous ne trouverez jamais tant d'amour, et tout le reste n'est rien. Ne remplissez plus vos lettres de choses inutiles, et ne m'écrivez plus de me souvenir de vous. Je ne puis vous oublier, et je n'oublie pas aussi que vous m'avez fait espérer que vous viendriez passer quelque temps avec moi. Hélas! pourquoi n'y voulez-vous pas passer toute votre vie? S'il m'était possible de sortir de ce malheureux cloître, je n'attendrais pas en Portugal l'effet de vos promesses : j'irais, sans garder aucune mesure, vous chercher, vous suivre, et vous aimer par tout le monde. Je n'ose me flatter que cela puisse être, je ne veux point nourrir une espérance qui me donnerait assurément quelque plaisir, et je ne veux plus être sensible qu'aux douleurs. J'avoue cependant que l'occasion que mon frère m'a donnée de vous écrire a surpris en moi quelques mouvements de joie, et qu'elle a suspendu pour un moment le désespoir où je suis. Je vous conjure de me dire pourquoi vous vous êtes attaché à m'enchanter comme vous avez fait, puisque vous saviez bien que vous deviez m'abandonner? Et pourquoi avez-vous été si acharné à me rendre malheureuse? Que ne me laissiez-vous en repos dans mon cloître? Vous avais-je fait quelque injure? Mais je vous demande pardon : je ne vous impute rien; je ne suis pas en état de penser à ma vengeance, et j'accuse seulement la rigueur de mon destin. Il me semble qu'en nous séparant, il nous a fait tout le mal que nous pouvions craindre; il ne saurait séparer nos cœurs; l'amour qui est plus puissant que lui les a unis pour toute notre vie. Si vous prenez quelque intérêt à la mienne, écrivez-moi souvent. Je mérite bien que vous preniez quelque soin de m'apprendre l'état de votre cœur et de votre fortune; surtout venez me voir. Adieu, je ne puis quitter ce papier, il tombera entre vos mains, je voudrais bien avoir le même bonheur. Hélas! insensée que je suis, je m'aperçois bien que cela n'est pas possible. Adieu, je n'en puis plus. Adieu, aimez-moi toujours, et faites-moi souffrir encore plus de maux.

II

Il me semble que je fais le plus grand tort du monde aux sentiments de mon cœur, de tâcher de vous les faire connaître en les écrivant : que je serais heureuse si vous en pouviez bien juger par la violence des vôtres ! Mais je ne dois pas m'en rapporter à vous, et je ne puis m'empêcher de vous dire, bien moins vivement que je ne le sens, que vous ne devriez pas me maltraiter comme vous faites par un oubli qui me met au désespoir, et qui est même honteux pour vous ; il est bien juste, au moins, que vous souffriez que je me plaigne des malheurs que j'avais bien prévus quand je vous vis résolu de me quitter ; je connais bien que je me suis abusée, lorsque j'ai pensé que vous auriez un procédé de meilleure foi qu'on n'a accoutumé d'avoir, parce que l'excès de mon amour me mettait, ce semble, au-dessus de toutes sortes de soupçons, et qu'il méritait plus de fidélité qu'on n'en trouve d'ordinaire. Mais la disposition que vous avez à me trahir l'emporte enfin sur la justice que vous devez à tout ce que j'ai fait pour vous ; je ne laisserais pas d'être bien malheureuse si vous ne m'aimiez que parce que je vous aime, et je voudrais tout devoir à votre seule inclination ; mais je suis si éloignée d'être en cet état que je n'ai pas reçu une seule lettre de vous depuis six mois. J'attribue tout ce malheur à l'aveuglement avec lequel je me suis abandonnée à m'attacher à vous : ne devais-je pas prévoir que mes plaisirs finiraient plus tôt que mon amour ? Pouvais-je espérer que vous demeureriez toute votre vie en Portugal, et que vous renonceriez à votre fortune et à votre pays pour ne penser qu'à moi ? Mes douleurs ne peuvent recevoir aucun soulagement, et le souvenir de mes plaisirs me comble de désespoir. Quoi ! tous mes désirs seront donc inutiles, et je ne vous verrai jamais en ma chambre avec toute l'ardeur et tout l'emportement que vous me faisiez voir ? Mais hélas ! je m'abuse, et je ne connais que trop que tous les mouvements qui occupaient ma tête et mon cœur n'étaient excités en vous que par quelques plaisirs, et qu'ils finissaient aussi tôt qu'eux ; il fallait que dans ces moments trop heureux j'appelasse ma raison à mon secours pour modérer l'excès funeste de mes délices, et pour m'annoncer tout ce que je souffre présentement. Mais je me donnais toute à vous, et je n'étais pas en état de penser à ce qui eût pu empoisonner ma joie, et m'empêcher de jouir pleinement des témoignages ardents de votre passion ; je m'apercevais trop agréablement que j'étais avec vous pour penser que vous seriez un jour éloigné de moi. Je me souviens pourtant de vous avoir dit quelquefois que vous me rendriez malheureuse, mais ces frayeurs étaient bientôt dissipées, et je prenais plaisir à vous les sacrifier, et à m'abandonner à l'enchantement et à la mauvaise foi de vos protestations. Je vois bien le remède à tous mes maux, et j'en serais bientôt délivrée si je ne vous aimais plus ; mais, hélas ! quel remède ! non, j'aime mieux souffrir encore davantage que vous oublier. Hélas ! cela dépend-il de moi ? Je ne puis me reprocher d'avoir souhaité un seul moment de ne vous plus aimer ; vous êtes plus à plaindre que je ne suis, et il vaut mieux souffrir tout ce que je souffre que de jouir des plaisirs languissants que vous donnent vos maîtresses de France. Je n'envie point votre indifférence, et vous me faites pitié. Je vous défie de m'oublier entièrement ; je me flatte de vous avoir mis en état de n'avoir sans moi que des plaisirs imparfaits, et je suis plus heureuse que vous puisque je suis plus occupée. L'on m'a fait depuis peu portière en ce couvent ; tous ceux qui me parlent croient que je suis folle, je ne sais ce que je leur réponds, et il faut que les religieuses soient aussi insensées que moi pour m'avoir crue capable de quelque soin. Ah ! j'envie le bonheur d'Emmanuel et de Francisque [1] ; pourquoi ne

1. Deux petits laquais portugais. (Note des éditions originales.)

suis-je pas incessamment avec vous, comme eux? Je vous aurais suivi, et je vous aurais assurément servi de meilleur cœur, je ne souhaite rien en ce monde que vous voir. Au moins souvenez-vous de moi. Je me contente de votre souvenir, mais je n'ose m'en assurer; je ne bornais pas mes espérances à votre souvenir quand je vous voyais tous les jours; mais vous m'avez bien appris qu'il faut que je me soumette à tout ce que vous voudrez. Cependant je ne me repens point de vous avoir adoré, je suis bien aise que vous m'ayez séduite; votre absence rigoureuse, et peut-être éternelle, ne diminue en rien l'emportement de mon amour. Je veux que tout le monde le sache, je n'en fais point un mystère, et je suis ravie d'avoir fait tout ce que j'ai fait pour vous contre toute sorte de bienséance; je ne mets plus mon honneur et ma religion qu'à vous aimer éperdument toute ma vie, puisque j'ai commencé à vous aimer. Je ne vous dis point toutes ces choses pour vous obliger à m'écrire. Ah! ne vous contraignez point, je ne veux de vous que ce qui viendra de votre mouvement, et je refuse tous les témoignages de votre amour dont vous pourriez vous empêcher. J'aurai du plaisir à vous excuser, parce que vous aurez peut-être du plaisir à ne pas prendre la peine de m'écrire, et je sens une profonde disposition à vous pardonner toutes vos fautes. Un officier français a eu la charité de me parler ce matin plus de trois heures de vous, il m'a dit que la paix de France était faite; si cela est, ne pourriez-vous pas me venir voir, et m'emmener en France? Mais je ne le mérite pas, faites tout ce qu'il vous plaira, mon amour ne dépend plus de la manière dont vous me traiterez; depuis que vous êtes parti, je n'ai pas eu un seul moment de santé, et je n'ai aucun plaisir qu'en nommant votre nom mille fois le jour; quelques religieuses, qui savent l'état déplorable où vous m'avez plongée, me parlent de vous fort souvent; je sors le moins qu'il m'est possible de ma chambre où vous êtes venu tant de fois et je regarde sans cesse votre portrait, qui m'est mille fois plus cher que ma vie. Il me donne quelque plaisir; mais il me donne aussi bien de la douleur, lorsque je pense que je ne vous reverrai peut-être jamais; pourquoi faut-il qu'il soit possible que je ne vous verrai peut-être jamais ? M'avez-vous pour toujours abandonnée ? Je suis au désespoir, votre pauvre Mariane n'en peut plus, elle s'évanouit en finissant cette lettre. Adieu, adieu, ayez pitié de moi.

III

Qu'est-ce que je deviendrai, et qu'est-ce que vous voulez que je fasse ? Je me trouve bien éloignée de tout ce que j'avais prévu ; j'espérais que vous m'écririez de tous les endroits où vous passeriez, et que vos lettres seraient fort longues ; que vous soutiendriez ma passion par l'espérance de vous revoir, qu'une entière confiance en votre fidélité me donnerait quelque sorte de repos, et que je demeurerais cependant dans un état assez supportable sans d'extrêmes douleurs : j'avais même pensé à quelques faibles projets de faire tous les efforts dont je serais capable pour me guérir, si je pouvais connaître bien certainement que vous m'eussiez tout à fait oubliée ; votre éloignement, quelques mouvements de dévotion, la crainte de ruiner entièrement le reste de ma santé par tant de veilles et par tant d'inquiétudes, le peu d'apparence de votre retour, la froideur de votre passion et de vos derniers adieux, votre départ, fondé sur d'assez méchants prétextes, et mille autres raisons, qui ne sont que trop bonnes, et que trop inutiles, semblaient me promettre un secours assez assuré, s'il me devenait nécessaire. N'ayant enfin à combattre que contre moi-même, je ne pouvais jamais me défier de toutes mes faiblesses, ni appréhender tout ce que je souffre aujourd'hui. Hélas ! que je suis à plaindre de ne partager pas mes douleurs avec vous, et d'être toute seule malheureuse. Cette pensée me tue, et je meurs de frayeur que vous n'ayez jamais été extrêmement sensible à tous nos plaisirs. Oui, je connais présentement la mauvaise foi de tous vos mouvements : vous m'avez trahie toutes les fois que vous m'avez dit que vous étiez ravi d'être seul avec moi ; je ne dois qu'à mes importunités vos empressements et vos transports ; vous aviez fait de sens froid un dessein de m'enflammer, vous n'avez regardé ma passion que comme une victoire, et votre cœur n'en a jamais été profondément touché. N'êtes-vous pas bien malheureux, et n'avez-vous pas bien peu de délicatesse de n'avoir su profiter qu'en cette manière de mes emportements ? Et comment est-il possible qu'avec tant d'amour je n'aie pu vous rendre tout à fait heureux ? Je regrette pour l'amour de vous seulement les plaisirs infinis que vous avez perdus : faut-il que vous n'ayez pas voulu en jouir ? Ah ! si vous les connaissiez, vous trouveriez sans doute qu'ils sont plus sensibles que celui de m'avoir abusée, et vous auriez éprouvé qu'on est beaucoup plus heureux, et qu'on sent quelque chose de bien plus touchant, quand on aime violemment que lorsqu'on est aimé. Je ne sais ni ce que je suis, ni ce que je fais, ni ce que je désire : je suis déchirée par mille mouvements contraires. Peut-on s'imaginer un état si déplorable ? Je vous aime éperdument, et je vous ménage assez pour n'oser, peut-être, souhaiter que vous soyez agité des mêmes transports : je me tuerais, ou je mourrais de douleur sans me tuer, si j'étais assurée que vous n'avez jamais aucun repos, que votre vie n'est que trouble et qu'agitation, que vous pleurez sans cesse, et que tout vous est odieux ; je ne puis suffire à mes maux, comment pourrais-je supporter la douleur que me donneraient les vôtres, qui me seraient mille fois plus sensibles ? Cependant je ne puis aussi me résoudre à désirer que vous ne pensiez point à moi ; et à vous parler sincèrement, je suis jalouse avec fureur de tout ce qui vous donne de la joie, et qui touche votre cœur et votre goût en France. Je ne sais pourquoi je vous écris, je vois bien que vous aurez seulement pitié de moi, et je ne veux point de votre pitié. J'ai bien du dépit contre moi-même quand je fais réflexion sur tout ce que je vous ai sacrifié : j'ai perdu ma réputation, je me suis exposée à la fureur de mes parents, à la sévérité des lois de ce pays contre les religieuses, et à votre ingratitude, qui me paraît le plus grand de tous les malheurs. Cependant je sens bien que mes remords ne sont pas véritables, que je voudrais du meilleur de mon cœur avoir couru pour l'amour de vous de plus grands dangers, et que j'ai un plaisir funeste d'avoir hasardé ma vie et mon honneur : tout ce que j'ai de plus précieux ne devait-il pas être en votre disposition ? Et ne dois-je pas être bien aise de l'avoir employé comme j'ai fait ? Il me semble même que je ne suis guère contente ni de mes douleurs, ni de l'excès de mon amour, quoique je ne puisse, hélas ! me flatter assez pour être contente de vous. Je vis, infidèle que je suis, et je fais autant de choses pour conserver ma vie que pour la perdre. Ah ! j'en meurs de honte : mon désespoir n'est donc que dans mes lettres ? Si je vous aimais autant que je vous l'ai dit mille fois, ne serais-je pas morte il y a longtemps ? Je vous ai trompé, c'est à vous à vous plaindre de moi. Hélas ! pourquoi ne vous en plaignez-vous pas ? Je vous ai vu partir, je ne puis espérer de vous voir jamais de retour, et je respire cependant : je vous ai trahi, je vous en demande pardon. Mais ne me l'accordez pas ! Traitez-moi sévèrement ! Ne trouvez point que mes sentiments soient assez violents ! Soyez plus difficile à contenter ! Mandez-moi que vous voulez que je meure d'amour pour vous ! Et je vous conjure de me donner ce secours, afin que je surmonte la faiblesse de mon sexe, et que je finisse toutes mes irrésolutions par un véritable désespoir ; une fin tragique vous obligerait sans doute à penser souvent à moi, ma mémoire vous serait chère, et vous seriez, peut-être, sensiblement touché d'une mort extraordinaire : ne vaut-elle pas mieux que l'état où vous m'avez réduite ? Adieu, je voudrais bien ne vous avoir jamais vu. Ah ! je sens vivement la fausseté de ce sentiment, et je connais, dans le moment que je vous écris, que j'aime bien mieux être malheureuse en vous aimant que de ne vous avoir jamais vu ; je consens donc sans murmure à ma mauvaise destinée, puisque vous n'avez pas voulu la rendre meilleure. Adieu, promettez-moi de me regretter tendrement, si je meurs de douleur, et qu'au moins la violence de ma passion vous donne du dégoût et de l'éloignement pour toutes choses ; cette consolation me suffira, et s'il faut que je vous abandonne pour toujours, je voudrais bien ne vous laisser pas à une autre. Ne seriez-vous pas bien cruel de vous servir de mon désespoir pour vous rendre plus aimable, et pour faire voir que vous avez donné la plus grande passion du monde ? Adieu encore une fois, je vous écris des lettres trop longues, je n'ai pas assez d'égard pour vous, je vous en demande pardon, et j'ose espérer que vous aurez quelque indulgence pour une pauvre insensée, qui ne l'était pas, comme vous savez, avant qu'elle vous aimât. Adieu, il me semble que je vous parle trop souvent de l'état insupportable où je suis ; cependant je vous remercie dans le fond de mon cœur du désespoir que vous me causez, et je déteste la tranquillité où j'ai vécu avant que je vous connusse. Adieu, ma passion augmente à chaque moment. Ah ! que j'ai de choses à vous dire !

IV

Votre Lieutenant vient de me dire qu'une tempête vous a obligé de relâcher au royaume d'Algarve : je crains que vous n'ayez beaucoup souffert sur la mer, et cette appréhension m'a tellement occupée que je n'ai plus pensé à tous mes maux ; êtes-vous bien persuadé que votre Lieutenant prenne plus de part que moi à tout ce qui vous arrive ? Pourquoi en est-il mieux informé, et enfin pourquoi ne m'avez-vous point écrit ? Je suis bien malheureuse si vous n'en avez trouvé aucune occasion depuis votre départ, et je la suis bien davantage si vous en avez trouvé sans m'écrire ; votre injustice et votre ingratitude sont extrêmes ; mais je serais au désespoir si elles vous attiraient quelque malheur, et j'aime beaucoup mieux qu'elles demeurent sans punition que si j'en étais vengée. Je résiste à toutes les apparences qui me devraient persuader que vous ne m'aimez guère, et je sens bien plus de disposition à m'abandonner aveuglément à ma passion qu'aux raisons que vous me donnez de me plaindre de votre peu de soin. Que vous m'auriez épargné d'inquiétudes, si votre procédé eût été aussi languissant les premiers jours que je vous vis qu'il m'a paru depuis quelque temps ! Mais qui n'aurait été abusée, comme moi, par tant d'empressements, et à qui n'eussent-ils paru sincères ? Qu'on a de peine à se résoudre à soupçonner longtemps la bonne foi de ceux qu'on aime ! Je vois bien que la moindre excuse vous suffit, et sans que vous preniez le soin de m'en faire, l'amour que j'ai pour vous vous sert si fidèlement que je ne puis consentir à vous trouver coupable que pour jouir du sensible plaisir de vous justifier moi-même. Vous m'avez consommée par vos assiduités, vous m'avez enflammée par vos transports, vous m'avez charmée par vos complaisances, vous m'avez assurée par vos serments, mon inclination violente m'a séduite, et les suites de ces commencements si agréables et si heureux ne sont que des larmes, que des soupirs, et qu'une mort funeste sans que je puisse y porter aucun remède. Il est vrai que j'ai eu des plaisirs bien surprenants en vous aimant, mais ils me coûtent d'étranges douleurs, et tous les mouvements que vous me causez sont extrêmes. Si j'avais résisté avec opiniâtreté à votre amour, si je vous avais donné quelque sujet de chagrin et de jalousie pour vous enflammer davantage, si vous aviez remarqué quelque ménagement artificieux dans ma conduite, si j'avais enfin voulu opposer ma raison à l'inclination naturelle que j'ai pour vous, dont vous me fîtes bientôt apercevoir (quoique mes efforts eussent été sans doute inutiles), vous pourriez me punir sévèrement et vous servir de votre pouvoir. Mais vous me parûtes aimable avant que vous m'eussiez dit que vous m'aimiez ; vous me témoignâtes une grande passion, j'en fus ravie, et je m'abandonnai à vous aimer éperdument. Vous n'étiez point aveuglé comme moi : pourquoi avez-vous donc souffert que je devinsse en l'état où je me trouve ? Qu'est-ce que vous vouliez faire de tous mes emportements qui ne pouvaient vous être que très importuns ? Vous saviez bien que vous ne seriez pas toujours en Portugal ; et pourquoi m'y avez-vous voulu choisir pour me rendre si malheureuse ? Vous eussiez trouvé sans doute en ce pays quelque femme qui eût été plus belle, avec laquelle vous eussiez eu autant de plaisirs, puisque vous n'en cherchiez que de grossiers, qui vous eût fidèlement aimé aussi longtemps qu'elle vous eût vu, que le temps eût pu consoler de votre absence, et que vous auriez pu quitter sans perfidie et sans cruauté. Ce procédé est bien plus d'un tyran, attaché à persécuter, que d'un amant, qui ne doit penser qu'à plaire. Hélas ! pourquoi exercez-vous tant de rigueurs sur un cœur qui est à vous ? Je vois bien que vous êtes aussi facile à vous laisser persuader contre moi que je l'ai été à me laisser persuader en votre faveur ; j'aurais résisté, sans avoir besoin de tout mon amour et sans m'apercevoir que j'eusse rien fait d'extraordinaire, à de plus grandes raisons que ne peuvent être celles qui vous ont obligé à me quitter: elles m'eussent paru bien faibles, et il n'y en a point qui eussent jamais pu m'arracher d'auprès de vous; mais vous avez voulu profiter des prétextes que vous avez trouvés de retourner en France; un vaisseau partait: que ne le laissiez-vous partir? Votre famille vous avait écrit: ne savez-vous pas toutes les persécutions que j'ai souffertes de la mienne? Votre honneur vous engageait à m'abandonner: ai-je pris quelque soin du mien? Vous étiez obligé d'aller servir votre roi: si tout ce qu'on dit de lui est vrai, il n'a aucun besoin de votre secours, et il vous aurait excusé.

J'eusse été trop heureuse si nous avions passé notre vie ensemble; mais puisqu'il fallait qu'une absence cruelle nous séparât, il me semble que je dois être bien aise de n'avoir pas été infidèle, et je ne voudrais pas, pour toutes les choses du monde, avoir commis une action si noire. Quoi! vous avez connu le fond de mon cœur et de ma tendresse, et vous avez pu vous résoudre à me laisser pour jamais, et à m'exposer aux frayeurs que je dois avoir que vous ne vous souvenez plus de moi que pour me sacrifier à une nouvelle passion? Je vois bien que je vous aime comme une folle; cependant je ne me plains point de toute la violence des mouvements de mon cœur, je m'accoutume à ses persécutions, et je ne pourrais vivre sans un plaisir que je découvre et dont je jouis en vous aimant au milieu de mille douleurs; mais je suis sans cesse persécutée avec un extrême désagrément par la haine et par le dégoût que j'ai pour toutes choses; ma famille, mes amis et ce couvent me sont insupportables; tout ce que je suis obligée de voir et tout ce qu'il faut que je fasse de toute nécessité m'est odieux; je suis si jalouse de ma passion qu'il me semble que toutes mes actions et que tous mes devoirs vous regardent. Oui, je fais quelque scrupule si je n'emploie tous les moments de ma vie pour vous; que ferais-je, hélas! sans tant de haine et sans tant d'amour qui remplissent mon cœur? Pourrais-je survivre à ce qui m'occupe incessamment, pour mener une vie tranquille et languissante ? Ce vide et cette insensibilité ne peuvent me convenir. Tout le monde s'est aperçu du changement entier de mon humeur, de mes manières et de ma personne ; ma mère m'en a parlé avec aigreur, et ensuite avec quelque bonté ; je ne sais ce que je lui ai répondu, il me semble que je lui ai tout avoué. Les religieuses les plus sévères ont pitié de l'état où je suis, il leur donne même quelque considération et quelque ménagement pour moi ; tout le monde est touché de mon amour, et vous demeurez dans une profonde indifférence, sans m'écrire que des lettres froides, pleines de redites ; la moitié du papier n'est pas rempli, et il paraît grossièrement que vous mourez d'envie de les avoir achevées. Dona Brites me persécuta ces jours passés pour me faire sortir de ma chambre, et, croyant me divertir, elle me mena promener sur le balcon d'où l'on voit Mertola ; je la suivis, et je fus aussitôt frappée d'un souvenir cruel qui me fit pleurer tout le reste du jour ; elle me ramena, et je me jetai sur mon lit où je fis mille réflexions sur le peu d'apparence que je vois de guérir jamais. Ce qu'on fait pour me soulager aigrit ma douleur, et je trouve dans les remèdes mêmes des raisons particulières de m'affliger. Je vous ai vu souvent passer en ce lieu avec un air qui me charmait, et j'étais sur ce balcon le jour fatal que je commençai à sentir les premiers effets de ma passion malheureuse ; il me sembla que vous vouliez me plaire, quoique vous ne me connussiez pas, je me persuadai que vous m'aviez remarquée entre toutes celles qui étaient avec moi, je m'imaginai que lorsque vous vous arrêtiez, vous étiez bien aise que je vous visse mieux et j'admirasse votre adresse et votre bonne grâce [1], lorsque vous poussiez votre cheval ; j'étais surprise de quelque frayeur lorsque vous le faisiez passer dans un endroit difficile ; enfin je m'intéressais secrètement à toutes vos actions, je sentais bien que vous ne m'étiez point indifférent, et je prenais pour moi tout ce que vous faisiez. Vous ne connaissez que trop les suites de ces commencements, et

1. Dans l'une des éditions originales, ces quatre derniers mots manquent.

quoique je n'aie rien à ménager, je ne dois pas vous les écrire de crainte de vous rendre plus coupable, s'il est possible, que vous ne l'êtes, et d'avoir à me reprocher tant d'efforts inutiles pour vous obliger à m'être fidèle. Vous ne le serez point : puis-je espérer de mes lettres et de mes reproches ce que mon amour et mon abandonnement n'ont pu sur votre ingratitude ? Je suis trop assurée de mon malheur, votre procédé injuste ne me laisse pas la moindre raison d'en douter, et je dois tout appréhender, puisque vous m'avez abandonnée. N'aurez-vous de charmes que pour moi, et ne paraîtrez-vous pas agréable à d'autres yeux ? Je crois que je ne serai pas fâchée que les sentiments des autres justifient les miens en quelque façon, et je voudrais que toutes les femmes de France vous trouvassent aimable, qu'aucune ne vous aimât, et qu'aucune ne vous plût : ce projet est ridicule et impossible ; néanmoins, j'ai assez éprouvé que vous n'êtes guère capable d'un grand entêtement, et que vous pourrez bien m'oublier sans aucun secours, et sans y être contraint par une nouvelle passion. Peut-être voudrais-je que vous eussiez quelque prétexte raisonnable ? Il est vrai que je serais plus malheureuse, mais vous ne seriez pas si coupable. Je vois bien que vous demeurerez en France sans de grands plaisirs, avec une entière liberté ; la fatigue d'un long voyage, quelque petite bienséance, et la crainte de ne répondre pas à mes transports vous retiennent ? Ah ! ne m'appréhendez point ! Je me contenterai de vous voir de temps en temps, et de savoir seulement que nous sommes en même lieu. Mais je me flatte peut-être, et vous serez plus touché de la rigueur et de la sévérité d'une autre que vous ne l'avez été de mes faveurs ; est-il possible que vous serez enflammé par de mauvais traitements ? Mais avant que de vous engager dans une grande passion, pensez bien à l'excès de mes douleurs, à l'incertitude de mes projets, à la diversité de mes mouvements, à l'extravagance de mes lettres, à mes confiances, à mes désespoirs, à mes souhaits, à ma jalousie ! Ah ! vous allez vous rendre malheureux ; je vous conjure de profiter de l'état où je suis, et qu'au moins ce que je souffre pour vous ne vous soit pas inutile ! Vous me fîtes, il y a cinq ou six mois, une fâcheuse confidence, et vous m'avouâtes de trop bonne foi que vous aviez aimé une dame en votre pays : si elle vous empêche de revenir, mandez-le-moi sans ménagement, afin que je ne languisse plus ; quelque reste d'espérance me soutient encore, et je serai bien aise (si elle ne doit avoir aucune suite) de la perdre tout à fait, et de me perdre moi-même ; envoyez-moi son portrait avec quelqu'une de ses lettres, et écrivez-moi tout ce qu'elle vous dit. J'y trouverais, peut-être, des raisons de me consoler, ou de m'affliger davantage ; je ne puis demeurer plus longtemps dans l'état où je suis, et il n'y a point de changement qui ne me soit favorable. Je voudrais aussi avoir le portrait de votre frère et de votre belle-sœur ; tout ce qui vous est quelque chose m'est fort cher, et je suis entièrement dévouée à ce qui vous touche : je ne me suis laissé aucune disposition de moi-même. Il y a des moments où il me semble que j'aurais assez de soumission pour servir celle que vous aimez ; vos mauvais traitements et vos mépris m'ont tellement abattue que je n'ose quelquefois penser seulement qu'il me semble que je pourrais être jalouse sans vous déplaire, et que je crois avoir le plus grand tort du monde de vous faire des reproches : je suis souvent convaincue que je ne dois point vous faire voir avec fureur, comme je fais, des sentiments que vous désavouez. Il y a longtemps qu'un officier attend votre lettre ; j'avais résolu de l'écrire d'une manière à vous la faire recevoir sans dégoût, mais elle est trop extravagante, il faut la finir. Hélas ! il n'est pas en mon pouvoir de m'y résoudre, il me semble que je vous parle quand je vous écris, et que vous m'êtes un peu plus présent. La première ne sera pas si longue ni si importune, vous pourrez l'ouvrir et la lire sur l'assurance que je vous donne ; il est vrai que je ne dois point vous parler d'une passion qui vous déplaît, et je ne vous en parlerai plus. Il y aura un an dans peu de jours que je m'abandonnai toute à vous sans ménagement ; votre passion me paraissait fort ardente et fort sincère, et je n'eusse jamais pensé que mes faveurs vous eussent assez rebuté pour vous obliger à faire cinq cents lieues, et à vous exposer à des naufrages pour vous en éloigner : personne ne m'était redevable d'un pareil traitement. Vous pouvez vous souvenir de ma pudeur, de ma confusion et de mon désordre, mais vous ne vous souvenez pas de ce qui vous engagerait à m'aimer malgré vous. L'officier qui doit vous porter cette lettre me mande pour la quatrième fois qu'il veut partir : qu'il est pressant ! Il abandonne sans doute quelque malheureuse en ce pays. Adieu, j'ai plus de peine à finir ma lettre que vous n'en avez eu à me quitter, peut-être, pour toujours. Adieu, je n'ose vous donner mille noms de tendresse, ni m'abandonner sans contrainte à tous mes mouvements ; je vous aime mille fois plus que ma vie, et mille fois plus que je ne pense ; que vous m'êtes cher ! et que vous m'êtes cruel ! Vous ne m'écrivez point, je n'ai pu m'empêcher de vous dire encore cela ; je vais recommencer, et l'officier partira ; qu'importe qu'il parte ? J'écris plus pour moi que pour vous, je ne cherche qu'à me soulager ; aussi bien la longueur de ma lettre vous fera peur, vous ne la lirez point. Qu'est-ce que j'ai fait pour être si malheureuse ? Et pourquoi avez-vous empoisonné ma vie ? Que ne suis-je née en un autre pays ? Adieu, pardonnez-moi ! je n'ose plus vous prier de m'aimer ; voyez où mon destin m'a réduite ! Adieu.

V

Je vous écris pour la dernière fois, et j'espère vous faire connaître, par la différence des termes et de la manière de cette lettre, que vous m'avez enfin persuadée que vous ne m'aimiez plus, et qu'ainsi je ne dois plus vous aimer : je vous renverrai donc par la première voie tout ce qui me reste encore de vous. Ne craignez pas que je vous écrive ; je ne mettrai pas même votre nom au-dessus du paquet ; j'ai chargé de tout ce détail Dona Brites, que j'avais accoutumée à des confidences bien éloignées de celle-ci ; ses soins me seront moins suspects que les miens, elle prendra toutes les précautions nécessaires afin de pouvoir m'assurer que vous avez reçu le portrait et les bracelets que vous m'avez donnés. Je veux cependant que vous sachiez que je me sens, depuis quelques jours, en état de brûler et de déchirer ces gages de votre amour qui m'étaient si chers, mais je vous ai fait voir tant de faiblesse que vous n'auriez jamais cru que j'eusse pu devenir capable d'une telle extrémité. Je veux donc jouir de toute la peine que j'ai eue à m'en séparer, et vous donner au moins quelque dépit. Je vous avoue, à ma honte et à la vôtre, que je me suis trouvée plus attachée que je ne veux vous le dire à ces bagatelles, et que j'ai senti que j'avais un mouveau besoin de toutes mes réflexions pour me défaire de chacune en particulier, lors même que je me flattais de n'être plus attachée à vous ; mais on vient à bout de tout ce qu'on veut, avec tant de raisons. Je les ai mises entre les mains de Dona Brites ; que cette résolution m'a coûté de larmes ! Après mille mouvements et mille incertitudes que vous ne connaissez pas, et dont je ne vous rendrai pas compte assurément, je l'ai conjurée de ne m'en parler jamais, de ne me les rendre jamais, quand même je les demanderais pour les revoir encore une fois, et de vous les renvoyer, enfin, sans m'en avertir.

Je n'ai bien connu l'excès de mon amour que depuis que j'ai voulu faire tous mes efforts pour m'en guérir, et je crains que je n'eusse osé l'entreprendre si j'eusse pu prévoir tant de difficultés et tant de violences. Je suis persuadée que j'eusse senti des mouvements moins désagréables en vous aimant, tout ingrat que vous êtes, qu'en vous quittant pour toujours. J'ai éprouvé que vous m'étiez moins cher que ma passion, et j'ai eu d'étranges peines à la combattre, après que vos procédés injurieux m'ont rendu votre personne odieuse.

L'orgueil ordinaire de mon sexe ne m'a point aidée à prendre des résolutions contre vous. Hélas ! j'ai souffert vos mépris, j'eusse supporté votre haine et toute la jalousie que m'eût donnée l'attachement que vous eussiez pu avoir pour un autre [1], j'aurais eu, au moins, quelque passion à combattre, mais votre indifférence m'est insupportable ; vos impertinentes protestations d'amitié et les civilités ridicules de votre dernière lettre m'ont fait voir que vous aviez reçu toutes celles que je vous ai écrites, qu'elles n'ont causé dans votre cœur aucun mouvement, et que cependant vous les avez lues. Ingrat, je suis encore assez folle pour être au désespoir de ne pouvoir me flatter qu'elles ne soient pas venues jusques à vous, et qu'on ne vous les ait pas rendues. Je déteste votre bonne foi : vous avais-je prié de me mander sincèrement la vérité ? Que ne me laissiez-vous ma passion ? Vous n'aviez qu'à ne me point écrire ; je ne cherchais pas à être éclaircie ; ne suis-je pas bien malheureuse de n'avoir pu vous obliger à prendre quelque soin de me tromper, et de n'être plus en état de vous excuser ? Sachez que je m'aperçois que vous êtes indigne de tous mes sentiments, et que je connais toutes vos méchantes qualités. Cependant (si tout ce que j'ai fait pour vous peut mériter que vous ayez quelques petits

1. Comprendre *une autre*. Depuis longtemps la prononciation nasalisante confond les genres de l'article indéfini devant une voyelle.

égards pour les grâces que je vous demande), je vous conjure de ne m'écrire plus, et de m'aider à vous oublier entièrement ; si vous me témoigniez, faiblement même, que vous avez eu quelque peine en lisant cette lettre, je vous croirais peut-être ; et peut-être aussi votre aveu et votre consentement me donneraient du dépit et de la colère, et tout cela pourrait m'enflammer. Ne vous mêlez donc point de ma conduite, vous renverseriez sans doute tous mes projets, de quelque manière que vous voulussiez y entrer ; je ne veux point savoir le succès de cette lettre ; ne troublez pas l'état que je me prépare, il me semble que vous pouvez être content des maux que vous me causez, quelque dessein que vous eussiez fait de me rendre malheureuse. Ne m'ôtez point de mon incertitude ; j'espère que j'en ferai, avec le temps, quelque chose de tranquille. Je vous promets de ne vous point haïr, je me défie trop des sentiments violents pour oser l'entreprendre. Je suis persuadée que je trouverais peut-être, en ce pays, un amant plus fidèle et mieux fait ; mais, hélas ! qui pourra me donner de l'amour ? La passion d'un autre m'occupera-t-elle ? La mienne a-t-elle pu quelque chose sur vous ? N'éprouvé-je pas qu'un cœur attendri n'oublie jamais ce qui l'a fait apercevoir des transports qu'il ne connaissait pas, et dont il était capable ? Que tous ses mouvements sont attachés à l'idole qu'il s'est faite ? Que ses premières idées et que ses premières blessures ne peuvent être ni guéries ni effacées ? Que toutes les passions qui s'offrent à son secours et qui font des efforts pour le remplir et pour le contenter lui promettent vainement une sensibilité qu'il ne retrouve plus ? Que tous les plaisirs qu'il cherche sans aucune envie de les rencontrer, ne servent qu'à lui faire bien connaître que rien ne lui est si cher que le souvenir de ses douleurs ? Pourquoi m'avez-vous fait connaître l'imperfection et le désagrément d'un attachement qui ne doit pas durer éternellement, et les malheurs qui suivent un amour violent, lorsqu'il n'est pas réciproque ? Et pourquoi une inclination aveugle et une cruelle destinée s'attachent-elles, d'ordinaire, à nous déterminer pour ceux qui seraient sensibles pour quelque autre ?

Quand même je pourrais espérer quelque amusement

dans un nouvel engagement, et que je trouverais quelqu'un de bonne foi, j'ai tant de pitié de moi-même, que je ferais beaucoup de scrupule de mettre le dernier homme du monde en l'état où vous m'avez réduite ; et quoique je ne sois pas obligée à vous ménager, je ne pourrais me résoudre à exercer sur vous une vengeance si cruelle, quand même elle dépendrait de moi, par un changement que je ne prévois pas.

Je cherche dans ce moment à vous excuser, et je comprends bien qu'une religieuse n'est guère aimable d'ordinaire. Cependant il semble que si on était capable de raisons dans les choix [1] qu'on fait, on devrait plutôt s'attacher à elles qu'aux autres femmes. Rien ne les empêche de penser incessamment à leur passion, elles ne sont point détournées par mille choses qui dissipent et qui occupent dans le monde. Il me semble qu'il n'est pas fort agréable de voir celles qu'on aime toujours distraites par mille bagatelles, et il faut avoir bien peu de délicatesse pour souffrir, sans en être au désespoir, qu'elles ne parlent que d'assemblées, d'ajustements et de promenades. On est sans cesse exposé à de nouvelles jalousies ; elles sont obligées à des égards, à des complaisances, à des conversations : qui peut s'assurer qu'elles n'ont aucun plaisir dans toutes ces occasions, et qu'elles souffrent toujours leurs maris avec un extrême dégoût et sans aucun consentement ? Ah ! qu'elles doivent se défier d'un amant qui ne leur fait pas rendre un compte bien exact là-dessus, qui croit aisément et sans inquiétude ce qu'elles lui disent, et qui les voit avec beaucoup de confiance et de tranquillité sujettes à tous ces devoirs ! Mais je ne prétends pas vous prouver par de bonnes raisons que vous deviez m'aimer ; ce sont de très méchants moyens, et j'en ai employé de beaucoup meilleurs qui ne m'ont pas réussi ; je connais trop bien mon destin pour tâcher à le surmonter ; je serai malheureuse toute ma vie : ne l'étais-je pas en vous voyant tous les jours ? Je mourais de frayeur que vous ne me fussiez pas fidèle, je voulais vous

1. Variante de l'une des éditions originales : « capable de raisonner sur les choix ».

voir à tous moments, et cela n'était pas possible ; j'étais troublée par le péril que vous couriez en entrant dans ce couvent ; je ne vivais pas lorsque vous étiez à l'armée, j'étais au désespoir de n'être pas plus belle et plus digne de vous, je murmurais contre la médiocrité de ma condition, je croyais souvent que l'attachement que vous paraissiez avoir pour moi vous pourrait faire quelque tort ; il me semblait que je ne vous aimais pas assez, j'appréhendais pour vous la colère de mes parents, et j'étais enfin dans un état aussi pitoyable qu'est celui où je suis présentement. Si vous m'eussiez donné quelques témoignages de votre passion depuis que vous n'êtes plus au Portugal, j'aurais fait tous mes efforts pour en sortir, je me fusse déguisée pour vous aller trouver. Hélas ! qu'est-ce que je fusse devenue si vous ne vous fussiez plus soucié de moi après que j'eusse été en France ? Quel désordre ! quel égarement ! quel comble de honte pour ma famille, qui m'est fort chère depuis que je ne vous aime plus. Vous voyez bien que je connais de sens froid qu'il était possible que je fusse encore plus à plaindre que je ne suis ; et je vous parle, au moins, raisonnablement une fois en ma vie. Que ma modération vous plaira, et que vous serez content de moi ! Je ne veux point le savoir, je vous ai déjà prié de ne m'écrire plus, et je vous en conjure encore.

N'avez-vous jamais fait quelque réflexion sur la manière dont vous m'avez traitée ? Ne pensez-vous jamais que vous m'avez plus d'obligation qu'à personne du monde ? Je vous ai aimé comme une insensée ; que de mépris j'ai eu pour toutes choses ! Votre procédé n'est point d'un honnête homme ; il faut que vous ayez eu pour moi de l'aversion naturelle, puisque vous ne m'avez pas aimée éperdument ; je me suis laissé enchanter par des qualités très médiocres : qu'avez-vous fait qui dût me plaire ? Quel sacrifice m'avez-vous fait ? N'avez-vous pas cherché mille autres plaisirs ? Avez-vous renoncé au jeu et à la chasse ? N'êtes-vous pas parti le premier pour aller à l'armée ? N'en êtes-vous pas revenu après tous les autres ? Vous vous y êtes exposé follement, quoique je vous eusse prié de vous ménager pour l'amour de moi ;

vous n'avez point cherché les moyens de vous établir en Portugal, où vous étiez estimé; une lettre de votre frère vous en a fait partir, sans hésiter un moment; et n'ai-je pas su que, durant le voyage, vous avez été de la plus belle humeur du monde ? Il faut avouer que je suis obligée à vous haïr mortellement. Ah ! Je me suis attirée [1] tous mes malheurs : je vous ai d'abord accoutumé à une grande passion avec trop de bonne foi, et il faut de l'artifice pour se faire aimer; il faut chercher avec quelque adresse les moyens d'enflammer, et l'amour tout seul ne donne point de l'amour; vous vouliez que je vous aimasse, et comme vous aviez formé ce dessein, il n'y a rien que vous n'eussiez fait pour y parvenir; vous vous fussiez même résolu à m'aimer s'il eût été nécessaire; mais vous avez connu que vous pouviez réussir dans votre entreprise sans passion, et que vous n'en aviez aucun besoin. Quelle perfidie ! Croyez-vous avoir pu impunément me tromper ? Si quelque hasard vous ramenait en ce pays, je vous déclare que je vous livrerais à la vengeance de mes parents. J'ai vécu longtemps dans un abandonnement et dans une idolâtrie qui me donne de l'horreur, et mon remords me persécute avec une rigueur insupportable; je sens vivement la honte des crimes que vous m'avez fait commettre, et je n'ai plus, hélas ! la passion qui m'empêchait d'en connaître l'énormité. Quand est-ce que mon cœur ne sera plus déchiré ? quand est-ce que je serai délivrée de cet embarras cruel ? Cependant je crois que je ne vous souhaite point de mal, et que je me résoudrais à consentir que vous fussiez heureux; mais comment pourrez-vous l'être si vous avez le cœur bien fait ? Je veux vous écrire une autre lettre, pour vous faire voir que je serai peut-être plus tranquille dans quelque temps. Que j'aurai de plaisir de pouvoir vous reprocher vos procédés injustes après que je n'en serai plus si vivement touchée, et lorsque je vous ferai connaître que je vous méprise, que je parle avec beaucoup d'indifférence de votre trahison, que j'ai oublié tous mes plaisirs et toutes mes douleurs, et

1. Texte original qui a suscité des interprétations opposées touchant à l'authenticité des lettres.

que je ne me souviens de vous que lorsque je veux m'en souvenir ! Je demeure d'accord que vous avez de grands avantages sur moi, et que vous m'avez donné une passion qui m'a fait perdre la raison ; mais vous devez en tirer peu de vanité : j'étais jeune, j'étais crédule, on m'avait enfermée dans ce couvent depuis mon enfance, je n'avais vu que des gens désagréables, je n'avais jamais entendu les louanges que vous me donniez incessamment ; il me semblait que je vous devais les charmes et la beauté que vous me trouviez et dont vous me faisiez apercevoir, j'entendais dire du bien de vous, tout le monde me parlait en votre faveur, vous faisiez tout ce qu'il fallait pour me donner de l'amour. Mais je suis enfin revenue de cet enchantement, vous m'avez donné de grands secours, et j'avoue que j'en avais un extrême besoin. En vous renvoyant vos lettres, je garderai soigneusement les deux dernières que vous m'avez écrites, et je les relirai encore plus souvent que je n'ai lu les premières, afin de ne retomber plus dans mes faiblesses. Ah ! qu'elles me coûtent cher, et que j'aurais été heureuse si vous eussiez voulu souffrir que je vous eusse toujours aimé ! Je connais bien que je suis encore un peu trop occupée de mes reproches et de votre infidélité, mais souvenez-vous que je me suis promise[1] un état plus paisible, et que j'y parviendrai, ou que je prendrai contre moi quelque résolution extrême que vous apprendrez sans beaucoup de déplaisir ; mais je ne veux plus rien de vous, je suis une folle de redire les mêmes choses si souvent, il faut vous quitter et ne penser plus à vous, je crois même que je ne vous écrirai plus ; suis-je obligée de vous rendre un compte exact de tous mes divers mouvements ?

1. Voir note ci-contre.

NOTE BIBLIOGRAPHIQUE

ŒUVRES DE GUILLERAGUES ET PASTICHES DE 1669

Lettres portugaises, Valentins et autres œuvres de Guilleragues, Introduction, notes, glossaire et tables d'après de nouveaux documents par F. Deloffre et J. Rougeot, Paris, Classiques Garnier, 1962, LXXXVI-296 p.

GUILLERAGUES, *Chansons et Bons Mots, Valentins, Lettres portugaises,* Édition nouvelle avec introduction, notes, glossaire par F. Deloffre et J. Rougeot, Genève-Paris, Droz-Minard, 1972, CI-303 p.

GUILLERAGUES, *Correspondance,* Édition, introduction et notes par F. Deloffre et J. Rougeot, 2 vol., Genève-Paris, Droz-Minard, 1976.

Lettres de la Religieuse portugaise, Texte établi, présenté et commenté par Yves Florenne, Le Livre de poche, 1979.

Malquori Fondi, Giovanna, *Le « Lettres portugaises » di Guilleragues,* Napoli, Liguori, 1980.

ÉTUDES

Les deux éditions de F. Deloffre et J. Rougeot (1962 et 1972) signalent dans leurs introductions de très nombreuses références critiques, qu'il est inutile d'énumérer ici. Notons seulement :

CHUPEAU Jacques, « Vanel et l'énigme des "Lettres portugaises" », *Revue d'histoire littéraire de la France,* 1968, pp. 221-228.

CHUPEAU Jacques, « Remarques sur la genèse des "Lettres portugaises" », *Revue d'histoire littéraire de la France*, 1969, pp. 506-524.

CHUPEAU Jacques, « Les remaniements des "Lettres portugaises" dans le recueil des "plus belles Lettres françaises" de Pierre Richelet. Étude de style », *Le Français moderne*, janvier 1970, pp. 44-58.

CHUPEAU Jacques, « A propos de quelques éditions oubliées des "Lettres portugaises" », *Revue d'histoire littéraire de la France*, 1972, pp. 119-126.

LEINER Wolfgang, « L'amour de Mariane, Du Plaisir et la rhétorique du sentiment : cheminements de la critique entre mythes et texte », *Œuvres et critiques*, I, 1, 1976, pp. 125-145.

PELOUS Jean-Michel, « Une héroïne romanesque entre le naturel et le rhétorique : le langage des passions dans les "Lettres portugaises" », *Revue d'histoire littéraire de la France*, 1977, pp. 554-563.

SPITZER Léo, « Les "Lettres portugaises" », *Romanische Forschungen*, 65, 1954, pp. 94-135 ; repris dans *Romanische Literaturstudien 1936-1956*, Tübingen, 1959.

« Les Lettres portugaises », in : Francis L. Lawrence (éd.), *Actes de New Orleans*, Biblio 17, n° 5, suppléments aux *Papers on French 17th Century Literature*, 1982, pp. 17-102.

BOURSAULT

LETTRES DE BABET

NOTICE

Les *Lettres de Babet* ne forment qu'une toute petite part de l'œuvre de Boursault. Mais cette part est celle qui aujourd'hui a conservé à nos yeux le plus de charme et de fraîcheur. Car si ce fécond écrivain a sa place dans toutes les histoires de la littérature classique, c'est plutôt pour avoir suivi des modes que pour en avoir lancé, c'est au titre de témoin, souvent engagé sans grande conviction dans des polémiques littéraires. Tandis que dans son bref roman épistolaire, dont pourtant on parle peu, Boursault a réellement fait œuvre originale. Chronologiquement d'ailleurs, les *Lettres de Babet* ont sans doute été conçues un peu avant les *Lettres portugaises*.

Né à Mussy-sur-Seine, aux confins de la Champagne et de la Bourgogne, en 1638, fils de militaire, Edme Boursault ne fit guère d'études. Son ignorance du latin est moquée par plusieurs contemporains ; dans sa satire IX (vers 119-136), Boileau lui fait dire : « J'ai peu lu ces auteurs », à propos d'Horace et de Juvénal ; Babet, sous la plume de Boursault lui-même, n'en dit pas moins ici dans la lettre XXXVII. A Paris il fut quelque temps le secrétaire de la duchesse d'Angoulême, princesse laissée veuve en 1650 par un fils naturel de Charles IX, qui l'avait épousée en secondes noces en 1644. Il occupa aussi plus tard une charge de receveur des tailles à Montluçon. Au reste sa vie est mal connue. Il mourut en 1701.

Boursault participa dans le camp des ennemis de Molière à la querelle de *L'École des femmes :* une raison pour Boileau de le ranger parmi les poètes ridicules dont il dressa dans les *Satires* des listes célèbres. Boursault répliqua par une petite comédie en vers faciles, *La Satire des Satires*, dont la représentation fut interdite en 1668, mais qui parut en librairie au mois de mai 1669. A ces deux « adversaires » il faut ajouter Racine : Boursault fut de la cabale contre *Britannicus*, cause de l'exaspération manifestée par le dramaturge dans la préface de sa pièce. La plupart de ces animosités s'expliquent par le fait que Boursault était un partisan inconditionnel du vieux Corneille (voir la lettre XXIX, à propos d'*Attila*) : celui-ci « l'appelait son fils et l'honorait de ses avis et de son approbation », nous rapporte la petite-fille de Boursault ; or dans la querelle de *L'École des Femmes*, ce sont les comédiens de l'Hôtel de Bourgogne, auxquels Corneille venait de confier sa *Sophonisbe*, qui incitèrent Boursault à écrire le perfide *Portrait du Peintre ;* et on sait comment Corneille et ses amis contribuèrent à l'échec de *Britannicus*. A la fin de sa vie, Boursault se réconcilia d'ailleurs avec Racine et Boileau.

Bien qu'il ait composé quelques ouvrages narratifs, notamment dans le genre à la mode des nouvelles historiques, Boursault fut surtout un écrivain de théâtre : de la farce à la tragédie, de la comédie en vers libres à l'opéra, il a pratiqué toutes les formes dramatiques, et telle de ses comédies *(Le Mercure galant,* appelée aussi *La Comédie sans titre)*, amusante satire des nouveaux rapports de la presse et du public, connut encore des représentations au XIXe siècle.

C'est pourtant le domaine épistolaire qui doit ici surtout nous intéresser. D'une part, Boursault fut à la mort de Loret (1665) l'un des candidats malheureux à la succession du privilège de ce nouvelliste : il s'agissait d'établir, sous la forme de « lettres en vers », une gazette des événements de la Ville et de la Cour. Malgré le soutien de Corneille, Quinault et d'autres, Boursault dut rapidement renoncer, la place étant donnée à La Gravette de Mayolas. Plus tard il renouvela sa tentative, et à deux reprises fit apprécier à la cour d'agréables gazettes rimées, la première hebdomadaire, la seconde mensuelle (sous le titre *La Muse enjouée*), plus spécialement destinée au

Dauphin. Il y a incontestablement chez Boursault un tempéramment de journaliste, c'est-à-dire, à cette époque où le métier n'a guère encore de doctrine, l'art de présenter dans un style plaisant une chronique de l'actualité. La même qualité se manifeste dans les lettres à la duchesse d'Angoulême (voir la lettre de Babet nº XXVI), conçues comme un instrument d'information divertissante — et aussi dans les lettres à l'évêque de Langres, Louis-Marie de Simiane de Gordes, qui pour résider dans son diocèse n'en entendait pas moins être tenu au courant des nouvelles de Paris.

L'autre part de la production épistolaire de Boursault s'apparente davantage au modèle traditionnel, dont Voiture, vingt ans après la publication de ses *Œuvres*, fournissait encore le prototype. Cette part comprend le recueil des *Lettres de respect, d'obligation et d'amour* (1669, réédité en 1683 et en 1698) et celui des *Lettres nouvelles* (1697 et 1699), dont la première édition renferme le groupe des « Sept lettres... » et la seconde, celui des « Treize lettres amoureuses d'une dame à un cavalier ». Tous ces recueils (comme d'ailleurs le volume des *Œuvres* de Voiture, posthume) sont fort composites ; ainsi dans celui de 1699 les lettres s'accompagnent « de fables, de contes, d'épigrammes, de remarques, de bons mots, et d'autres particularités aussi agréables qu'utiles » : c'est parmi ces matériaux divers que prend place le petit roman d'une centaine de pages formé par les « Treize lettres... », présenté comme l'extrait d'une correspondance authentique comprenant des centaines de missives ; on y verra, dit l'auteur, « la naissance, le progrès, la violence et la fin d'un amour qui a duré plus de quinze ans, avec les intrigues dont on s'est servi, les traverses qu'on a essuyées, les agitations qu'on a eues, et les obstacles qu'on a surmontés ». La liaison présentée est celle d'une femme mariée et de son volage amant : le texte mêle à l'évocation réaliste d'une conduite adultère, en butte à d'incessants soupçons, une analyse, qui reste assez superficielle, de la dégradation du sentiment.

Le titre *Lettres de respect, d'obligation et d'amour* montre assez bien le contenu du livre tel qu'il fut publié pour la première fois en 1669[1]. Aucun ordre, aucun classement ne s'y observent. Les « lettres d'amour » sont mêlées à des vers de circonstance, à des lettres anecdotiques envoyées à la duchesse d'Angoulême, à d'autres plus familières « à Monsieur Charpentier », à de respectueuses missives à l'adresse de personnalités de la cour, etc. De plus les lettres à Babet, et de Babet, sont loin de constituer les seules « lettres d'amour » du recueil : on trouve, par exemple, une déclaration « à Mlle M*** », et de plus ou moins vives galanteries adressées à diverses jeunes filles, galanteries dont le ton est très proche de celui de la correspondance avec Babet. Quant à cette dernière correspondance, elle est répartie, tout au long de l'ensemble, en une quinzaine de groupes de lettres, de longueur irrégulière. Il est donc clair qu'à l'origine elle n'a pas été conçue comme un roman autonome et refermé sur lui-même, mais comme un exemple séduisant, parmi d'autres, des capacités d'expression de la forme épistolaire. La disposition souligne en particulier les étapes du développement de la relation entre Babet et son ami : la première est constituée des cinq premières lettres, la seconde des quatre suivantes, la troisième de deux lettres, la quatrième de quatre, et ainsi de suite. Le lecteur s'imagine qu'entre ces groupes d'autres lettres ont probablement été échangées, qui ne sont pas reproduites. D'autre part, son attention se porte successivement, d'un bout à l'autre du volume, sur diverses catégories de lettres : ce procédé fait habilement ressortir l'unité globale du ton enjoué propre à l'auteur, souplement adapté, ici à la déférence due à de grands personnages, là aux plaisanteries qu'on échange avec des amis, ailleurs à l'ardeur plus ou moins feinte des compliments galants.

Ce projet initial fut modifié, à partir de la seconde édition (1683), par un procédé remarquablement analogue à celui de Barbin séparant les *Lettres portugaises* et les *Valentins* de Guilleragues, qu'il était d'abord prévu de

1. Le privilège est du 30 octobre 1667, et l'« achevé d'imprimer pour la première fois » du 31 août 1668. Il semble bien toutefois que le volume, publié par J. Guignard, ne soit apparu qu'en 1669, date qui figure sur la page de titre.

réunir en une seule publication. En effet, sans doute se rendant compte que le public, s'il avait apprécié le recueil, s'était surtout intéressé au « roman » de l'auteur et de Babet, J. Guignard répartit alors les textes en trois groupes : d'abord les lettres diverses, puis la correspondance avec Babet, enfin les poésies légères — mais il ne place néanmoins aucun intertitre susceptible de souligner cette séparation. Il en va de même en 1698, édition dont nous reproduisons ici le texte. Un stade ultérieur est atteint en 1709, quand, au recueil des *Lettres nouvelles*, en deux tomes à partir de l'édition de 1699, est adjoint un troisième tome qui porte le titre de *Lettres de Babet*. En réalité cette correspondance n'occupe ici encore que le milieu du volume (pages 199-260), sans nul intertitre. L'œuvre n'acquit donc une véritable autonomie que lorsqu'à la fin du XIXe siècle Émile Colombey en fournit (sous le titre, par lui inventé, de *Lettres* à *Babet)* une agréable édition séparée, dont nous avons d'ailleurs largement utilisé l'annotation.

L'intérêt de cette correspondance semi-romanesque est grand, et nous ne pouvons ici qu'indiquer quelques aspects qui mériteraient des recherches (en dehors de ceux qui sont développés dans l'Introduction). Une chronologie rigoureuse pourrait-elle être établie, à partir des dates des événements littéraires mentionnés (les plus récents se situant entre 1665 et 1667) ? mais ces points de repère seraient trompeurs, si l'auteur s'est permis de jouer librement de ces quelques allusions. Une topographie semblerait plus aisée : le quartier du Marais en particulier, où habitent Babet et ses amis, est évoqué avec quelque précision à travers ses rues et ses églises. Dans une étude de comportement ou de mentalité, on pourrait d'une manière instructive dessiner le mode de vie de la petite bourgeoise parisienne qu'est Babet, sa culture, ses plaisirs habituels (elle joue « à la bête » avec ses voisines, pour des sommes non négligeables, offrant prise à la critique anti-féministe de Boileau, satire X, vers 234), sa moralité, sa relation avec son père et son frère, naturellement son attitude vis-à-vis de son « amant » et vis-à-vis de l'époux que son père veut lui imposer, enfin son langage et son goût plaisant de l'équivoque, dans la mesure toutefois où on peut prêter aux expressions de la jeune fille quelque authenticité. Sur tous ces points, on consultera le précieux article d'Arnaldo Pizzorusso signalé ci-dessous.

Le texte que nous donnons est celui de 1698, dernière édition parue du vivant de l'auteur. L'orthographe a été modernisée. La ponctuation, surabondante, a dû être allégée : nous avons pourtant essayé de garder le mouvement vif et parfois même sautillant de la phrase de Boursault.

PRÉFACE
QU'ON LIRA SI L'ON VEUT

Ami lecteur (car il faut appeler amis tous ceux de qui l'on attend des grâces), si la plupart des lettres que tu trouveras dans ce livre te touchaient comme elles m'ont touché, tu prendrais autant de plaisir à les lire que j'en ai autrefois eu de les recevoir. La vérité est que je ne me souviens pas de jamais avoir rien vu de plus spirituel que la personne qui me les écrivait : la passion que j'ai eue pour elle, et qui a peut-être contribué à me faire admirer tout ce qui en venait, ne m'a pas si fort aveuglé qu'elle ne m'ait du moins laissé le discernement libre ; et selon moi, il n'y a jamais eu de style plus aisé ni d'expression plus nette. Je ne doute pas que parmi le nombre de ceux qui les liront, il n'y en ait quelqu'un à qui la foi manque : si l'on ne croit que j'ai aidé à les faire, on croira du moins que je les ai corrigées : quoique dans le sexe dont elle était on rencontre infiniment de l'esprit, on y trouve toutefois si peu de plumes qui aient la même délicatesse, que quand un siècle en produit une ou deux, on crie miracle ; et comme on n'est pas obligé d'avoir de la foi pour tous les miracles qui arrivent, je laisse la liberté à tous ceux qui ne voudront pas me croire, de croire tout ce qu'il leur plaira. Il ne tient qu'à moi de dire que les gens éclairés verront facilement la différence qu'il y a de son style au mien, et que pour les sots, je ne m'informe pas de ce qu'ils en pensent, mais je ne veux offenser personne ; et d'ailleurs il doit être permis à quiconque achète un livre d'en dire son sentiment pour ce qu'il lui coûte. Les libraires qui ont traité des manuscrits, et qui n'ont jamais voulu me les rendre, quelque prière que je leur en aie faite, justifieront encore à un besoin par la différence des caractères que plus d'une main s'est mêlée de les écrire ; et si l'on m'objecte qu'il est aisé de faire copier par une fille ce qu'on fait soi-même, je réponds (et qu'on me croie ou non) que de toutes celles que je connais, il n'y en a pas une à qui j'en osasse donner la peine. Le plus grand déplaisir que j'aie, est de n'avoir pas assez bien conservé des lettres qui m'étaient si chères : je les ai prêtées à tant de personnes, et ces personnes-là les ont prêtées à tant d'autres, que si je recouvrais ce qu'elles en ont égaré, et que celles-ci te contentassent, il y aurait de quoi faire un second volume. Une chose dont j'ai à t'avertir, ami lecteur (puisque ami y a), est de ne point chercher de pompe dans des écrits où nous n'avons jamais eu dessein d'en mettre : nous ne nous imaginions pas en ce temps-là que ce que nous nous écrivions dût être imprimé un jour, et nos cœurs qui ne songeaient qu'à se dire ce qu'ils sentaient, ne se souciaient guère comment notre esprit les fît parler, pourvu qu'ils se pussent faire entendre. Il y a des gens par le monde qui diront sans doute que je ne devais pas exposer à la censure du public des lettres qui n'ont été faites que pour moi ; que c'est faire tort à celle dont je les ai reçues ; et que ceux qui ne pourront rien dire contre son esprit, attaqueront peut-être sa conduite. Pour ce qui est de la censure, il y a si peu de choses qui en soient exemptes, et surtout les ouvrages qui font un peu de bruit y sont si accoutumés, que le sort de celui-ci serait à plaindre si l'on ne le censurait pas. Loin de m'imaginer faire le moindre tort à une personne que j'ai aussi honnêtement que passionnément aimée, j'ai cru qu'elle morte, il était de mon devoir de faire mes efforts pour tâcher d'en faire vivre ce que c'eût été dommage de laisser mourir : et pour deux ou trois esprits chagrins qui condamnent tout ce qui ne vient pas d'eux, et qui voudraient peut-être que ces lettres fussent ensevelies avec la Babet qui les a faites, il y en a cent raisonnables qui en auraient regretté la perte s'ils en avaient eu la connaissance. Si je croyais qu'il y eût des âmes assez basses pour oser attaquer la conduite d'une fille qui n'est plus, je ferais l'éloge de celle dont je parle, et défierais la Vérité de me dédire, s'il m'échappait rien dont elle ne demeurât d'accord. De tous ses parents, qui composent l'une des plus honnêtes familles de Paris et de qui elle était tendrement chérie, il n'y en a pas un qui ne lui eût voulu un mal mortel si elle eût été capable d'en faire. Mais sa vertu était extraordinaire comme son esprit, et si dans ce qu'elle a écrit il s'est quelquefois glissé de petites libertés, je suis sûr que son enjouement les achetait bien cher de sa modestie. Peut-être ces libertés seront-elles condamnées par des personnes qui en ont toujours pris de grandes, et qui n'en oseraient plus dire de petites ; car ordinairement une vertu qui ne recommence à l'être que depuis qu'elle est sortie d'entre les bras du vice, trouve du mal dans ce qu'une vertu qui ne s'est jamais laissé corrompre serait bien fâchée d'en imaginer. Ce qui infailliblement te dérobera du plaisir, ami lecteur (et ce qui me chagrine à cause de l'amitié qui est entre nous), c'est que tu trouveras quelques lettres qui n'auront point de réponses, ou des réponses qui sont faites à des lettres que tu ne verras point qu'on ne me les ait rendues. Il y a treize mois passés que ceux à qui je les ai prêtées me les promettent. Je satisferai à ma parole, quand ils auront satisfait à la leur. Pour ce qui est de ce que j'ai fait, je ne crois pas t'en devoir rien dire ; tu sauras seulement que je préfère la censure d'un honnête homme aux approbations d'un fat. Rends-toi justice avant que de songer à me la rendre, et si tu ne juges pas sainement de toi-même, ne te mêle pas de vouloir juger d'autrui.

I

LETTRE DE BABET

Je vous attendis mardi toute la journée, parce que vous me dîtes lundi que vous me feriez la grâce de me venir voir le lendemain, et cependant vous ne vîntes pas. Hier ayant une visite à faire, je péchai contre les règles de la bienséance, car je la fis le matin, afin que si vous passiez chez nous l'après-dînée, j'eusse le bien de vous y voir; et cependant vous n'y passâtes pas. Aujourd'hui je vous ai attendu dans ma chambre jusqu'à ce qu'on m'ait appelée pour souper, croyant que vous y viendriez, et cependant vous n'y êtes point venu. Je vous veux mal. Je ne suis pas bien aise que l'on me promette ce que l'on n'a pas envie de me tenir. On me demande avec empressement ce que je vous accorde sans peine; et j'en connais, puisqu'il faut vous rendre fierté pour fierté, qui reçoivent autant de plaisir de ma vue que j'en reçus lundi de votre conversation. Si vous avez infiniment de l'esprit, songez que je suis passablement belle, et qu'étant du sexe dont je suis, j'ai lieu d'être un peu plus fière que vous. Bonsoir.

II

A BABET

Je sais bien, charmante Babet, qu'il y a bien du plaisir à jouir de l'honneur de votre présence. Avoir la bonté de m'en faire souvenir, c'est vouloir accoutumer mes yeux à voir toute la beauté des vôtres, et je sens bien, pour peu que je vous voie, que j'aurai de la peine à m'empêcher de vous aimer. Souvenez-vous que je vous ai fait confidence de l'amour que j'ai pour Michelon [1], et que c'est violer le droit des gens que vouloir m'arracher un cœur que je serais fâché de lui reprendre. Peut-être ne me faites-vous pas la grâce de penser à ce que je pense : vos yeux accoutumés au grand fracas désavoueraient peut-être une conquête si médiocre ; mais quand ils se contenteraient d'une gloire si obscure, après avoir trompé une personne qui ne me hait pas, je ne serais pas digne d'être aimé de vous. J'ai donc raison de ne point aller chez vous, quoique je vous l'aie si solennellement promis ; je sais trop bien ce que m'a coûté votre première vue, pour douter de ce que me coûterait la seconde.

La nature avec tant de pompe
Mêle dans vos attraits pour les rendre accomplis
L'incarnat de la rose, et la blancheur du lys,
Que mon cœur qui se sent [2] craint qu'on ne le corrompe.
Je me dois tout entier à l'amour de Philis,
Et si j'ose vous voir, il faut que je la trompe.

En voilà la raison, belle Babet, puisque vous la voulez savoir. Ne me dites point que vous m'épargnerez, je ne suis pas le premier que vous ayez blessé sans penser le faire. Et d'ailleurs, quand j'échapperais à la douceur de vos yeux et à la majesté de votre taille, échapperais-je aux charmes de votre esprit ? Encore un coup, je sais ce qui m'en coûte pour vous avoir vue, et Michelon qui a de l'esprit comme un ange s'est bien aperçue qu'elle n'occupait pas toute mon âme. Je vous conjure au nom de tout ce qu'il vous plaira, si vous me faites la grâce de m'écrire encore, d'envelopper dans votre billet ma joie [3] que je laissai lundi chez vous, et de me la faire tenir par gens qui

1. Selon la note de l'édition Colombey, il s'agit de Michelle Milley, qui devint la femme de Boursault : le premier de leurs onze enfants naquit en 1669.
2. *Se sentir :* « commencer à se connaître » (Furetière).
3. *Joie :* médaille représentant une des trois Grâces, Euphrosyne, sous la figure de laquelle était gravé le mot *hilaritas* (Colombey).

me la rendent en main propre. C'est une marchandise dont j'ai autant de peine à me passer que de la gloire d'être,

Votre, etc.

III

RÉPONSE DE BABET

Je suis ravie que vous m'appréhendiez. Je ne croyais pas être si redoutable que je le suis. Si j'avais autant de charmes que vous avez de modestie, je vous ferais bien voir que je ne crois pas votre conquête si médiocre que vous vous l'imaginez, et vous connaîtriez l'état que je fais de vous par les soins que je prendrais à la faire. Est-il rien de si glorieux que de s'asservir le cœur de ceux qui ont coutume de ravir les âmes ? Il n'est rien dont je ne m'avisasse pour étendre mon empire sur un bel esprit, et s'il ne tenait qu'à jouer de la prunelle, Dieu sait comme je m'en acquitterais. Pour vous montrer que je ne veux point faire la petite bouche, et que je cherche à faire la guerre de bonne foi, je vous avertis que vous ayez à défendre votre cœur, parce que j'ai envie de l'attaquer. Je jugerai de sa force ou de sa faiblesse par la peine que vous prendrez à me voir, et par le soin que vous apporterez à me fuir. Comme fille qui cherche à vous faire pièce [1], je vous déclare dès à présent que vous n'aurez point la joie que vous dites avoir laissée chez nous, à moins que vous ne la veniez quérir vous-même ; et quand même vous y viendriez, il n'est pas sûr que vous la remportiez toute, si je n'ai la bonté de vous la rendre généreusement. Adieu.

1. *Faire pièce :* « faire quelque supercherie, quelque affront, causer quelque dommage ou raillerie » (Furetière).

IV

A BABET

Vous m'aviez tant promis de me faire la guerre de bonne foi; et toutefois vous avez usé de surprise pour vous asservir un cœur qui était presque sûr de la victoire sans les recrues de charmes que vous fîtes venir au secours des attraits contre qui je me défendais si vigoureusement. Et dites-moi de grâce, Babet, où vous aviez mis tant de beautés que je n'avais pas vues la première fois que je vous rendis visite; si j'avais su que vous eussiez eu des appas de réserve, je ne me serais exposé qu'à bonnes enseignes; j'aurais envoyé des espions pour reconnaître les ennemis que j'avais à craindre; et si j'avais appris qu'ils eussent été en si grand nombre, j'aurais fait un rempart des beautés de Michelon pour fortifier la place que vous aviez envie de prendre. Comme les yeux sont des espèces de places frontières par où l'amour se glisse dans une âme quand il a dessein de la surprendre, je ne sais si vous avez mis dans les vôtres une garnison d'appas pour lui en défendre l'entrée; mais je suis sûr que dimanche j'y en vis assez pour vaincre tous les cœurs du monde. Encore si l'amour avait eu l'esprit de faire la guerre à l'œil, et d'entrer subtilement dans votre âme durant que vos appas étaient occupés ailleurs, je serais glorieusement vengé de ma défaite; nous contracterions lui et moi une alliance qui durerait éternellement, et nous vous causerions tant de ravages qu'il faudrait à la fin que vous me rendissiez maître de toutes les autres places que vous avez. Je sais bien que c'est parler un peu haut pour un homme que vous avez soumis, et qu'au lieu d'irriter votre rigueur je devrais solliciter votre clémence; mais qui me donne des fers n'a pas envie de m'accorder des grâces; et je sais d'ailleurs que de toutes les libertés que vous avez prises depuis que vos yeux se mêlent de ce métier-là, vous n'en avez jamais rendu pas une. Si j'avais à vous solliciter de quelque chose, ce ne serait pas de me rendre la mienne. Je vous prierais de me rendre seulement aussi heureux que le sont mes compagnons de servitude. Saint-Simon, votre petit chien, qui a un carcan au cou, saute sur vous quand beau et bon lui semble; et votre perroquet, qui a une chaîne à la patte, ne vous baise jamais que vous ne disiez « fort, fort ». Comme ils ne sont pas de meilleure maison que moi et qu'ils n'ont que l'avantage d'être plus vieux captifs que je ne le suis, j'espère que dans quelque temps vous me laisserez prendre les mêmes libertés. Vous verrez par la différence de nos services que n'étant pas si bête qu'eux, je suis plus digne d'être

Tout à vous.

V

RÉPONSE DE BABET

Si j'étais sûre que vous fussiez bien vaincu, j'userais de ma victoire le plus civilement du monde; je ne suis fière que contre ceux qui ne se rendent pas, et contente de m'être armée de charmes pour vous conquérir, je ne voudrais plus avoir que des bontés pour vous conserver. Trouvez-vous au Luxembourg sur les sept ou huit heures, et je vous rendrai la joie que je refusai de vous rendre la dernière fois que vous me fîtes la grâce de venir chez nous. Vous m'avez si facilement disposée à vous vouloir du bien, et l'estime que j'ai pour vous est tellement désintéressée, que si je vois que ma compagnie vous gêne, je vous donnerai plein pouvoir de retourner à votre Michelon, et ne vous en estimerai pas moins. Je ne doute point qu'elle n'ait beaucoup de mérite, puisqu'elle s'est attiré l'honneur de votre choix. Vous m'en parlâtes si tendrement la première fois que j'eus le bien de vous voir, qu'elle serait indigne des grâces que vous lui faites, si elle ne vous en faisait pour les reconnaître. Par les grâces dont j'entends parler, vous me rendez, je crois, assez de justice pour ne rien penser au désavantage de ma modestie. Quoique je sois l'ennemie mortelle de la mélancolie, je serais fâchée qu'il échappât à l'enjouement de mon esprit la moindre chose qui pût porter préjudice à l'austérité de ma vertu. Je ne vous estime que parce que je vous trouve parfaitement honnête homme ; et comme tous les honnêtes gens n'ont que de mêmes inclinations, je suis assurée que vous m'estimerez quand je serai mieux connue de vous, parce que vous me trouverez parfaitement honnête fille. A tantôt. Adieu.

VI

A BABET

Vous m'avez tant de fois commandé de vous faire voir une de mes pièces, que je n'ai pas voulu laisser échapper l'occasion de demain sans vous donner des marques du zèle que j'ai pour vous. On représente *Les Nicandres* [1], que je désavouerais volontiers, n'était que les affiches me donneraient un démenti. C'est la plus méchante pièce dont on ait jamais ennuyé le public, et je ne sais pas à quoi les comédiens songèrent quand ils se donnèrent la peine de l'étudier. Vous passerez deux heures de temps aussi mal que vous ayez fait de votre vie, si vous prenez la peine de vous faire voiturer jusqu'à l'Hôtel de Bourgogne [2]. Je n'aurais pu me résoudre à vous rendre un si mauvais office, n'était que vous y verrez Michelon que vous êtes, dites-vous, grosse de connaître [3]. Une demoi-

1. *Les Nicandres ou les Menteurs qui ne mentent point :* comédie de Boursault représentée à l'Hôtel de Bourgogne en 1665. Le public l'ayant jugée trop longue, Boursault la réduisit de cinq à trois actes (Colombey).

2. Ce théâtre se trouvait rue Mauconseil, non loin de l'église Saint-Eustache.

3. *Grosse de :* « ayant une envie très passionnée de » (Furetière).

selle de ses amies m'a envoyé prier de lui donner un billet pour six personnes; et quoique nous soyons fort mal ensemble, Michelon et moi, je ne doute point qu'elle ne s'y trouve, puisque l'occasion de refaire notre paix s'offre le plus à propos du monde. Si vous désirez, belle Babet, que je vous aille prendre, vous n'avez qu'à commander : vous savez que je suis

Tout à vous.

VII

RÉPONSE DE BABET

J'irai demain à l'Hôtel de Bourgogne, à dessein d'y voir *Les Nicandres,* qui ne peuvent être méchants puisque vous les avez faits. J'allai dimanche à Saint-Paul [1], où je me fis montrer votre Michelon qui était dans un banc du côté de la sacristie. Je la trouvai aussi belle que vous me l'avez dépeinte, mais au reste fort mélancolique : c'est peut-être à cause qu'elle ne vous voit plus. Je fus vingt fois tentée de l'aborder, et de lui dire qu'il fallait nécessairement qu'elle eût tort, parce que je suis bien assurée que vous ne l'avez pas. Je voudrais avoir donné quatre pistoles d'une loge où elle pût être, afin de l'entretenir, et de voir si son esprit répond à la peinture avantageuse que vous m'en avez faite. Vous êtes plus capable d'en juger que personne du monde, j'en demeure d'accord; mais outre que tout paraît aimable dans ce que l'on a envie d'aimer, le bien que vous m'avez dit du mien m'apprend que vous n'êtes pas toujours sincère. Mon papa est à Bagnolet [2], et mon frère le payeur des rentes [3] dîne demain chez nous. Si vous y vouliez venir, je pense que

1. Ancienne église paroissiale du Marais (rue Saint-Paul actuelle), démolie à la fin du XVIIIe siècle.
2. Village à l'est de Paris, connu pour ses jardins et ses résidences de campagne.
3. Il s'agit des rentes sur l'Hôtel de Ville (Colombey).

vous l'obligeriez fort. Il est aussi gros de vous voir que je l'étais de voir votre maîtresse. Et pour moi, vous savez bien que je n'ai point de plaisir égal à celui de vous dire à vous-même que je suis, ... Adieu.

VIII

A BABET

Je vous aime, Babet, je vous le dis sérieusement. Je ne vois plus Michelon, et vous en êtes cause. Faites-moi recouvrer ce que vous m'avez fait perdre, Michelon a beaucoup de charmes, et vous en avez infiniment. Les lumières de son esprit ne sont guère moins grandes que les clartés du vôtre. Sa vertu n'aurait point d'égale sans la vôtre, comme la vôtre n'aurait point d'égale sans la sienne. Enfin, Babet, vous vous ressemblez, Michelon et vous, par bien des endroits, mais elle m'aimait : m'aimerez-vous ? L'ingratitude dont elle vient de payer ma fidélité fait que j'appréhende de m'engager dans une nouvelle passion : car enfin, eussiez-vous plus de mérite qu'elle, je ne vous aimerai pas mieux que je l'aimais. Jusqu'ici vous m'avez fait des honneurs dont je demeure d'accord que je suis indigne ; vous n'avez point eu de peine à m'accorder votre estime, quoique je ne la mérite pas mieux que d'autres à qui vous la refusez ; mais quand je vous ai pressée de me dire si vous vouliez m'aimer, vous ne m'avez jamais répondu « oui ». Les honneurs que vous me faites viennent de la générosité de votre esprit ; l'estime dont vous m'honorez part de la bonté de votre âme ; mais, Babet, il n'échappe rien à votre cœur, et puisqu'il demeure muet pendant que tout le reste parle, il faut de nécessité que je ne sois pas capable de le toucher. Vous savez, Babet, que l'amour n'est jamais dignement payé, à moins qu'il ne soit payé par l'amour même ; je ne demande pas que vous en ayez autant que moi, puisque je n'ai pas le pouvoir d'en faire naître comme vous ; mais vous m'en donnez tant, que quand je vous en rendrai un peu, je ne laisserai pas d'en avoir encore assez. Examinez un peu votre cœur, avant que de vous emparer du mien : demandez-lui s'il est d'humeur à prendre par reconnaissance de ce que je prends de vous par inclination. Si l'amour est un mauvais présent à faire, vous devez reprendre celui que vous m'avez fait ; et s'il est bon, vous ne devez pas trouver mauvais que je vous en fasse un semblable. Il me semble, Babet, que c'est vous faire des propositions honnêtes ; et si vos yeux en avaient usé comme mon cœur en use, ils n'auraient pas emporté avec tant de violence ce que je ne pouvais m'empêcher de leur accorder volontairement. Je ne vous irai point voir que vous ne m'ayez appris si vous avez envie de m'aimer, ou non ; c'est une vérité qu'il est juste que je sache, avant que de m'engager dans une passion qui doit durer aussi longtemps que votre mérite. Et si vous n'êtes pas accoutumée à dire de si grands mots, il vous est facile de me faire la même grâce, en m'apprenant que vous aurez autant de plaisir à souffrir que je sois, que j'en aurai à être toute ma vie,

Tout à vous.

IX

RÉPONSE DE BABET

Vous demeurez d'accord que j'ai autant de charmes, autant d'esprit, et autant de vertu, que l'ingrate qui échappe à votre passion, mais vous ne dites pas que je suis plus juste qu'elle. C'est une vérité que je suis aussi aise de vous apprendre, qu'il m'est doux d'apprendre que vous m'aimez. Vous m'avez mandé que vous parliez sérieusement ; je parle de même. La colère que font éclater la plupart de celles à qui l'on apprend ce que vous m'apprenez, est ridicule ou feinte. Qui nous aime nous honore. Et je vous déclare bonnement que je rougirais plutôt de vous perdre, que je ne rougirai de vous acquérir. Si jusqu'ici je n'ai répondu qu'en jouant aux grâces que vous me faisiez, c'est que j'ai cru que ce n'était qu'un jeu. Je vous ai rendu des civilités, parce que je vous en dois ; je vous ai estimé parce que vous le méritez ; et toutes les fois que vous m'avez pressée de vous dire si je voulais vous aimer, quoique jamais je ne vous aie répondu « oui », si je n'avais pas eu envie de le faire, il m'eût été aisé de vous répondre « non ». Je vous défends de me rendre de l'amour que je vous ai donné. Vous n'en avez pas trop, puisque vous n'osez vous donner à moi sans marchander : et pour moi, si je trouve que je n'en aie pas assez, je sais bien où en prendre. J'aime mieux que vous gardiez pour vous le présent que vous me promettez, que de me le faire. Quand vous aurez autant d'amour que je vous en souhaite, je vous en déroberai si j'en ai besoin. Bon jour [1]. Brûlez ma lettre quand vous l'aurez lue, et ne manquez pas de me venir voir après dîner. Je crois m'être assez expliquée, pour n'avoir pas besoin de vous dire que je serai ravie que vous soyez à moi toute votre vie, comme je veux être toute la mienne,

A vous.

X

A BABET

En vérité, Babet, si tu ne reviens bientôt de Bagnolet, tu cours risque de ne me pas trouver constant à ton retour. On me mena hier au bal, où je trouvai une demoiselle qui n'a guère moins de belles qualités que toi. Elle a les cheveux d'un blond cendré qui est tout à fait beau, mais qui n'approche pourtant pas de la couleur des tiens. Elle a le front grand et élevé, mais le tien l'est encore davan-

1. *Bon jour :* « on dit absolument bon jour pour dire : Dieu vous gard(e) » (Furetière).

tage. Ses sourcils, qui ne paraissent presque point à cause qu'ils sont blonds, se montrent toutefois assez pour faire remarquer que leur symétrie est la plus régulière du monde. Ses yeux, qui sont aussi noirs que les tiens sont bleus, sont si bien fendus qu'ils ne jettent jamais un regard sans faire une conquête ; ils ont autant de vivacité que les tiens ont de douceur, et semblent être faits pour prendre de l'amour comme les tiens sont faits pour en donner. On voit sur sa joue une nuance de blanc et d'incarnat, mais si éclatante, qu'il semble qu'elle tienne des mains de l'art un présent de celles de la nature, qui a tant pris de peine après elle, que sans toi, qui es son grand chef-d'œuvre, elle serait le plus considérable de ses ouvrages. Son nez, qui n'est ni trop grand, ni trop petit, est justement comme il faut qu'il soit, pour avoir beaucoup de ressemblance avec le tien. Sa bouche, qui n'est pas si petite que la tienne, est plus petite qu'aucune autre que j'aie jamais vue. Elle a les lèvres si fraîches et si vermeilles que depuis ton absence je n'ai rien envisagé de plus charmant ; et pour les dents, elles sont si blanches et si bien arrangées que je lui fis cent contes risibles pour avoir le plaisir de les voir souvent. Le trou qu'elle a au menton me fait souvenir qu'elle en a encore aux joues, qui donnent une merveilleuse grâce au reste de son visage ; et pour sa gorge, on peut dire

Que c'est là que l'Amour, pour tirer tous ses traits,
Entre deux monts d'albâtre est campé tout exprès.

Je te jure, Babet, que je n'ai jamais rien vu de plus aimable, et si mon galérien de cœur, qui n'échappe jamais d'une chaîne que pour entrer dans une autre, ne se contentait de la gloire de tes fers :

Ma constance ébranlée allait faire naufrage.

Au moins, Babet, tiens-moi compte de l'effort que je me fis pour ne concevoir que de l'estime pour une personne qui est si capable de faire naître de l'amour : et si jamais l'occasion se présente de me troquer contre une autre, examine si la personne que tu me préféreras aura autant de qualités pour autoriser ton inconstance, que celle dont je parle en aurait eu pour autoriser la mienne. Cependant, si mon inquiétude te touche, reviens faire un tour[1] à Paris, ou souffre que j'en aille faire un à Bagnolet. Songe qu'il est aujourd'hui vendredi, et que je ne t'ai point vue depuis dimanche. Si tu veux que je me rende à minuit précis au bas de ta fenêtre, tu n'as qu'à parler. Nous causerons deux ou trois heures, comme dernièrement, et nous nous enverrons des baisers l'un à l'autre, puisque nous ne pouvons faire autre chose que je ne sois

Tout à toi.

XI

RÉPONSE DE BABET

Ah! volage, tu as bien la mine de me faire une friponnerie. Tu parles trop bien de la personne que tu vis hier au bal pour n'en être encore qu'à l'estime. Je vois par la peinture que tu m'en fais qu'elle a cent belles qualités, et cependant je la hais, parce que j'ai peur que tu ne l'aimes. C'est te faire un aveu bien obligeant; mais tu m'as tant de fois dit que les bontés étaient des chaînes par où on t'arrêtait, que j'aime mieux en avoir pour toi que de m'exposer à perdre un traître, qui n'aurait pas beaucoup de peine à m'échapper. Sois-moi fidèle, et je te tiendrai compte de tout ce que tu voudras; je ferai pour toi tout ce qu'on peut honnêtement faire, quand on s'aime autant que nous nous aimons, et loin d'examiner s'il est des personnes au monde que je te doive préférer, je te veux préférer à tout ce qu'il y a de personnes au monde. Si c'est mal répondre au plaisir que tu me fais de m'aimer, je t'en fais juge; et je te demande en conscience si tu ne serais pas le plus ingrat des hommes, si tu me faisais une

1. *Tour:* « petit voyage qu'on fait en quelque lieu » (Furetière).

infidélité. Il soupe ce soir du monde chez nous; cela est cause que nous ne pourrons ni causer ni nous envoyer des baisers par la fenêtre, mais je serai demain à Paris; et pour te récompenser de la perte de cent baisers imaginaires, je te permets de m'en donner un véritable. Adieu.

XII

A BABET

Non Babet, je n'irai point demain lire ma pièce chez ton frère; il y a quantité de choses que je serai bien aise de corriger avant que de la mettre au jour. Comme il y a peu de temps que j'ai l'honneur de te connaître, et qu'auparavant je ne savais pas ce que c'était que le bel amour, laisse-moi m'accoutumer au plaisir qu'il y a d'aimer une fille si aimable, afin que je puisse ressentir ce qu'il est nécessaire que j'exprime; et quand nous ne serons que nous deux, disons-nous des choses si touchantes, et faisons des scènes si passionnées, qu'il n'y ait qu'à les coudre à mon ouvrage pour ne plus avoir lieu de douter de son succès. Je t'aime pour le moins aussi tendrement que le duc de Guise aimait la princesse de Montpensier[1]; aime-moi aussi fortement que la princesse de Montpensier aimait le duc de Guise; et faisons ensemble ce qu'ils n'auraient pas manqué de faire, s'ils avaient eu autant de liberté que nous en avons. Je t'ai cent fois dit que ce qu'il y a de contraint dans une comédie fatigue ordinairement, et ne divertit jamais; qu'une action, pour être belle, devait avoir beaucoup de vraisemblance; et qu'un auditeur n'a pas la moitié du plaisir qu'il espérait, quand on représente des vérités qui ne devraient pas être véritables. Cela étant, Babet, je dois éviter la route que je vois prendre à tous ceux de qui les pièces tombent, et ne

1. Allusion à la nouvelle de Mme de Lafayette: *La Princesse de Montpensier*, parue en 1662.

mettre dans la mienne que ce que je souhaite qui nous arrive, afin qu'il n'y ait rien qui ne puisse arriver à tout le monde. Quand je te donnai la peine de l'entendre, et que je l'exposai à la délicatesse de ton jugement, tu y trouvas quelle chose de si tendre que tu m'as avoué toi-même que tu en avais été touchée ; cependant je m'aperçois bien que le duc de Guise ne dit rien de si pressant que ce que je te voudrais dire, et que la princesse de Montpensier ne fait rien pour lui de ce que je souhaiterais que tu fisses pour moi. Crois-moi, Babet, romps la partie que tu as faite pour demain ; diffère pour huit jours la lecture d'une pièce qui n'est pas comme je prétends qu'elle demeure. Durant ce temps-là, je te verrai continuellement, et ne laisserai pas échapper un seul moment de tous ceux que tu voudras accorder à mon amour. Je te le dépeindrai si violent, quoiqu'il ne fasse que de naître, qu'il n'y aura que sa grandeur qui soit contre les règles de la vraisemblance ; et pour peu que tu me fasses la grâce d'y répondre, je ferai des choses si aisées à s'insinuer dans l'âme, que si jamais elles sont représentées, on verra bien que j'aurai travaillé d'après nature. On remarque tant de différence entre les vers que je fais depuis que je te vois, et ceux que je faisais avant que je t'eusse vue, qu'il semble que les uns ne soient pas de moi, ou que les autres n'en puissent être ; et souvent il m'en échappe de si touchants, que quand je les ferais pour toi, ils auraient de la peine à l'être davantage. Juge s'il ne faut pas que ce soit toi qui me les inspires, puisque cela ne m'arrive que depuis que j'ai la gloire d'être

Tout à toi.

XIII

RÉPONSE DE BABET

Si demain tu ne dégages ma parole, tu es un homme perdu. Mon frère, que tu n'osas chasser quand tu me lus dernièrement ta pièce, en a fait un récit si avantageux que les plus honnêtes gens du royaume ont envie d'être de tes amis. On doutait que tu voulusses prendre la peine de la venir lire à des gens que tu ne connais pas ; et moi je n'ai point fait de doute que tu ne vinsses d'abord que je te manderais, et qu'un amant si respectueux que toi n'obéît au commandement d'une aussi bonne maîtresse que je la suis. Je voudrais bien savoir au reste, Monsieur le mal avisé, pour qui vous me prenez. Faites-vous si peu de cas de mon jugement, qu'après vous avoir fait la grâce de vous dire que je trouvais votre pièce belle, vous appréhendiez de la montrer à d'autres ? Et vous imaginez-vous, parce que je ne puis faire de vers, que je n'aie pas assez d'esprit pour connaître comme il faut qu'ils soient pour être beaux ? Ne sais-tu pas bien qu'étant ta maîtresse, et toi mon amant, nous faisons déjà communauté de gloire ? et que le peu d'honneur que tu as ne court aucun risque, tant qu'il sera dans une main si fidèle que la mienne ? N'était que tu m'es nécessaire pour demain, je me mettrais en une furieuse colère contre toi. Quand je n'en aurai plus besoin, je ferai tout ce que je pourrai pour te vouloir mal ; et je t'apprends que tu aurais de la peine à m'apaiser, si j'étais aussi véritablement fâchée que je suis de toute mon âme, tu m'entends bien.

XIV

A BABET

L'abbé de Saint-Martin prêche tout le carême prochain à Saint-Benoît [1] ; comme c'est demain qu'il commence, j'ai cru vous en devoir avertir aujourd'hui, afin que si

1. Guillaume de Saint-Martin, prêtre, docteur en théologie, conseiller, aumônier et prédicateur ordinaire du roi, et curé de la basse Sainte-Chapelle de Paris, selon les titres qui figurent dans les éditions posthumes de ses œuvres oratoires (1683-85). Quelles « pièces » (voir n. 1, p. 113) fit-il à Boursault ? L'église Saint-Benoît, reste d'une ancienne abbaye, se trouvait sur la rue Saint-Jacques, non loin de la Sorbonne.

vous avez envie de l'aller ouïr, je vous aille prendre. Il a presque toutes les qualités requises à un bon prédicateur. Il a de la science autant qu'il en faut pour être habile ; il a des divisions autant ingénieuses qu'elles doivent l'être pour charmer ; il a le geste aussi beau qu'il le faut avoir pour plaire ; il n'y a que le boute-hors [1] qu'il n'a pas le plus agréable du monde. Je ne l'ai jamais ouï prêcher qu'avec succès, et je suis sûr que si vous y allez, vous en reviendrez fort satisfaite. C'est un témoignage que comme honnête homme je suis obligé de rendre à la vérité ; car pour du bien, les pièces qu'il m'a faites me dispensent assez de lui en vouloir. Si vous masquez [2] tantôt, et que vous vouliez passer chez Madame Révérend, qui demeure dans la rue Saint-Sauveur, je vous apprends qu'il y aura assemblée, et que j'aurai le bien de vous y voir. Il n'est pas nécessaire que vous me fassiez aucun signe pour vous reconnaître : de quelque façon que vous puissiez être déguisée, je suis assuré que la grâce qui vous est si naturelle, et que personne n'a que vous, ne manquera pas de me sauter d'abord aux yeux. Au reste, Babet, ne me dites plus qu'il m'est impossible de dérober un quart d'heure à mes plaisirs : j'ai commencé mon carême quatre jours avant les autres, puisqu'il y a quatre jours que je ne vous ai vue ; et je fais moi seul pénitence, durant que toute la terre se réjouit. Votre papa, qui ne bouge de chez vous, et qui me hait parce que je vous aime, a dessein de me faire faire le carême bien long ; mais quelque long qu'il puisse être, il faut à la fin que Pâques arrive, et j'espère qu'après les lamentations de Jérémie, il nous sera permis de chanter *alleluia*. Tu entends bien, mon aimable Babet, ce que je te veux dire ; et tu sais trop bien ce que tu vaux pour te faire l'injustice de croire que quelques jours que je passerai sans te voir me fassent oublier que je suis né pour être toute ma vie,

Tout à toi.

1. *Boute-hors :* « facilité d'exprimer ses pensées, de faire connaître son mérite et son savoir dans les compagnies » (Furetière).

2. *Masquer :* emploi absolu signalé par Furetière.

XV

RÉPONSE DE BABET

Ah ! ah ! Monsieur le traître, vous dites donc que vous ne vous divertissez pas. J'étais hier chez Madame Révérend quand vous y arrivâtes, et vous y vîntes en assez bonne compagnie. Vous étiez avec Babet Périer, avec Catho Périer, et avec Mademoiselle Celoron, voyez si je sais de vos nouvelles. Vous dansâtes une bourrée, dont vous vous acquittâtes assez mal ; et à la courante que vous dansâtes ensuite, vous fîtes encore pis. Vous étiez vêtu en Turc, et la Babet que vous meniez était votre sultane, qui danse le plus proprement du monde, et qui a la gorge aussi belle que j'en aie jamais vu. Quoique je fusse fort près de vous, je cachai si bien la grâce qui m'est si naturelle, et que personne n'a que moi, que vous ne me reconnûtes pas. Apprenez que j'étais vêtue en Scaramouche, et que j'en contais à une Damoiselle, qui m'ayant fait démasquer pour un moment, me trouva si joli garçon qu'elle me voulait presque autant de bien que je vous en veux. Savez-vous bien, Monsieur, que votre procédé n'est ni beau ni honnête, et que si je vous croyais prodigue des tendresses que vous me devez, je serais plus avare que je ne le suis de celles que j'ai pour vous ? Nous avons couru toute la nuit, et je suis si lasse, que je n'en puis plus. Le sommeil qui m'oblige de finir ma lettre plus tôt que je ne voudrais vous sauve une mercuriale, dont vous n'êtes pourtant pas quitte. Je n'irai point au sermon de l'abbé de Saint-Martin que dimanche : vous me verrez avant ce temps-là, si vous m'aimez. Bon jour.

XVI

LETTRE DE BABET

Avoue de bonne foi que tu es bien désobligeant de ne pas vouloir me donner une copie de la lettre que tu écrivis à ton retour de Chantilly [1]. Mon oncle le secrétaire qui te l'entendit lire, il y a près de quinze jours, et qui s'imagine que j'ai quelque pouvoir sur toi, me presse si fort de la lui faire avoir, que tu m'obligeras infiniment si tu lui veux faire la grâce que tu me refuses. Tout autre en ma place croirait que tu fais par mépris ce que je sais bien que tu ne fais que par paresse, mais quelque paresseux que tu puisses être, la vérité est que si tu ne me l'envoies avant que la journée se passe, je te jouerai un tour à quoi tu ne t'attends pas. Le *point du tout* qui est si naïf dans la bouche de la fille de Chantilly deviendra une malice dans la mienne ; toutes les fois que tu me demanderas si je t'aime, toi qui me le demandes aussi souvent que si tu en doutais, *point du tout* sera toute ma réponse. Quand tu me diras toi-même que je suis la personne du monde pour qui tu as le plus de passion, et qu'avec la chaleur qui ne t'abandonne point, tu me bredouilleras qu'il n'est rien dont tu ne t'avisasses pour m'en donner des preuves, je trouverai à point nommé un second *point du tout*. Et si je m'avise de t'écrire après t'avoir commandé tout ce qu'il m'aura plu, tu croiras que ma lettre doive finir par la protestation que j'ai coutume de faire, d'être à toi toute ma vie.

Point du tout.

1. Cette lettre « écrite de Chantilly », que Boursault adressa « à Monsieur Milley », se trouve dans la première partie des recueils de 1683 et de 1698 : l'auteur n'ayant pas jugé nécessaire de l'insérer dans le groupe des « Lettres de Babet », nous suivons son exemple. Boursault y rapporte à son ami (le père de Michelon, selon la note de Colombey) une plaisante conversation, au cours de laquelle une jeune fille qu'il complimente répond à toutes ses phrases par : « point du tout ». Pratiquant l'intertextualité, il reprend ce jeu dans la correspondance avec Babet.

XVII

A BABET

Je t'envoie une copie de la lettre que tu me demandes. Je ne veux point avoir d'ennemis si dangereux que toi. Tu me dis des injures exprès pour voir si je me mettrai en colère, mais tu ne tiens rien. Il ne m'importe que je bredouille, ou non : je n'ai besoin de ma langue que pour dire que je t'aime ; ce n'est qu'à toi seule qu'il est nécessaire que je me fasse entendre, et je t'ai des obligations qui m'instruisent assez que jusqu'ici tu ne m'as pas mal entendu. Tu n'es pas venue jusqu'à dix-neuf ans, avec tous les charmes de ton corps et toutes les beautés de ton esprit, sans t'attirer quelque déclaration d'amour, puisque tu ne jettes pas un regard que tu n'en donnes ; parmi la foule de ceux qui ont soupiré pour toi, il est impossible qu'il n'y en ait quelqu'un qui ait expliqué les soupirs que tu lui faisais l'injustice de ne pas vouloir entendre ; et c'est ce quelqu'un-là que je cherche pour lui reprocher que son éloquence a fait moins d'effet que mon bredouillement. Le plus grand avantage qu'aient eu tous les rivaux que tes yeux m'ont faits a été de te dire qu'ils avaient de l'amour pour toi : en doutais-tu ? Ils auront, peut-être, ajouté qu'il est plus glorieux de recevoir de l'amour de toi, qu'il n'est avantageux d'en donner à d'autres ; mais y en a-t-il pas un, hormis moi, qui vaut incomparablement mieux qu'eux, qui ait pu te persuader d'en prendre ? Appelle-moi bredouilleux après cela tant que tu voudras, on le serait à moins ; mais ne te mêle point de dérober ce que je mets dans mes lettres pour en embellir les tiennes. Je voudrais bien savoir à quel propos tu prends le *point du tout* d'un homme qui ne t'a jamais rien pris. Puisque tu l'as, tu peux t'en servir, mais sers-t'en bien judicieusement, je t'en conjure ; car lorsque je te dirai que je t'aime, si tu t'amuses à me répondre *point du tout,* je dirai que tu en as menti, et que je suis

Tout à toi.

XVIII

LETTRE DE BABET

Je t'ai mis d'une partie que nous avons faite pour aller après-demain à Versailles, et j'ai cru que ne t'étant pas permis de disposer de toi sans mon ordre, puisque tu dis si souvent que tu es tout à moi, tu ne serais pas engagé ailleurs. Mademoiselle Ferrary, Mademoiselle de Morangis, l'abbé de Saint-Preuil et Monsieur Le Brun en doivent être ; et tous ont demeuré d'accord que sans toi la société était démembrée. Mademoiselle de Morangis, surtout, m'a dit en confidence que Mademoiselle Ferrary était trop coquette, Monsieur Le Brun trop pédant, et l'abbé de Saint-Preuil trop bigot, et qu'il n'y avait que toi qui l'accommodât [1]. N'était qu'elle est mon amie particulière, l'estime qu'elle a pour toi me sera un peu suspecte, et je m'imaginerais que tu lui rends des soins, à présent que je te vois si peu, et que tu deviens aussi rare que tes mérites. Tu ne manqueras pas de m'alléguer que mon papa ne va à Bagnolet que le dimanche, et que tous les autres jours il est occupé aux affaires de son bureau ; mais si tu avais eu le soin de t'informer de ce que je faisais cette semaine, tu saurais qu'il s'est présenté des occasions de me voir dont je veux malicieusement t'instruire, afin de te rendre une autre fois plus assidu. Lundi nous allâmes à la foire, où nous fûmes depuis quatre heurs jusqu'à neuf; nous envoyâmes savoir si tu étais chez toi, car nous avions dessein de t'aller prendre, mais tu n'y étais pas. Mardi nous jouâmes toute l'après-dînée à

1. Entorse probablement familière à la règle, déjà formulée par Vaugelas, qui exigerait ici « accommodasses ». Les noms propres cités par Boursault paraissent désigner des personnages réels, mais les identifications sont naturellement sujettes à caution. Non loin du domicile de Babet, rue Vieille-du-Temple, se trouvait (n° 102 actuel) l'hôtel de Ferrary. « Mademoiselle Ferrary » est sans doute la fille de Dominique de Ferrary, qui avait acheté l'hôtel en 1640.

la bête [1] chez Mademoiselle Ferrary, où il ne tenait qu'à toi de te trouver. Mercredi je dînai chez mon frère le payeur des rentes, où tu serais venu si l'on t'avait trouvé en ton logis. Et hier j'allai au sermon du Père Dom Côme [2] qui ne prêcha que l'après-dînée, où tu pouvais te rencontrer si tu l'avais voulu. Voilà bien du temps perdu, dont nous nous récompenserons dimanche, puisque nous nous verrons depuis le matin jusqu'au soir. Il me tarde qu'il soit venu, afin de nous pouvoir dire *amamus et amabimus*, jusqu'au dernier soupir. Bon soir.

XIX

A BABET

Colinet, que je viens de rencontrer devant les Célestins [3], m'a dit que tu fis hier une partie pour aller demain à Versailles. Que Mademoiselle de Morangis, l'abbé de Saint-Preuil, Mademoiselle Ferrary et Monsieur Le Brun en devaient être; mais il ne m'a point dit du tout que tu m'en eusses mis. Apprends-moi, Babet, ce que demain, qui est le jour que ton papa doit aller à Bagnolet, tu prétends que je fasse. Je voudrais bien pour la rareté du fait, que tu m'eusses dérobé une journée que j'attends depuis lundi avec tant d'impatience. Tu ne songes pas qu'il y a huit jours que je ne t'ai vue, et que si demain m'échappe, je serai encore huit jours sans te voir, puisque ton papa ne va à Bagnolet que tous les dimanches. Si cela te venait dans la pensée, tu ferais du moins par charité ce que tu es obligée de faire par amour, et tu demeurerais

1. « Jeu de cartes où quand celui qui fait jouer ne gagne pas, il paie autant que ce qu'il y a au jeu, et on dit qu'il a fait la bête » (Furetière).

2. Loret mentionne cet ecclésiastique à la date du 6 mars 1664. Assistant du général des Feuillants, il prêchait souvent devant la Cour; il devint évêque de Lombez en 1671 (Colombey).

3. Le couvent des Célestins était sis rue du Petit-Musc, à côté de l'Arsenal. Fondé en 1352, il fut fermé en 1779.

d'accord qu'être quinze jours sans te voir, et ne point manger de viande, est une mortification trop grande pour un homme tel que moi. J'espère donc qu'aussitôt que tu auras vu ma lettre, tu demanderas pardon à l'Amour du crime que tu as fait en m'oubliant ; que pour le réparer, tu m'enverras prier de ne pas bouger de chez nous demain que tu ne me viennes prendre ; et que tu feras une protestation de jamais ne retomber en de pareilles fautes. Il me semble, Babet, que pour une personne qui m'aime tant, tu ne te mets guère en peine de ce que je deviens ; et que demander à te voir une fois par semaine, ce n'est pas trop exiger de ta bonté. Je voudrais que tous les jours de la semaine fussent des dimanches, afin que ton papa fût sans cesse à Bagnolet, et que je te visse toujours, mais par malheur pour moi, au dimanche qui ne me dure rien, il succède six jours qui me durent tant que j'ai toujours le loisir d'aller deux fois à confesse auparavant que de te voir une. Après la protestation que je te fais de ne te pas dire un mot qui ne soit véritable, regarde, Babet, si tu ne dois pas faire conscience de m'abandonner à ma tristesse, durant que demain tu t'abandonneras à la joie, et s'il n'est pas juste que je passe une bonne journée en te voyant, pour tant de mauvaises que je suis contraint de passer en ne te voyant pas, moi qui suis

Tout à toi.

XX

RÉPONSE DE BABET

Dites-moi un peu, s'il vous plaît, Monsieur le vagabond, d'où vous venez, et d'où vous m'avez écrit la lettre que je viens de recevoir de vous. Si vous n'aviez bougé de chez vous, vous auriez appris dès hier au soir que Versailles, quelque charmant qu'il puisse être, n'aurait rien pour moi d'agréable si vous n'y veniez. Toutes les complaisances que j'ai pour toi t'ont dû apprendre qu'ayant autant d'amour, je n'ai guère moins d'impatience, et que le dimanche ne vient pas si souvent que je le souhaiterais. C'est un jour qui m'est devenu si cher depuis qu'il est devenu celui que je dois te voir, qu'il n'est pas sitôt passé que je souhaite qu'il revienne; et quand nous n'en sommes encore qu'au lundi, je l'envisage de si loin que j'appelle cela *par tous les siècles des siècles*. Cependant c'est à moi présentement à t'imposer la même peine que tu m'imposais : tu dois, aussitôt que tu auras reçu ma lettre, me demander pardon dans l'âme de m'avoir fait l'injustice de croire que je t'oubliais, et en dire ta coulpe; te repentir ensuite d'avoir eu une pensée si désavantageuse à la bonté que j'ai pour toi, et faire une ferme protestation de ne faire jamais de jugements si téméraires. Après cela, comme tu seras en bon état, tu n'auras qu'à demain aller entendre la messe aux Blancs-Manteaux [1] un peu devant huit heures, et je suis sûre qu'avant la bénédiction sacerdotale, tu verras une fille à genoux à ton côté, qui ne manquera pas de te dire à l'oreille qu'elle est toute à toi. Adieu.

XXI

A BABET

Une autre fois, Babet, tu n'as qu'à me venir dire, quand onze heures sonneront, que ce n'en sont que neuf, pour voir ce que tu gagneras. Je me soucie bien de jouer des déjeuners, dont il est impossible que je profite; et c'est un plaisant avantage pour moi que celui de t'avoir vue trois petites heures, pour ne te voir après de huit grands jours. Je n'oserais te dire, de peur de me mettre en mauvaise odeur auprès de toi, qu'un moment après que je t'eus hier souhaité une aussi bonne nuit que si nous

1. Chapelle du couvent des Blancs-Manteaux (rue des Francs-Bourgeois), qui appartenait au XVIIe siècle à l'ordre des bénédictins.

l'eussions dû passer ensemble, comme j'entrais dans une petite rue qui est auprès de Saint-Gervais, on répandit sur moi par la fenêtre d'une troisième chambre les influences les plus malignes dont jamais la justice de là-haut ait puni les insolences d'ici-bas. Je m'en revenais aussi glorieux d'avoir vu ma maîtresse ce jour-là que joyeux d'avoir gagné un déjeuner pour le lendemain; et de peur que la pluie ne gâtât mon chapeau, qui est un demi-castor [1], qui me coûte treize bons francs, je m'étais couvert la tête du bas de mon manteau, que je soutenais avec une main épanouie, quand une pisseuse, qui depuis six mois réservait à jeter son pot de chambre quand je passerais, s'en acquitta si à propos, et m'en coiffa si adroitement, qu'il n'y en eut pas une goutte de perdue. Encore, Babet, si c'eût été une pisseuse comme toi, qui pisses clair comme de l'eau de roche, je serais ravi d'avoir étendu mon manteau si proprement pour recevoir une urine que c'est dommage de laisser perdre; mais je te jure que depuis que les femmes se mêlent de pisser, c'est-à-dire depuis Ève jusqu'à ta petite nièce qui n'a qu'un jour et demi, je ne pense pas qu'on ait jamais rien pissé de si méchant. Pour ne point t'en particulariser les goûts, dont j'aurais de la peine à me souvenir, à cause du nombre, je te dirai seulement, que comme c'était de l'urine de l'année passée, outre les asperges, les pois verts, les culs d'artichauts, et les champignons, elle en avait tant de si mauvais qui se faisaient sentir de si loin, que quand je heurtai chez nous, on ne me voulait pas ouvrir la porte, de peur que ce ne fût quelque gadouart [2] qui cherchât à rallumer sa chandelle. A la fin m'étant fait connaître à la voix, je ne fus pas plus tôt entré, que de trois personnes que je rencontrai sur la montée deux se bouchèrent le nez au plus vite, et la troisième s'évanouit. Je me dépouillai d'abord aussi nu que l'était notre premier père avant le péché, et je changeai de chemise, parce que j'en ai sept ou huit : mais je ne pus changer d'habit, parce que je n'en ai qu'un. Je le viens d'envoyer chez le dégraisseur, et je

1. « Chapeau fait en partie de poil de castor et en partie d'autre poil » (Furetière).

2. « Celui qui vide et cure les retraits et les puits » (Furetière).

garde le lit. Un jeune médecin qui est fort de mes amis, et qui m'était venu chercher dès le matin pour faire tout aujourd'hui la débauche ensemble, vient de sortir d'ici, presque aussi affligé de m'avoir trouvé au lit que je suis affligé d'y être. N'ayant osé lui conter mon aventure de peur d'être obligé de lui avouer que je n'avais qu'un habit, je me suis avisé de lui dire que j'étais malade, et ç'a été le diable, quand il a fallu dire quelle maladie j'avais. Comme je n'ai non plus de fièvre que d'habit, et non plus de rhume que de fièvre, pour le mener en pays perdu, je lui ai dit que j'avais mal aux dents; et lui, après avoir rêvé quelque temps au remède qu'on y pouvait apporter, m'a conseillé de faire arracher celles qui me faisaient mal, et s'est retiré aussi mortifié de ce que je ne suis pas avec lui que je le suis de n'être pas avec toi. Bon jour, Babet, je n'oserais finir ma lettre à l'ordinaire, et jusqu'à ce que je ne sente plus l'urine étrangère, je doute que tu veuilles permettre que je sois

Tout à toi.

XXII

RÉPONSE DE BABET

Je ne sais si je dois rire de ta rencontre, ou pleurer de ton affliction. Tu me dépeins toutes les deux de façon si plaisante, qu'il m'est impossible de vouloir mal à la pisseuse qui est cause que j'ai reçu ta lettre. L'abbé de Saint-Preuil qui est chez nous il y a plus d'une heure, et qui a déjà fait venir le déjeuner qu'il perdit hier, t'envoie sa soutane et son grand manteau, afin que tu n'aies point d'excuse qui t'empêche de te rendre ici. La robe de chambre de mon papa qui ne manque pas d'aller à Bagnolet d'abord que le jour du Sabbat arrive, servira à couvrir ta nudité le reste de la journée; et sur le soir, comme nous sommes aux jours gras, tu n'auras qu'à mettre mon loup, et je suis sûre qu'il n'y aura pas un badaud qui en te voyant ne crie : *il a chié au lit.* Si tu m'en crois, pendant que tu auras l'habit sacerdotal de notre cher ami l'abbé, qui aura le loisir de s'ennuyer à t'attendre, passe dans quelque église, et entends la messe, autrement tu cours risque d'en avoir disette pour aujourd'hui. Il me semble t'avoir dit que quand tu es dévot, je t'en aime vingt fois mieux, et malgré tout cela je me fie si peu à toi, que j'ai commandé à Colinet de ne pas te quitter qu'il ne te l'ait fait entendre. On ne commencera point à déjeuner que tu ne sois venu, je t'en donne ma parole. Tu sais bien qu'elle est inviolable, et que je ne me suis jamais démentie depuis que je t'ai eu dit que je voulais être

A toi.

XXIII

LETTRE DE BABET

Si je te demande si tu m'aimes, tu ne manqueras pas de me dire oui ; si tu me dis oui, je serai peut-être assez sotte pour te croire ; et si je suis assez sotte pour te croire, je ne puis me persuader que le mal que je te veux puisse durer longtemps. Hier, je ne te le cèle point, j'étais dans la plus furieuse colère qui ait jamais été ; mais quand ce matin je me suis souvenue que tu y étais aussi, j'enrageais de m'y être mise, et j'ai demeuré à la messe une grosse heure plus qu'il ne fallait, pour voir si tu ne viendrais point me rechercher. Je te prie, ne nous y mettons plus ni l'un ni l'autre : le plaisir qu'il y a de se raccommoder cause moins de joie que l'incertitude où l'on est de savoir si l'on se raccommodera ne donne de peine. Promets-moi de ne plus aller à Notre-Dame-des-Vertus avec Michelon [1]. Tu

1. Le second mardi de mai, l'église d'Aubervilliers honorait particulièrement la Sainte Vierge sous le nom de Notre-Dame des Vertus (Colombey). Dans cette allusion à un pèlerinage célèbre, il faut sans doute reconnaître également un jeu de mots malicieux.

fais si souvent naître l'occasion de me parler d'elle, et toutes les fois que tu m'en parles, tu as des termes pour exprimer ce qu'elle t'a fait sentir, dont tu ne te servirais pas si à propos si tu ne sentais plus rien. J'ai si peur que vous ne vous remettiez bien ensemble que j'aime mieux, quand tu n'auras rien à faire, t'envoyer de l'argent pour aller jouer que d'avoir le chagrin de te voir aller chez elle. Ce n'est pas que je la haïsse, mais je t'aime; et la crainte que j'ai de te perdre m'inquiète plus que l'appréhension qu'elle n'en profite. Je vois bien par moi-même que la colère des amants n'est pas de durée. Hier je te voulais mal jusqu'à avoir une démangeaison de te battre et aujourd'hui je ne laisse pas d'être

A toi.

XXIV

A BABET

Infortunés Amants qui passez votre vie
A chérir Lisimène, à caresser Silvie,
Qui souvent sans espoir adorez des appas,
Et poussez des soupirs que l'on n'écoute pas :
Pour charmer vos ennuis, et calmer vos alarmes,
Je vous offre des vers arrosés de mes larmes :
Ainsi que mon amour, mon malheur est constant;
Je souffre plus que vous, et ne me plains pas tant.
Si jamais votre amour n'en a pu faire naître,
Votre flamme en naissant n'a pas eu lieu de croître;
Si l'excès de vos feux n'en a point allumé,
Votre cœur à l'espoir n'est pas accoutumé;
Mais l'ingrate beauté qui déchire mon âme
Sans blesser sa vertu répondit à ma flamme;
Ses souhaits pour paraître attendaient mes désirs;
Elle souffrait mes soins, écoutait mes soupirs;
Quand j'avais du chagrin, elle avait des alarmes;
Et de tant de bontés soutenant tant de charmes,
Sa tendresse et ses yeux agissant tour à tour,
Je conçus de l'espoir en prenant de l'amour.

Cependant cet espoir hors d'état de plus croître,
Sur le point d'être heureux on m'empêche de l'être,
Et de l'objet volage à qui je plus si fort
L'esprit change de face, et mon amour de sort.
Pour ne pas de son crime être cru le complice,
A son ingratitude égale son supplice :
L'intérêt de ta gloire en demande raison ;
Jusqu'ici l'inhumaine abusait de ton nom,
Amour...

J'en étais là, Babet, et j'allais te quereller de tout mon mieux, quand Colinet m'a apporté ta lettre, que j'aime mieux avoir reçue que d'avoir fait la plus belle élégie du monde. Tu ne t'es pas trompée quand tu as cru, si tu me demandais si je t'aime, que je dirais oui. Je t'aime si tendrement que je n'attendais que la fin de mon élégie pour mourir de douleur ; et quand j'ai vu qu'elle était si agréablement interrompue, peu s'en est fallu que je ne sois mort de joie. Il est vrai, Babet, que l'on passe de cruels moments, quand on est en colère contre ce qu'on aime ; loin de croire que tu fusses à l'église à attendre que je t'allasse rechercher, je me figurais que tu te passerais plutôt de messe un an durant que de m'accorder le plaisir de te voir une heure ; et j'enrageais d'autant plus de t'avoir perdue que j'appréhendais de ne pouvoir jamais te retrouver. Je savais bien que tu n'avais pas eu raison de te mettre en colère contre moi ; mais comme c'est la première fois de ta vie que tu en as manqué, je me repentais d'y avoir pris garde, et je trouvais que j'avais eu moins de raison que toi d'avoir eu l'audace de m'apercevoir que tu n'en avais pas. Si quelquefois je te parle de Michelon, qui, après toi, est la plus agréable fille que je puisse connaître, il est assez du caractère d'un honnête homme de ne pas tout à fait bannir de sa mémoire une personne qu'il a chèrement aimée. Je ne t'ai jamais rien dit d'elle qui ne soit aussi glorieux pour toi que pour elle-même. Quand je t'ai dit qu'elle avait beaucoup de charmes, j'ai ajouté que tu en avais infiniment plus qu'elle ; quand je t'ai appris qu'elle était parfaitement sage, j'ai cru que tu prenais plaisir à me l'entendre dire, parce qu'il est naturel d'aimer à ouïr parler avantageusement de ses semblables ;

et quand je t'ai assuré que je l'avais aimée de tout mon cœur, je t'ai protesté que je t'aimais incomparablement davantage. Si je conserve de la tendresse pour qui s'est repenti de m'avoir aimé, que ne ferai-je point pour toi, Babet, qui as eu cent fois la bonté de me dire que le malheur de ta vie était de ne m'avoir pas aimé plus tôt, afin que je fusse plus obligé d'être

Tout à toi.

XXV

A BABET

Pour te montrer que je suis l'amant le plus pacifique que tu aies eu de ta vie, malgré la querelle que nous eûmes hier ensemble, je te prie de me venir aider à faire un chrétien. Une imprimeuse qui demeure au pays latin [1] s'étant avisée de faire un enfant, son mari s'est avisé de me choisir pour en être le parrain, et je m'avise de te prendre pour être ma commère. Comme tu n'as jamais rien voulu tenir de moi, et que je ne suis pas sûr que tu aies jamais rien tenu à d'autres, je doute que tu veuilles tenir ce pauvre petit, et que tu sois assez charitable pour lui accorder une grâce que tu as peut-être refusée à cent pauvres petits comme lui. Je dis comme lui, car c'est un mâle qui est né coiffé, et qui sans doute sera le plus heureux du monde quand tu auras posé ta main dessus. C'est un aveugle qui sent ce qu'il ne voit pas, et un muet qui demande ses nécessités sans parler. Il a reçu la première faveur de ceux qui l'ont conçu ; la seconde de celle qui le nourrit ; et tu lui accorderas la dernière, s'il te plaît. Si c'était pour moi ce que je te demande, tu aurais raison de faire quelque petite difficulté ; mais tu sais bien que je n'aurai que l'honneur d'assister à l'action, et que celui pour qui je prie en aura tout le profit. Pour moi, quoique

1. Aujourd'hui le « quartier Latin ».

j'en aie déjà tenu de petits et de grands, je ne suis non plus savant sur cette matière-là que le premier jour. J'attends toujours qu'on me dise « mettez la main là », et comme je suis l'ennemi juré des révérences, un de mes plaisirs serait de pouvoir faire cela avec toi sans cérémonie. Si je vois que tantôt tu t'en acquittes de bonne grâce, je te ménagerai quelque chose (que je ne veux pas nommer, parce qu'il faut que ce soit la marraine qui nomme la première) que nous aurons bien du plaisir à tenir ensemble. Je t'irai prendre précisément à trois heures pour te mener au rendez-vous. Sois prête pour l'heure que je te marque : fais-toi charmante à ton ordinaire, et je serai au mien

Tout à toi.

XXVI

RÉPONSE DE BABET

Mon pauvre compère, mon ami, je tiendrai tout ce que tu voudras me faire tenir, petit, ou grand, mâle ou femelle, n'importe. Tu n'as qu'à me venir prendre sur les trois heures, et tu me trouveras pour le moins aussi parée que tu l'étais quand tu montas sur le cheval étique dont tu fais la peinture dans la lettre de Madame d'Angoulême. Je gage, si tu veux, les frais du baptême, que parmi toutes les commères que tu as il n'y en a point de si jolie que je le serai tantôt. On me vient d'apporter un mouchoir[1] de point permis[2], dont tu auras le pucelage. J'ai des coins[3] blonds de la bonne faiseuse, qui me rendent belle comme un ange ; et je souhaiterais qu'hier, quand nous nous querellâmes, tu m'eusses repris ton cœur, pour voir

1. *Mouchoir :* lingerie ordinairement agrémentée de dentelle, dont les dames voilaient leur gorge.

2. *Point permis :* jeu de mots sur un « point » de dentelle (non attesté) et un interdit suffisamment explicite.

3. *Coins :* cheveux postiches.

si aujourd'hui je ne te le ferais pas bien rendre. Je me pare de la sorte pour mériter la grâce que tu me fais de me choisir pour être ta commère. Comme voilà le quinzième enfant dont j'aurai été marraine, il n'y a point de cérémonies dans un baptême que je ne sache; et tu avoueras tantôt, quand tu verras de quelle façon je m'en démêle, que je suis tout à fait propre à faire des chrétiens. Je te prie que ce ne soit pas là le dernier que nous fassions ensemble: oblige, si tu peux, toutes les femmes que tu connais de te faire le parrain des enfants qu'elles font, et les filles, de ceux qu'elles ont envie de faire. Je serai ta commère autant de fois que tu le voudras, et le cœur me dit qu'après plusieurs petites alliances, il en arrivera une bonne qui me fera être toute ma vie

A toi.

XXVII

LETTRE DE BABET

Je t'épargnai hier au soir pour le moins neuf ou dix francs (car les frais d'un baptême ne sont pas si grands aux champs qu'à Paris). A peine arrivions-nous de chez notre commère l'imprimeuse, que je trouvai notre jardinier de Bagnolet qui m'attendait avec impatience, pour me prier de te prier, en cas qu'il y eût moyen par mon moyen, que tu fusses le parrain de l'enfant de la maîtresse de chez eux. Pour ne pas l'effaroucher d'abord, je lui dis que tu serais ravi de la grâce qu'il te faisait, mais que tu avais fait serment de ne jamais tenir d'enfants si tu ne leur donnais ton propre nom; et ce pauvre homme m'ayant demandé comment tu t'appelais, je lui répondis que tu t'appelais Calvin. Il se donna au diable qu'il aimerait mieux que son enfant mourût sans baptême que d'être parpaillot, et s'en retourna si mécontent de toi que si cela dépend de lui, je ne pense pas que jamais tu mettes le pied chez nous. N'était que je suis sa commère, j'aurais encore aujourd'hui été la tienne ; mais ne pouvant tenir deux de ses enfants, j'ai cru que tu aimerais mieux dîner à Paris avec mon frère et moi, et ne rien payer, que d'aller à Bagnolet payer un prêtre, un vicaire, et une sage-femme, et ne pas dîner. Si tu vas au Palais ce matin, et que tu veuilles te rendre à midi à la boutique de *la princesse de Florence*[1] mon frère nous prêtera sa chaise, et tu auras le plaisir de m'entendre dire par le chemin que je suis

XXVIII

A BABET

Quand je ne t'aurais d'obligations que celle de m'avoir sauvé la botte[2] que votre jardinier avait hier dessein de me tirer, je te jure, Babet, que tu te serais attiré par reconnaissance ce que jusqu'ici j'ai été ravi de te donner par inclination. Et de quoi s'avise votre jardinier, de faire des enfants pour en vouloir faire parrain un homme qui ne lui dit mot ? J'ai une fois délogé de la Montagne-Sainte-Geneviève, où je m'étais retiré pour éviter l'embarras, parce que huit femmes qui firent des enfants, qui n'avaient de parents qu'elles, me prirent toutes huit pour être leur compère, et me firent le parrain banal de tout le corps de logis. Il faut que je tâche de découvrir quelque quartier où il n'y ait que des femmes brehaignes, et que je fasse une ferme résolution de n'ouvrir ma porte à pas un homme, qui ne me montre un écrit passé par-devant notaires qui atteste que sa femme n'est point en couches ; ou en cas qu'elle y soit, un extrait baptistaire de l'enfant qu'elle aura pondu. Je suis plus obligé à Calvin moi seul

1. Dans la grande salle du Palais de Justice se trouvaient diverses boutiques (cf. *La Galerie du Palais* de Pierre Corneille).

2. *Botte :* « terme d'escrime ; [...] se dit figurément [...] de quelque reproche [...] ou quelque emprunt qui donne du chagrin » (Furetière).

que tous les huguenots du monde. Il m'a autant fait de bien dans ta bouche qu'il leur a fait de tort dans celle de Monsieur Morus, qui a le don de si bien persuader [1] ; et la réponse de votre jardinier, qui aimerait mieux que son enfant mourût sans baptême que d'être parpaillot, est quelque chose de si naïf que je ne voudrais pas, pour la valeur du baptême, être privé du plaisir que j'ai de la savoir. Voilà neuf heures qui sonnent, dans trois au plus tard je me rendrai à la boutique de *la princesse de Florence*, où je t'attendrai, si tu ne t'y es pas encore rendue, avec l'impatience que j'ai coutume d'avoir quand tu promets de me favoriser de ta présence. J'ai quelque chose de si particulier à te dire, que l'occasion de la chaise s'offre aussi à propos que j'aurais pu la souhaiter. Comme nous ne l'occuperons que toi et moi, et qu'il n'y aura point d'oreilles suspectes, je t'apprendrai une aventure que t'a cachée Mademoiselle de Morangis, qui est bien la plus plaisante chose que l'on se puisse imaginer, et qui est aussi véritable qu'il est véritable que je suis

Tout à toi.

XXIX

A BABET

J'ai dîné aujourd'hui chez ton frère le payeur des rentes, et de là nous avons été ensemble à la comédie voir *Attila* [2]. Monsieur de Corneille qui ne fait jamais rien que d'admirable s'est surpassé lui-même dans le troi-

1. Alexandre Morus (1616-1670), célèbre ministre réformé. Il enseigna la théologie à Genève, à Middelburg, à Amsterdam, puis fut attaché à l'église de Charenton. L'éloquence mordante de ses prédications soulevait l'enthousiasme, mais son orgueil et sa vie irrégulière lui firent quantité d'ennemis : des violences eurent lieu en 1661 à Charenton, qui entraînèrent un durcissement du pouvoir à l'égard des huguenots.

2. *Attila :* tragédie de Corneille, jouée en 1667 par la troupe de Molière au Palais-Royal.

sième acte de cette pièce-là ; et je puis dire qu'il y a tant mis de beautés que les quatre autres ne paraissent rien. Ce n'est pas que ces quatre actes soient méchants : une plume si célèbre que celle du grand Corneille répand toujours des beautés par tous les endroits où elle passe ; et quiconque voudrait s'appliquer à faire l'anatomie de sa pièce trouverait à la dissection des scènes qu'il n'y en a guère d'inutiles. Le deuxième acte, qui n'est que médiocrement rempli, finit par la scène la plus agréable qui ait jamais paru sur le théâtre. Une princesse que l'on donne à ce qu'elle n'aime pas, et qui aime ce qu'elle ne peut avoir ; qui est obligée de donner à sa naissance ce qu'elle n'oserait accorder à son amour ; et qui a autant de peine à prononcer *j'aime,* que j'ai de plaisir à te le dire, est quelque chose de si touchant et de si délicat à traiter, qu'il fallait la plume de Corneille pour en venir si glorieusement à bout. Enfin, Babet, c'est un ouvrage à voir, et si tu veux que je te retienne une place à l'amphithéâtre pour vendredi, j'y retournerai encore. Ton frère qui est le plus galant homme que je connaisse et qui n'a guère moins d'esprit que toi m'a dit qu'il serait de la partie ; que de là nous irions souper ensemble ; et que depuis deux heures jusqu'à onze il ne tiendrait qu'à moi de t'entretenir continuellement. Si tu m'avais refusé une grâce qui te doit coûter si peu et que je souhaite avec tant de passion, tu serais aussi cruelle que je suis sensible, et j'aurais autant de sujet de me plaindre de toi que j'en veux avoir de m'en louer. Je me défie si fort de mon mérite, que pour te délasser de l'ennui que te doit causer mon entretien, je mêle du divertissement à ta fatigue. Pour moi, quelque belle que puisse être la comédie que nous verrons ensemble, ce ne sera pas ce que je trouverai de plus beau. Il y a si longtemps que je ne t'ai vue, et j'ai tant d'avidité de jouir de ta présence, qu'il me semble que vendredi ne viendra jamais. Juge, Babet, par la douleur que j'ai quand je ne te vois pas, du plaisir que j'ai quand je te vois. Si tu te souviens de m'avoir dit que j'avais le goût le plus délicat du monde, demeure d'accord que tu dois être la plus aimable de toutes les maîtresses, puisque de tous les amants tu m'as rendu le plus fidèle ; et sois persuadée qu'il n'est pas plus vrai que tu es belle, qu'il est vrai que je veux toute ma vie être

Tout à toi.

XXX

RÉPONSE DE BABET

Pour te faire voir que ton entretien a plus de charmes pour moi que les pièces de Corneille, je demanderai vendredi congé à mon papa pour aller à la comédie, et si tu veux nous demeurerons toute la journée chez mon frère. Outre que je ne puis faire de perte dont tu ne me consoles facilement, je ne me soucie pas quand je ne verrai point jouer de sérieux au Palais-Royal. Loin de prendre du plaisir à voir la scène dont tu fais tant de cas, la princesse qui ne se peut résoudre à dire *j'aime* me reprocherait que je te l'ai dit trop tôt ; et si tu me disais que la résistance est une vertu en elle, je m'imaginerais que la facilité est un défaut en moi. Je suis bien aise que mon frère fasse de toi tout l'état qu'il en doit faire. Les soins qu'il prend auprès de mon papa en faveur de l'amour que je t'ai donné me répondent de l'amitié qu'il a pour moi ; et quoique ton mérite arrache ce que l'on refuse de te donner, je ne laisse pas de lui être redevable de la justice qu'il te rend. Si tu as tant d'impatience de me voir, tu n'as qu'à venir tantôt chez Mademoiselle de Morangis, où je suis priée d'aller jouer à la bête ; comme tu la vois régulièrement une fois ou deux la semaine, il ne semblera pas que ce soit moi qui t'ai dit de t'y trouver. Si tu veux te mettre de notre jeu, j'en serai ravie ; car j'aime mieux faire la bête avec toi qu'avec qui que ce soit au monde. Bon jour.

XXXI

LETTRE DE BABET

On nous a dérobé une aiguière d'argent, et j'ai charge d'aller demain faire dire une messe à saint Antoine de Pade[1], pour le prier d'avoir la bonté de nous la faire rendre, en cas qu'il sache qui c'est qui nous l'a volée. Comme c'est justement dans ton quartier que ce bon saint-là demeure, je te prie de venir joindre une recommandation de voisin à la prière qu'il faudra demain que je lui fasse, et de te trouver de si bon matin à l'Ave-Maria[2], qu'il ne soit encore engagé à personne quand nous lui parlerons. Tu sais bien que c'est le saint de paradis qui a le plus d'affaires, à cause des pertes continuelles que l'on fait au monde, et que si on ne le prend avant que d'autres le soient allés voir, on a de la peine à lui parler tout le reste de la journée. Si tu veux qu'au sortir de là nous allions déjeuner chez toi, quatre filles que nous serons, tu n'auras qu'à faire le moindre signe. Mais songe que nous sommes des filles qui ne nous contentons pas de peu de chose, et que si tu n'as une provision raisonnable de ce que nous aurons besoin[3], tu passeras aussi mal ton temps que tu nous feras mal passer le nôtre. Adieu.

1. Une chapelle était vraisemblablement consacrée à saint Antoine de Padoue dans l'église du couvent de l'Ave-Maria. De même que ce saint aide à retrouver les objets perdus, de même saint Clair (voir lettre suivante), qui d'après le dictionnaire de Moreri était aveugle et fut guéri après sa conversion, est souvent invoqué, sans doute à cause de son nom, par les aveugles et les mal-voyants.

2. Le couvent de l'Ave-Maria, fondé en 1264, était situé rue des Prêtres-Saint-Paul (actuelle rue Charlemagne).

3. Incorrection familière.

XXXII

A BABET

Je me trouverai demain à l'Ave-Maria avant que saint Antoine de Pade ait encore parlé à personne ; mais comme je ne le connais que de vue, je ne crois pas que ma recommandation te serve de quoi que ce soit. J'ai si peu d'habitude en paradis que toutes les fois que j'ai besoin de quelques grâces, soit pour mon grand-père qui est en purgatoire, ou pour ma sœur qui, s'il plaît à Dieu, ira bientôt, je me sers du crédit d'un vieux prêtre de Saint-Paul, qui assurément y peut beaucoup, et qui vous dit sur le bout du doigt de quels maux chaque saint guérit. Au lieu de l'aiguière d'argent qu'on vous a dérobée, j'aimerais mieux que ton papa eût perdu la vue : j'ai saint Clair en main, par le moyen d'un de mes amis, qui connaît un garçon qui a un beau-frère, de qui la cousine a un père qui a la vue basse, qui nous aurait bien servi, si nous avions jugé à propos de la lui faire rendre. Comme je n'ai jamais rien perdu, et que je ne puis jamais rien perdre, pas seulement un vieil oncle que j'ai, qui a cent treize ans, et qui est l'unique parent de qui je puisse hériter quelque chose, je ne pense pas avoir deux fois en ma vie parlé à saint Antoine de Pade ; encore a-ce été quand j'ai dit les litanies des saints, et qu'il s'est rencontré à l'*Ommes Sancti et Sanctae Dei*. Je suis bien plus assuré de vous donner à déjeuner, et d'être fourni de tout ce qu'il faut que j'aie pour vous bien faire passer le temps, que je ne suis sûr que votre aiguière se retrouve. Il n'y a pas une des filles que tu amèneras avec toi qui ne me fasse un honneur à quoi je ne m'oserais attendre ; mais, Babet,

Passe-t-on bien son temps quand on est tant de monde ?

et ne te souviens-tu pas de m'avoir quelquefois dit :

Que l'Amour, favorable à mon âme asservie,
Me dictant tous les mots dont je t'entretenais,
Les plus doux moments de ta vie
Étaient ceux que tu me donnais?

Est-ce me les donner, aimable Babet, que de me les faire partager avec d'autres? Me sera-t-il permis de les employer comme je les emploie quand nous ne sommes que nous deux? Et te dirai-je pas un mot de ce que j'ai coutume de te dire en particulier, à moins que je ne te dise que je suis

Tout à toi.

XXXIII

LETTRE DE BABET

Viens-t'en demain déjeuner chez mon frère, ou je te renie. On lui a fait présent de six bouteilles de vin d'Arbois, qu'il a dessein de boire avec toi en mangeant des huîtres. Je te ferai réponse de bouche touchant la prud'homie de Monsieur***. J'ai appris quelque incident de sa vie, que je serai bien aise de ne confier qu'à toi; et cependant, je ne te conseille pas de t'employer pour lui, que tu ne m'aies consultée sur ce que tu dois faire; je suis de la meilleure humeur du monde à l'heure que je t'écris. J'ai joué toute l'après-dînée à la bête, aux vingt sous à toujours mettre; et comme tu n'étais pas ici pour me porter guignon, j'ai gagné deux cent je ne sais combien de livres, qui sont à ton très humble service, mon cher. Si jamais nous sommes mariés ensemble, quand tu iras jouer d'un côté, j'irai vitement jouer de l'autre, afin de regagner ce que tu perdras. Mademoiselle Ferrary, qui après avoir perdu six louis s'est retirée du jeu avec mille serments de ne jouer de six mois, m'a priée de lui prêter douze écus, qu'elle a perdus encore. Perrichon qui est si sensible à la perte, et qui aujourd'hui, à cause du respect qu'il portait aux dames, s'est contenté de jurer Dieu entre cuir et chair [1], a perdu vingt-deux écus d'or qu'il a tirés de sa bourse, avec autant de regret que mon oncle en eut hier de recevoir l'extrême-onction. Et la pieuse bonne femme qui a coutume de gagner l'argent du monde, a dit après dîner plus de cent *Jésus-Marie*, sans pouvoir gagner un double. Il n'y a que moi qui ai été heureuse, et j'espère l'être bien davantage, quand malgré toute la terre il me sera permis de dire que je suis

A toi.

XXXIV

LETTRE DE BABET

Il ne tiendra qu'à toi que demain nous ne couchions ensemble, ou du moins dans la même chambre. Mon papa m'a donné congé pour aller voir le ballet qui se danse à Saint-Germain. J'ai chargé Colinet de te chercher en quelque lieu que tu puisses être pour t'en avertir. Au pis aller, il laissera mon billet chez toi, et si tu m'aimes, tu le sentiras de loin. Quelque heure qu'il soit quand tu reviendras au gîte, ne manque pas d'aller chez Mademoiselle de M**** au péril même de ton manteau, et de quelques coups de plat d'épée sur les oreilles. Elle m'a promis que vous joueriez ensemble au jeu que tu aimerais le mieux, et que de là elle te mènerait coucher dans le lit en broderie, où elle s'offre même de coucher avec toi, si tu as assez d'éloquence pour la pouvoir séduire. J'irai demain dès sept heures du matin apprendre si ta rhétorique aura bien opéré. Tu m'as assuré que tu avais à Saint-Germain l'ami le plus obligeant du monde, et qu'il nous donnerait le couvert d'abord que nous lui demanderions; voilà seulement de quoi je suis en peine, et pour tout le reste, tu n'as qu'à te reposer sur moi. Si tu reçois

1. *Entre cuir et chair :* intérieurement, sans qu'il en paraisse rien au dehors.

mon billet d'assez bonne heure pour avoir le loisir de passer chez nous, je me viens de souvenir que j'ai quelque petite chose sur le cœur dont je serais bien aise d'être déchargée. Je ne serai point de bonne humeur, que je ne t'aie donné le soufflet que je te promis hier; et si pour m'obliger tu me voulais apporter ta joue, tu me ferais autant de plaisir que si tu me l'apportais pour l'amour de Dieu. C'est la moindre chose que tu puisses faire pour une personne qui veut toute sa vie être

A toi.

XXXV

A BABET

Tu mens, Babet, il ne tiendra pas à moi que nous ne couchions demain ensemble. Tu serais la première honnête fille qui m'ait jamais prié de coucher avec elle, que j'eusse refusée. Ton billet, qui est arrivé chez nous comme j'en sortais, m'a fait rentrer pour te mander que je te prends au mot. J'irai ce soir de si bonne heure chez Mademoiselle de M**** que je n'ai non plus peur de perdre mon manteau, que de gagner des coups de plat d'épée. Tu me mandes qu'elle me tiendra compagnie dans le lit en broderie, en cas que j'aie assez d'éloquence pour la séduire; et quelque éloquent que je puisse être, de l'humeur dont je la connais, il faut pour le moins cinq ou six bonnes heures pour la corrompre. Elle t'a promis de me faire jouer au jeu que j'aimerais le mieux; mais il n'y a rien au monde de plus malicieux qu'elle: et je gage que loin de me tenir la parole qu'elle t'a donnée, quand je lui aurai tantôt nommé le jeu à quoi je me divertis le plus, elle me dira qu'elle ne le sait pas. Je te proteste, Babet, qu'elle le sait du moins aussi bien que moi, et que si elle n'y a jamais joué, c'est belle malice. Si je puis après dîner dérober quelques moments à l'affaire que tu m'as recommandée, j'irai te les donner; sinon, en venant demain savoir ce que j'aurai fait avec Mademoiselle de M****, je te dirai ce que j'aurai fait pour toi. Tu ne songes guère aux charmes que tu as, quand tu te mets en peine de couvert : puisque je serai avec toi, tu n'en peux manquer; mais quand je n'y serais pas, Babet, y a-t-il qui que ce soit au monde à qui tu voulusses prendre la peine de le demander, qui te le refusât ? Et crois-tu que Saint-Germain soit un lieu où les appas soient si peu considérés qu'ils aient besoin de demander ce qu'il est glorieux de leur offrir ? Je te promets un lit pour toi, et pour deux de tes amies, s'il est nécessaire; je ne suis pas sûr d'en avoir un pour moi, véritablement, mais je me reposerai sur toi, comme tu me le commandes; et content de te donner à coucher, tu auras la bonté de te charger du reste. A l'égard de ma joue, Babet, que tu as tant de passion de voir que tu me la demandes pour l'amour de Dieu, Dieu te soit en aide. Je te sais aussi bon gré du soufflet que tu m'as fait l'honneur de me promettre que si je l'avais déjà reçu ; et tu me fais tant d'autres grâces tous les jours, que quand celle-là échappera à ta mémoire, je ne laisserai pas d'être

Tout à toi.

XXXVI

A BABET

Mademoiselle de Morangis, qui est la plus malicieuse fille que je connaisse, me vient de faire perdre huit écus, que je regretterais bien plus que je ne fais, n'était qu'ils sont destinés pour aller demain voir les danseurs de corde, et pour manger des confitures tout le saoul. A deux heures précises il y aura un carrosse devant sa porte, qui n'a jamais rien voituré de si beau que toi. Les douceurs que tu me dis hier valent bien mieux que celles que je te paierai demain. Il m'est si doux de m'en souvenir, aimable Babet, que depuis que tu me les as dites, ma mémoire m'a si bien servi qu'elle n'a pas laissé échapper un moment sans me représenter les obligations que tu me forces de t'avoir. Comme charmer un cœur n'est pas un effort qui te soit difficile, il n'y a point de nécessité de t'être obligé d'une peine que tu ne te donnes pas. Tu n'as qu'à te montrer, et je réponds de l'effet de tes attraits; mais avoir de si étroites bontés pour arrêter le mien, c'est un effort à quoi tu ne t'étais pas accoutumée, et dont je te suis d'autant plus redevable que tu ne l'as jamais fait pour personne que pour moi. Ce que tu veux faire pour moi m'apprend ce qu'il faut que je fasse pour en être digne : tes bontés, qui sont grandes, ne se peuvent reconnaître que par un grand amour; et c'est pour cette raison, que non content de tout celui que tu m'as donné, j'ai encore tout celui que j'ai déjà pu prendre. Je ne te dis rien davantage, belle Babet; je laisse au reste de ma vie à justifier ce que je te promets; et j'en reviens à la perte que j'ai faite, dont je te conjure d'être. Je ne sais si tu auras reçu les *Satires* de Despréaux [1], que ce matin je t'ai envoyées du Palais, par l'homme du monde qui après moi prétend le mieux être dans ton âme. Comme ton esprit enjoué est raisonnablement peste, je suis sûr que tu passeras à les lire deux aussi agréables heures que tu en aies passé de ta vie. Si j'étais plus considérable que je ne suis, et qu'il m'eût jugé digne de sa colère, il m'aurait fait l'honneur de me déchirer comme il a fait les autres. Il ne parle de moi qu'en passant, parce qu'il n'a pas cru devoir s'arrêter sur une matière si médiocre; et moi, qui ne me soucie pas de lui rendre dédains pour dédains, j'aime mieux ne lui pas répondre que d'employer à le mépriser des moments que je dois à tes louanges. Le bonheur qu'il a d'être applaudi ne vaut pas celui d'être aimé; et la gloire de médire avec succès est moindre que celle d'être

Tout à toi.

1. En 1666 Claude Barbin publia la première édition collective des *Satires du Sieur D****. Boileau y faisait paraître pour la première fois la satire III, dans laquelle une quinzaine de vers ironiques sont consacrés à Quinault. Boursault, quant à lui, voyait son nom épinglé parmi d'autres dans la satire VII, déjà parue au début de la même année.

XXXVII

RÉPONSE DE BABET

La lecture des *Satires* de Despréaux que tu m'envoyas hier fut mon occupation d'hier au soir. J'y trouvai quantité de choses qui ne sont guère moins spirituelles que si elles venaient de toi ; et son ouvrage, à mon sens, n'en serait pas moins galant quand il offenserait un peu moins de monde. Le pauvre Monsieur Quinault, que j'aime de tout mon cœur depuis que j'ai vu l'*Astrate* [1], y est traité misérablement ; et je crois cependant que ceux qui les connaissent l'un et l'autre, et qui leur rendent également justice, ont plus d'estime pour l'injurié que pour l'injuriant. Perceval de qui j'ai appris le latin que je sais, et qui est l'homme du monde qui épargne le plus la réputation de son prochain, me vient d'apprendre que les endroits que j'ai trouvés les plus jolis ne sont qu'un brigandage, et que si Juvénal était encore en vie, il lui ferait faire son procès pour l'avoir pillé depuis la tête jusqu'aux pieds. Il m'a promis de me l'envoyer tantôt : je verrai si ce qu'il m'a dit est véritable ; et si l'un de ces jours tu as quelques moments à perdre, et que tu veuilles te venger de l'affront qu'il t'a fait de ne parler de toi qu'en passant, comme tu n'es qu'un ignorant qui ne sais non plus de latin que moi d'hébreu, je traduirai tous les endroits volés dont je verrai que tu pourras tirer des avantages. J'ai bien du chagrin de ne pouvoir aller voir tantôt les danseurs de corde ; mais puisque tu es si content de mes douceurs, je te prie de m'en apporter des tiennes. Ma tante la religieuse qui est arrivée, et qui est la dévote la plus fatigante qui ait jamais été, ne me perd pas un moment de vue. Quand elle est ici, je n'ai de bon temps que lorsqu'elle prie Dieu ; et cela

1. La tragédie de Quinault, *Astrate roi de Tyr*, avait été jouée avec beaucoup de succès par les comédiens de l'Hôtel de Bourgogne au début de 1665 : la pièce avait connu en trois mois une quarantaine de représentations.

étant, je voudrais qu'elle priât Dieu aussi longtemps que j'ai envie d'être

A toi.

XXXVIII

A BABET

Est-il vrai, Babet, ce que ton frère me vient d'apprendre ? Te marie-t-on ? Je lui ai l'obligation de m'être venu dire une si méchante nouvelle jusque dans ma chambre ; et ce qui me persuade que je dois être bientôt le plus malheureux des hommes, c'est qu'il m'a juré de m'honorer toujours de son amitié, et n'a pas osé me rien promettre de son assistance. Quel dessein as-tu, Babet ? Tu sais dès hier à quel genre de supplice ton papa me condamne, et tu ne m'en avertis pas. Si tu m'avais moins fait de bien que tu ne m'en as fait, le silence que tu gardes me ferait croire que tu serais d'intelligence à me causer le plus grand des maux. Est-il possible, Babet, que la peine suive de si près le plaisir? Avant-hier je passai avec toi neuf heures, qui ne me durèrent qu'un moment ; je baisai plus de cent fois la plus belle main du monde ; si je promis de t'aimer aussi longtemps que dureraient tes charmes, tu promis de m'aimer aussi longtemps que durerait mon amour ; et le diable, qui était en campagne durant que nous jurions de nous aimer éternellement, est venu troubler tous les plaisirs que nous nous proposions. Le trouble où m'a jeté ton frère ne m'a pas permis de lui demander de quel œil tu vois l'amant que ton papa lui-même a pris le soin de te choisir. J'ai eu si peur d'apprendre qu'il te méritât que je n'ai osé m'informer s'il avait les qualités pour le faire. Comme la nature a les yeux plus perçants que l'amour, j'ai cru que douter de mon malheur était le plus grand bonheur que je pouvais prétendre et que si je cherchais à être mieux éclairci que je ne le suis, il se trouverait que le choix d'un père serait fait avec moins d'aveuglement que le tien. Si par hasard aussi mon rival est haïssable, les moments que je perds à m'en instruire me privent d'un plaisir que je serais bien aise de recevoir; et comme douter de mon bonheur est le plus grand malheur qui puisse arriver à mon amour, il est juste que je sorte de cette inquiétude. Écoute, Babet, mande-moi si tu m'aimes encore, ou non, et ne me parle point de lui. Je verrai aussi bien par ce que tu me manderas ce que j'en dois croire, qu'il t'est aisé de voir parce que je te mande que je suis toujours

Tout à toi.

XXXIX

RÉPONSE DE BABET

Si je ne t'ai pas mandé qu'il m'est venu un amant de Normandie, c'est que la bonté que j'ai pour toi n'a pas voulu que je t'affligeasse inutilement. Mon papa, qui l'a fait venir à la sourdine [1], et qui voulut hier me le faire valoir, m'apprit qu'on l'appelait Monsieur de Launay, et qu'il était sieur du Mesnil; *item* c'est tout. Le plus grand regret que j'aie, c'est de lui avoir donné un baiser en arrivant, que je lui aurais refusé, n'eût été que mon papa me regardait. Il soupa hier chez nous, et se mit à table sans laver ses mains, qui sont toutes pleines de taches de rousseur. Je ne mangeai point de tout ce qu'il toucha, et cela étant je ne mangeai pas grand-chose, car il toucha à tout. Il se déboutonna à mesure que son jabot s'emplissait; et les huit coups qu'il but furent tous bus à la santé de toute la compagnie. Tant que le souper dura, il ne dit pas un mot; mais au dessert, il s'avisa de dire, en prenant une pomme de reinette, qu'il en recueillait pour faire plus de six vingts muids de cidre, et que s'il avait le bonheur d'être mon mari, toute la maison ne dépenserait plus rien

1. *A la sourdine :* « en cachette et sans bruit » (Furetière).

en pommes. Après que l'on eut levé la nappe, et que mon papa l'eut prié de s'approcher du feu, il lui demanda si le barbier qui le rasait avait la main bien légère ; qu'il n'osait abandonner son visage à la discrétion d'un ignorant, parce qu'il y avait trois ans qu'il ménageait sa moustache, pour tâcher à la fin d'avoir des crocs. Il fit cent autres impertinences, que je voudrais avoir le temps de te dire, pour te faire voir que tu n'as rien à craindre ; et quoique mon papa soutienne que c'est ce qu'il me faut, parce qu'il a vingt-cinq mille francs de bien, je te proteste que le choix de mon mari est fait : toi, ou point. Adieu.

XL

A BABET

C'est demain, Babet, que Mademoiselle de Verneuil doit nous donner le magnifique déjeuner qu'elle perdit dimanche. J'entrais tantôt chez elle, quand je l'ai trouvée qui chargeait son laquais d'un billet pour toi, dont je me suis chargé moi-même, pour me faire une nécessité de te servir. Elle m'a tant prié de te dire qu'elle te conjurait de l'honorer de ta présence, et m'a tant dit qu'elle t'en serait sensiblement obligée, que je lui conseillerais de ne te le pardonner jamais si tu lui faisais l'affront de ne t'y pas rendre. Elle te trouve d'une humeur si galante, et ton esprit enjoué lui plaît si fort, qu'elle m'a juré n'avoir jamais vu personne avoir le don de se faire aimer si tôt que toi. Ces paroles dans la bouche de celles de ton sexe me causent autant de joie qu'elles me donnent de chagrin dans la bouche de ceux du mien. Je suis mal avec l'un des meilleurs amis que j'eusse au monde, pour m'avoir osé dire qu'il te trouvait parfaitement belle : et quoique je ne l'eusse mené chez toi que pour te faire admirer de lui, je m'aperçus qu'il prenait tant de plaisir à me tenir parole, que d'abord que je fus hors de ta présence je cherchai querelle, afin qu'il n'y retourne de sa vie. Je crains si fort qu'on ne me dérobe le bonheur que je possède, que j'ai fait serment de ne plus dire que j'en aie. En un mot, Babet, on ne te jette pas un regard que je ne tremble. Il n'est pas jusqu'à l'abbé de Saint-Preuil, qui est dévot jusqu'à dire tous les jours la messe, qui ne me donne de l'inquiétude comme un autre. Il me semble, quand il parle de Dieu, que tu l'écoutes trop attentivement pour n'être que simplement chrétienne ; et je suis bizarre, jusqu'à m'imaginer souvent que tu trouves la messe meilleure de sa façon que de celle d'un autre prêtre. Tu m'as dit vingt fois que tu me serais fidèle jusqu'au dernier soupir ; et toutes les fois que tu as eu la bonté de me le dire, je n'en ai non plus douté que je doute si je t'aime ; cependant, j'ai si peur que tu ne m'échappes que je menai dimanche le Maltais [1] aux Blancs-Manteaux, pour voir à ta physionomie si tu serais constante. Pardonne un peu de défiance à la faiblesse de mon mérite, et à la grandeur de mon amour. Tant de passion ne va jamais sans un peu de jalousie ; et ce que tu vaux rend ce que je fais si excusable que tu serais sans doute aussi défiante que moi, si j'avais des qualités pour donner autant d'amour que j'en ai pris. Toute la justice que je te demande est d'être persuadée que l'on ne voit point de mérite égal au tien, et que tu ne me feras que la même grâce que tu serais obligée de faire à d'autres, si tu veux permettre que je sois

Tout à toi.

XLI

RÉPONSE DE BABET

Mon oncle, qui vient de partir pour aller de ce monde-ci en l'autre, et qui avait juré que de sa vie il ne me ferait aucun plaisir, a mieux aimé mourir que de se dédire. La peur qu'il a eue que je n'allasse dans la maison du monde

1. Allusion non éclaircie.

où j'ai le plus envie d'aller, a fait qu'il n'a pas voulu mourir un jour plus tôt, ni vivre un jour plus tard. On l'enterre demain, justement à l'heure que vous déjeunerez, et je dois par bienséance aller faire la pleureuse, et trembler de froid dans une chapelle, durant que vous vous réjouirez auprès d'un bon feu. Si tu m'aimais, et que tu voulusses me rendre un bon office, tu ferais reculer le repas dont j'étais priée, d'autant de temps seulement que je souhaitais que mon oncle différât sa mort : après-demain je ne manquerais pas de me rendre chez Mademoiselle de Verneuil, où nous ririons ensemble de la mort que tout aujourd'hui j'ai fait semblant de pleurer. Prie Mademoiselle de Morangis, qui se porte mal quand il lui plaît, d'être demain malade pour obliger une amie. Représente-lui que je lui ai bien des fois rendu le même service, quand elle a eu envie de jouer à la bête, et que son papa ne lui voulait pas donner congé. Et en cas que l'on remette la partie, ne manque pas de me le faire savoir, afin que j'aille à l'enterrement de mon oncle avec autant de plaisir qu'en eut ton ami**** quand il alla à l'enterrement de sa mère. Je n'ai pas le loisir de te quereller sur le chapitre du Maltais : j'entends mon papa qui m'appelle pour pleurer. Bon soir.

XLII

LETTRE DE BABET

On fait demain l'inventaire des meubles de mon oncle. Il y a un petit lit de garçon, qui est tout à fait propre, et que l'on aura, je pense, à fort bon prix. Si tu veux que je le fasse mettre à part, je tâcherai d'en avoir le meilleur marché qu'il me sera possible, et tirerai quittance de ce que j'en aurai donné, pour te montrer que je ne veux rien gagner dessus. Il y a une écritoire d'argent, la plus jolie que j'aie jamais vue, que tantôt j'avais envie de dérober pour toi : mais un tas de gens de robe, qui attachaient aussi souvent leur vue sur mes mains que tu attaches la tienne sur mes yeux, m'a si fort intimidée qu'il a fallu m'en tenir à un bâton de cire d'Espagne. Un jeune sergent, que j'ai pris sur le fait comme il détournait des heures de chagrin [1], qui sont toutes garnies d'or, m'a dit que c'était pour moi qu'il les dérobait; et au même temps me les ayant données sans que personne en ait rien vu, de peur de faire tort à sa réputation je n'ai osé les rendre. Si j'avais autant d'inclination au vol que j'en ai pour toi, il y a cent bagatelles qui me sont nécessaires dont je ne manquerais pas demain de m'accommoder. Tu me feras plaisir de m'apprendre ta résolution sur toutes les choses dont ce matin nous avons parlé à la messe, et de croire que la mienne est d'être, quoi qu'il arrive,

A toi.

XLIII

A BABET

Tu prends tant de soin de m'obliger, Babet, et je te suis redevable de tant de façons, que je passerais pour le dernier des ingrats, si je ne faisais des efforts aussi grands que le sont tes soins, pour reconnaître les plaisirs que tu ne te lasses point de me faire. Tu as beau dire ce qu'il te plaira, Babet, si tu me fais mettre à part le lit que tu dis qui m'est si propre, je veux que tu gagnes quelque chose dessus. Il n'est pas juste que tu avances ton argent pour rien. Cela serait beau, vraiment, que le premier marché que tu aies peut-être fait de ta vie ne te profitât de quoi que ce soit; et qu'un lit, qui est de tous les meubles celui sur quoi tu peux gagner le plus, ne te rapportât pas l'intérêt de ton argent au denier de l'ordonnance [2]. Je sais bien que ce que tu en fais n'est que par une pure

1. *Heures de chagrin:* livre de prières relié en peau de chagrin.
2. *Denier de l'ordonnance:* taux légal (fixé en 1646 à 3,5 %, en 1667 à 5 %, selon Colombey).

amitié; mais, Babet, ce que je ferai, sera-ce par autre chose? Et puisque tu me mandes qu'il sera à si bon prix que tu m'y feras trouver mon compte, n'est-il pas raisonnable que je t'y fasse trouver le tien? Tu diras, sans doute, que tu ne veux pas commencer par un gain si médiocre; eh! mon Dieu, que cela ne t'arrête pas: commence toujours, et contente-toi de peu pour t'achalander. Tu feras des gains plus considérables quant tu te seras fait connaître: et je suis sûr que tu attireras plus de la moitié des pratiques de la dame de la rue des Tournelles [1] que nous connaissons si bien, et qui gagne ce qu'elle veut, depuis qu'elle se mêle de trafiquer sur des lits. Je suis bien fâché de l'écritoire d'argent que tu as tantôt perdue (car j'appelle perdu ce que tu as manqué de dérober), et je suis bien ravi de la restitution que l'alguazil [2] t'a faite. Tu es obligée en conscience de changer promptement ces heures-là; premièrement, de peur qu'on ne te les reconnaisse, et secondement, parce que les prières que tu ferais dans des heures dérobées ne vaudraient rien. Tu sais, Babet, que la vraie dévotion demande une si exacte pureté, qu'à moins de faire les choses dans la dernière régularité, les bonnes actions dégénèrent en méchantes œuvres. Il ne faut qu'une bagatelle (comme le larcin par exemple) pour empêcher l'efficace de nos oraisons; et pour cette raison, il faut de nécessité que tu troques, ou que tu vendes le plus tôt qu'il te sera possible, ces heures que tu as volées à celui qui les volait, pour en avoir d'autres qui te viennent de la belle voie. A l'égard de ma résolution, tu n'as qu'à te consulter pour la savoir: je n'ai de volonté que celle que tu voudras que j'aie; et comme les deux charges dont nous avons parlé me plaisent toutes deux également, je me donnerai indifféremment à laquelle il te plaira que je sois. En un mot, Babet, c'est par de profonds respects, et par une

1. Émile Magne a prétendu que Ninon de Lenclos, qui jamais ne tira profit de ses pratiques amoureuses, ne pouvait être la personne ici désignée: il semble probable néanmoins que la plaisante formule de Boursault vise les galanteries de Ninon, la célèbre muse de la rue des Tournelles (elle habitait, dit-on, la maison portant actellement le n° 36).

2. *Alguazil:* sergent ou exempt (mot espagnol).

obéissance aveugle, que je veux tâcher de mériter l'honneur que j'ai d'être

Tout à toi.

XLIV

LETTRE DE BABET

Je te prie de ne m'écrire plus, je viens de recevoir une lettre de mon amant de Normandie, qui est pour le moins aussi belle que les tiennes. On m'avait bien dit que tous les gens qui viennent de ce pays-là ont infiniment de l'esprit. Si tu te souviens d'avoir lu dans Voiture une lettre qu'il adresse à Mademoiselle Paulet, qui est peut-être la plus galante qu'il ait jamais faite [1], c'est justement celle que mon amoureux a copiée. Oblige-moi, quand tu auras vu la réponse que je lui fais, de la cacheter et de la lui rendre. Il loge chez nous quand nous sommes à Paris, car il n'en bouge ; et quand nous n'y sommes pas, dans une auberge subalterne, qui est dans la rue des Vieux-Augustins, à l'enseigne de la Poule qui pond, chez une fruitière, qui achète de lui tout le cidre qu'elle vend. Pour lui rendre larcin pour larcin, j'ai dérobé dans le roman de Pierre de Provence la réponse que je fais à la lettre qu'il a prise dans Voiture [2]. Sollicite-le de m'écrire encore un mot, je t'en conjure ; et surtout que ce soit en ta présence. La différence du style de sa première lettre à la seconde donnerait le plus agréable divertissement que l'on puisse recevoir. Pendant que mon papa sera demain dans son bureau, ne manque pas de venir faire un tour à Bagnolet, dusses-tu n'y demeurer qu'un moment, et

1. Allusion probable à la fameuse lettre adressée du Maroc en août 1633 par Voiture à Mlle Paulet, la « lionne » de l'Hôtel de Rambouillet.

2. *Histoire de Pierre de Provence et de la belle Maguelonne*, roman anonyme de la fin du XVe siècle, inspiré d'une légende languedocienne. Cette réponse de Babet constitue un amusant pastiche des quatre « lettres en vieux langage » de Voiture.

dussé-je n'avoir que le loisir de te dire que je veux toute ma vie être

A toi.

XLV

LETTRE DE BABET A MONSIEUR DE LAUNAY SIEUR DU MESNIL

A la parfin votre mérite de qui la démesurée grandeur honore la petitesse du mien, vous rend une victoire assurée que vous auriez jà obtenue, si vous eussiez combattu pieçà. Vous savez, très-valeureux Prud'homme, vous qui étant issu d'une naissance tant noble, devez être une Fleur de Chevalerie, que les Nymphes qui ont accointance avec la vertu attendent langoureusement que l'ordonnance paternelle leur enjoigne d'avoir de la bienveillance pour un Damoisel. La pénultième fois que vous prîtes votre réfection à la tant maigre table du courtois Chevalier qui s'est donné la peine de me mettre au monde, j'avisai en vous regardant des larmes qui ondoyaient sur votre luisante face, et qui venaient du Pays d'Amont pour aller au Pays d'Aval : adonc je m'imaginai que vous aviez la poitrine férue et le cœur navré ; et dès l'heure même point ne vous haïssais, ains bien vous aimais-je. Hier, viron l'heure de complies, mon très cher et très honoré père, à qui Dieu accorde bonne vie et longue, m'apprit que vous étiez le tant renommé Soudard, qui deviez livrer assaut à ma virginité, dont je fus moult joyeuse ; et au même temps votre gentil messager me fit présent de votre gracieuse missive, qui contenait plusieurs beaux discours remplis d'énergie. A laquelle si jolie missive, pour aucunement répondre, je vous envoie des recommandations à pleines mains ; et vous assure que la balle de vos commandements ne fera jamais faux-bond sur la raquette de mon obéissance.

XLVI

A BABET

J'ai rendu ta lettre à Monsieur de Launay, Sieur Du Mesnil, qui d'abord a fait plus de cérémonies qu'un jeune médecin à qui l'on paye une première ordonnance ; mais comme il la lisait, et que je tâchais de remarquer sur son visage quels seraient les mouvements de son cœur, j'ai aperçu qu'il faisait une moue à chaque mot gaulois qu'il rencontrait. Je l'ai si fort sollicité de t'écrire, et lui ai tant dit que tu en serais ravie, qu'à la fin je l'ai fait résoudre à t'envoyer le billet que tu trouveras enveloppé dans le mien, et dont je viens de faire une copie, que je veux garder pour la rareté du fait. Pour m'obliger à l'aller voir en Normandie quand il sera marié avec toi, il m'a dit les choses les plus obligeantes du monde : et entre autres, qu'il ne m'en coûterait que douze francs par le coche d'ici à Rouen ; que de Rouen au Mesnil, je pourrais prendre la commodité des chasse-marée ; et que quand je serais arrivé, je ne coucherais qu'une nuit chez lui, si je voulais. Une des méchantes qualités qu'il trouve en ta personne, et qui l'oblige à consulter s'il doit t'épouser ou non, est que tu es plus jeune qu'il ne souhaiterait de dix-sept ou dix-huit ans : il voudrait avoir donné quelque chose aux pauvres, et que tu en eusses trente-six ou trente-sept, afin que tu fusses revenue des bagatelles qui amusent la jeunesse, et que tu appliquasses tous tes soins à faire profiter sa maison des champs. Si je t'avance rien qu'il ne m'ait dit, je consens, Babet, quand j'irai demain à Bagnolet te faire un sacrifice de tous mes respects, que tu ne me fasses pas la grâce de croire que je suis

Tout à toi.

XLVII

LETTRE DE BABET

Tes *Litanies de la Vierge* [1] ont fait le plus bel effet du monde : mon papa est le meilleur de tes amis. Il se mit hier au soir à genoux pour les lire, et répéta pour le moins six ou sept fois le *Mater Christi*. Mon frère, qui le vit de bonne humeur, voulant profiter de l'occasion, lui dit de toi tout le bien qu'on peut en dire, et tu peux penser qu'il en dit beaucoup, puisque moi-même je m'aperçus qu'il en disait plus que je n'y en trouve. Il lui conseilla de ne pas refuser le parti, s'il était vrai que tu me recherchasses par les belles voies ; que tu étais plus riche en fonds d'esprit que les autres ne le sont en fonds de terre ; et qu'un homme qui avait tant de capacité que toi ne se pouvait trop vendre. Mon papa dit qu'il en demeurait d'accord, et que s'il en avait besoin et que tu voulusses te donner à bon marché, il t'achèterait aussi tôt qu'un autre ; mais que sa provision en était faite. Il a chargé mon frère de te remercier de ton présent, et de te dire que tu l'obligerais si tu voulais demain venir dîner chez nous. Si tu y viens, et que tu veuilles bien faire ta cour, quoi qu'il puisse dire, sois toujours de son sentiment : il est ravi qu'on l'applaudisse, et je pense que toutes les vieilles gens en sont logés là. Surtout quand tu voudras boire à ma santé, donne-moi plutôt du coin de l'œil que des coups de pied par-dessous la table, de peur de te méprendre comme la dernière fois. Bon jour, je m'en vais à la messe prier Dieu qu'il me fasse la grâce d'être

A toi.

1. Selon Niceron, cité par Colombey, une seconde impression des *Litanies de la Sainte Vierge* de Boursault vit le jour en 1667.

XLVIII

LETTRE DE BABET

Ne t'engage à personne pour jeudi : nous devons souper, Mademoiselle Ferrary, Mademoiselle de Morangis, Monsieur Le Brun, mon frère et toi, que je devais nommer auparavant qui que ce soit. Chacun fournira son plat : Mademoiselle Ferrary paie deux chapons, Monsieur Le Brun une bisque, Mademoiselle de Morangis quatre perdrix, mon frère six bécasses, moi le vin et le dessert ; et toi tu paieras de ta personne. Tu sauras pour nouvelles que mon papa m'a mis la bride sur le cou pour jusqu'au jour des Cendres, et que durant ce temps-là nous pouvons causer ensemble pour le moins huit heures chaque jour. Si tu laisses échapper l'occasion qui se présente de me voir, je ne suis pas sûre que jamais tu la recouvres. Tu es si débauché que de vingt fois que l'on envoie chez toi, on ne te rencontre pas une, et tu me rends si peu de soins que souvent je m'imagine que tu me négliges. Je te conjure, si tu es chez toi quand mon billet y arrivera, de le lire le plus vite qu'il te sera possible, et de me venir voir encore plus vite que tu ne l'auras lu. Dimanche nous ne fûmes pas une heure ensemble, hier je ne te vis qu'un moment, et aujourd'hui je ne t'ai point vu du tout. Par les reproches que je te fais, il est bien aisé de voir que j'ai envie d'être

A toi.

XLIX

A BABET

Quelle nécessité y avait-il, Babet, de me mander que je ne m'engageasse à personne. Ne sais-tu pas que depuis que tes appas se sont emparés de mon cœur, je ne prends de divertissement que ce que tu veux que j'en reçoive, et que si quelquefois je m'avise de chercher compagnie, il faut que ce soit pour divertir le chagrin que j'ai de ne pas avoir la tienne? Je ne manquerai pas d'être du souper de jeudi; mais comme tu m'as souvent dit que je ne valais pas grand-chose, et que je suis sûr que tu te connais en tout, j'ai peur que je ne sois pas reçu à payer simplement de ma personne, à moins que tu ne me veuilles servir de caution.

Boussinguault vend du vin d'Alican, qu'il fait lui-même [1], et qu'il donne à cinquante sols la pinte, qui est la plus agréable liqueur que de ma vie j'aie bue : j'aurai soin d'en faire porter deux bouteilles, et je me trompe ou d'abord que tu en auras tâté, tu ne voudras plus faire autre chose. Si tu m'en croyais, Babet, pendant que tu as la bride sur le cou, tu t'échapperais un peu de la route que tu as coutume de tenir : il ne te sert de rien d'avoir de la liberté, si tu n'en oses prendre, et quelque plaisir que nous puissions avoir de causer ensemble, nous emploierions bien mieux notre temps si tu le voulais. Tu sais que les huit jours que nous avons à passer entre ci et le jour des Cendres semblent être destinés à folâtrer; et ta vertu qui fait le diable à quatre à la moindre chose qu'on lui dit se fera moquer d'elle, si durant que tout le monde fera des folies nous sommes les seuls qui n'en fassions point. Enfin, Babet, il y va de ton honneur d'être folle, du moins une fois l'an; il ne faut pas que la peur de la paraître t'empêche de la devenir : ta sagesse est sur un si bon pied que la semaine sera passée avant qu'on s'aperçoive que tu la sois; et pour moi, je t'aurais aidée à faire la dernière des folies, que je n'en dirais pas le moindre mot. Au reste, il n'y a rien de si obligeant que les reproches que tu me fais : mais au moins, si je ne te vois guère, ce n'est pas faute que je ne t'aille voir souvent. Ton mérite t'attire des visites si fréquentes que quand je te parle de ce que tu me fais sentir, j'ai tant de regret

1. Boussingault ou Boucingo, marchand de vins, cité également par Boileau dans sa satire III. On notera la plaisanterie sur le vin « d'Alicante ».

d'être interrompu que le chagrin qu'elles me causent m'empêche de pouvoir plus jouir d'aucun plaisir. Donnes-y ordre, aimable Babet, si tu te souviens de m'avoir dit :

Que l'Amour, favorable à mon âme asservie,
Me dictant tous les mots dont je t'entretenais,
Les plus doux moments de ta vie
Etaient ceux que tu me donnais ;

Car ce n'est pas me les donner que me les faire partager avec tant de monde, et je m'ennuie facilement avec des personnes qui m'ôtent jusqu'à la liberté de te dire que je suis

Tout à toi.

L

LETTRE DE BABET

Je suis au désespoir, mon pauvre cher, je ne te le cèle point. Ce maudit Normand, qui s'est plaint à mon papa qu'il était dans une auberge à dépenser vingt-cinq sols par jour dans un temps où sa présence est nécessaire en son pays pour faire ensemencer ses orges, l'a fait résoudre à me dire qu'il voulait absolument que je l'épousasse. Ne t'alarme point ; quelque respect que je sois obligée de rendre à mon papa, je ménagerai si bien toutes choses que je ne ferai rien contre ce que je lui dois, ni contre ce que je t'ai promis. Je suis enragée qu'un petit hobereau de village, qui n'est considérable que par vingt-cinq mille écus, que je voudrais qu'on lui eût volés, vienne d'auprès de Caen me déterrer jusque dans la vieille rue du Temple [1], pour faire mentir mon horoscope, qui me promettait je ne sais combien de plaisirs. Je voudrais avoir payé

1. Rue Vieille-du-Temple actuelle.

la dépense de son auberge, lui avoir donné sept ou huit gourmades pour mon argent, et que le diantre l'eût emporté en son pays, d'où il ne revînt jamais. Avant que de porter les choses à l'extrémité je lui écris; vois ma lettre, et quand tu l'auras cachetée, prends la peine de la lui porter toi-même. Comme il ne te connaît pas pour mon amant, dis que tu es mon cousin; et comme parent, prie-le de ne pas s'obstiner à presser un mariage à quoi je ne me résoudrai jamais. Si tu ne gagnes rien par la douceur, menace; il n'importe de quelle façon tu m'arraches à lui, pour être

A toi.

LI

A BABET

As-tu bien songé à ce que tu faisais, Babet, quand tu t'es avisée de me donner la commission que je viens de recevoir, et crois-tu qu'après une nouvelle si fâcheuse je puisse me posséder assez pour ne pas mêler beaucoup d'emportement à la prudence que tu veux que j'aie? Quand même je serais capable de me faire toute la violence que tu trouves à propos que je me fasse, quelle déférence attends-tu d'un brutal qui t'aime moins parce que tu mérites d'être aimée que parce qu'il n'a pu s'en empêcher, et qui ne se soucie guère à qui il te doive, pourvu qu'à la fin il te puisse avoir? Dans l'état où sont les choses, il n'est plus temps de lui dissimuler ce que je suis: il me craindra si je me déclare; et sa lâcheté me cédera peut-être ce que son ignorance me dispute. Quelque confiance que je puisse avoir en toi, et quelque sûr que je doive être de tes bontés, je ne te puis celer, Babet, que j'ai presque autant d'appréhension que si tu ne m'aimais point. Ton père a sur toi tout le pouvoir qu'il y veut prendre, et jusqu'ici, si je l'ose dire, ton obéissance a prévenu ses commandements: quoique l'époux qu'il te veut donner soit indigne d'un bonheur si grand, sa prévention lui fait trouver des raisons dans ce qu'il fait, qu'à peine oseras-tu combattre; et quand tu les combattrais, il n'est pas sûr que tu en triomphes. Cependant,

Tu veux que je sois sans alarmes?
Et le moyen, Babet, de ne m'alarmer pas?
Le rival qu'on me donne a pour toi peu de charmes;
Je lui vois des défauts, mais ai-je des appas?
Je veux même être sûr d'avoir l'heur de te plaire,
Un amant sur ton cœur pourra moins que ton père;
On obéit sans peine à qui l'on doit le jour;
Et quoi que j'espère à mon tour,
Ta sévérité scrupuleuse
Rendra la victoire douteuse
Entre la Nature et l'Amour.

Pardonne, je t'en conjure, à ce que me fait dire ma douleur. S'il m'échappe le moindre mot qui t'offense, je le désavoue. Je songe moins à ce que j'écris qu'à ce que je suis sur le point de perdre; et je mériterais le malheur qui me menace, si dans une conjoncture si cruelle j'avais assez peu d'amour pour conserver toute ma raison. Je vais de ce pas trouver l'insolent qui est cause de la peine que je souffre; je lui rendrai la lettre dont tu m'as voulu faire le porteur; et malgré l'état où je me trouve, je tâcherai à ne rien oublier de ce que tu me prescris, afin que si l'on t'arrache à mon espoir, mon obéissance me fasse mériter une place dans ton souvenir, et t'oblige à dire quelque jour que j'étais digne d'être

Tout à toi.

LII

LETTRE DE BABET
A MONSIEUR DE LAUNAY,
SIEUR DU MESNIL

Monsieur,

Mon père, qui me vient de commander de vous aimer, m'a commandé une chose que je ne saurais faire. Ce n'est pas que vous n'ayez des qualités aimables : vous avez l'air aussi noble que la naissance ; votre corps est aussi bien fait que votre esprit ; vous parlez normand aussi correctement que pas un de votre province ; et tout cela ne me touche point. Vous devez m'être obligé de ma sincérité, comme je vous le suis de votre amour, et me savoir autant de gré de la dépense que je vous sauve, que je vous en sais de celle que vous avez faite. Comme il n'est pas juste que vous ayez fait l'amour à vos dépens, et que j'aie eu l'honneur de vous voir sans qu'il m'en coûte quelque chose, il ne tiendra qu'à vous que nous ne nous accommodions par moitié touchant les frais de vos voyages : vous paierez ceux que vous avez faits à venir, parce que je ne vous ai pas mandé ; et je paierai ceux que vous ferez à vous en retourner, parce que je vous en prie. Si vous m'en croyez, vous prendrez le parti que je vous offre : mon père, qui a plus d'amour pour moi que je n'en ai pour vous, et qui se repent quand il est dans sa bonne humeur de ce qu'il a fait quand il était dans sa méchante, ne me chassera pas si vite que le temps de semer votre orge ne se passe sans qu'il y ait rien de résolu. Laissez-moi vous avoir obligation d'une chose, qui autrement arrivera sans que je vous en aie ; car pour ce qui est de nous marier ensemble, je suis

Votre servante,

E.R. [1]

1. Notons que E. peut être l'initiale d'Elisabeth, dont Babet est la forme familière.

LIII

LETTRE DE BABET

Adieu, je ne te verrai peut-être de ma vie. Il y eut hier (car je me viens de relever pour t'écrire, et j'ai compté deux heures comme je formais la première lettre de mon billet)... hier, dis-je, il arriva chez nous un si grand vacarme que toute la famille est en désordre : mon frère, que j'aime autant pour frère que je t'aime pour amant, battit ce malheureux Du Mesnil, mon papa battit mon frère, j'eus quelques soufflets à la traverse, dont je me serais bien passée ; et qui pis est, d'abord que le jour commencera de se montrer, on me doit mener en religion. Je suis plus affligée de l'affliction que tu auras que de la mienne propre. Comme j'ignore en quel couvent on me doit conduire, il m'est impossible de t'en avertir ; mais mon frère, qui se doit rendre ici avant que cinq heures sonnent, et qui ne m'abandonnera point tant qu'il pourra me suivre, ne manquera pas de te dire comment tu me pourras voir, en cas que je sois visible, ou comment tu me pourras écrire, en cas que je ne le sois pas. Je ne te recommande point de m'être fidèle : l'amour que je n'ai point de honte de dire que j'ai pour toi, le sacrifice que je te fais, et le traitement que j'endure, te disent plus que je ne te pourrais dire. Je suis inconsolable, mais console-toi. Où j'entre tu n'as point de rivaux à craindre, je souhaite qu'où je te laisse je n'aie point de rivale à redouter. Adieu, mon cher ; je t'embrasse de toute mon âme avant que d'entrer en religion, et te proteste que je n'en sortirai de ma vie que pour être

A toi.

NOTE BIBLIOGRAPHIQUE

Texte :
Une édition « moderne » des *Lettres de Babet* a été établie par Émile Colombey, Paris, Quantin, 1886.

Études :
Pizzorusso, Arnaldo, « Boursault et le roman par lettres », *Revue d'histoire littéraire de la France*, mai-août 1969, pp. 525-539.
Notice et annotation concernant *Le Portrait du Peintre* (avec le texte de la pièce), dans : G. Mongrédien, *La Querelle de l'École des Femmes*, S.T.F.M., Paris, Didier, 1971.

ANNE FERRAND

LETTRES GALANTES DE MADAME ****

NOTICE

Si l'on a pu s'interroger sur l'identité de l'auteur des *Lettres portugaises,* nul n'a jamais hésité à attribuer le texte que nous présentons ici, malgré l'anonymat de la publication, à une femme bien connue dans la société de son temps, Anne Bellinzani, mariée en 1676 au robin Michel Ferrand, alors lieutenant particulier au Châtelet, plus tard (1683) président de la première chambre des Requêtes. On l'appela dorénavant la présidente Ferrand; elle se sépara pourtant de son mari en 1686, par-devant notaires. Il mourut en 1723, et elle en 1740, âgée de quatre-vingt-deux ans environ.

Les *Lettres* sont de 1691. Le titre qu'il convient de leur donner pose un problème plus délicat encore que le nom de l'auteur: là aussi nous désirons rompre avec une longue tradition. Voici pourquoi.

En 1689 paraît sous l'anonymat un petit roman intitulé *Histoire nouvelle des amours de la jeune Bélise et de Cléante :* c'était le premier ouvrage d'Anne Ferrand. Il est nécessaire à notre propos d'en indiquer ici le contenu avec quelque précision, pour faire apercevoir les différences avec les *Lettres.* Ce roman se divise en trois parties, chacune d'elles en forme de récit. Dans les deux premières, Bélise, pressée par une amie, lui raconte ce que fut jusqu'alors, à l'insu de tous, sa vie douloureuse et passionnée : depuis l'adolescence elle aime Cléante. D'abord éprise en secret de ce séduisant seigneur, elle n'est pourtant pour lui, malgré ses naïves manœuvres, qu'une enfant. Elle apprend par hasard que Cléante est engagé depuis quelques années dans une liaison avec une de ses parentes, jeune fille qu'il ne peut épouser et qui s'est réfugiée dans un couvent. Bélise connaît alors les tourments de la jalousie, et par désespoir décide d'entrer en religion. A la fin de la première partie ses parents l'en empêchent et, pour couper court aux mouvements violents qu'ils observent chez leur fille, la marient malgré sa répugnance à un homme qu'elle ne connaît point.

Toujours amoureuse du lointain Cléante, Bélise n'éprouve qu'« horreur » pour les « empressements » de son mari. Elle observe pourtant son « devoir », ouvre son salon, et apprend à plaire. Les années passent. La maîtresse de Cléante, que Bélise est d'ailleurs allée visiter dans son couvent, tombe malade et meurt. Cléante l'avait épousée secrètement, et a d'elle une petite fille. Bélise tente alors de remplacer la défunte dans le cœur de Cléante. Elle adresse à celui-ci d'abord des lettres contrefaites, puis lui déclare ouvertement ses sentiments : il repousse ces avances avec mépris. Sans se décourager, Bélise poursuit son entreprise ; puisque Cléante la fuit, elle lui écrit régulièrement, et se rend utile auprès de sa petite fille. Une intervention du père de Bélise, et une dénonciation au mari, contraignent la jeune femme à la clandestinité. Mais celle-ci avance définitivement les affaires : Cléante accepte un échange épistolaire régulier, puis des rencontres secrètes, se laisse aimer, aime enfin. Bélise se déclare donc heureuse, et au terme de cette seconde partie elle confie à l'amie qui l'a écoutée jusque-là « une copie de la plus grande partie » de ses lettres à Cléante. Elle ajoute : « Il m'a si souvent assuré qu'elles étaient bien pensées, que lorsqu'il me les a rendues, ma vanité n'a pu résister à l'envie de les faire copier avant que de les brûler. Elles commencent par la déclaration que je lui fis de mon amour. Emportez-les chez vous pour les lire à loisir [...]. »

La troisième partie transforme la perspective du roman et lui donne un sens inattendu. Touchée du récit de Bélise, son amie la conjure « de lui permettre de l'écrire » : la jeune femme accepte, et « voulut même avoir la principale part à l'arrangement que son amie donna à l'histoire ». Dans ces deux derniers passages il est donc suggéré, à l'intérieur même du roman, que les événements évoqués ont été relatés dans d'autres formes littéraires, ici une correspondance, et là une narration (qui pourrait être celle que l'on vient de lire ?)

Mais après quelques années une brouille survient entre les deux amies. L'auteur donne maintenant la parole à un familier de Cléante, Tymandre, qui va raoonter la suite et la fin de cette aventure amoureuse. Ainsi, alors que les deux premières parties sont pour l'essentiel une narration autobiographique placée dans la bouche de Bélise, la troisième présente le point de vue de Cléante tel que le rapporte son ami. Et Bélise apparaît maintenant pour ce qu'elle est : une femme « artificieuse » et sans honneur. En effet, après une année environ de mutuelle tendresse et de plaisirs, Cléante est appelé pour le service du roi en Italie. Le commerce épistolaire reprend alors entre les amants. Au moment où Cléante annonce son retour après plus de deux ans d'éloignement, il s'étonne de la soudaine froideur manifestée par Bélise. A Paris il découvre que celle-ci s'est montrée fort indiscrète pendant son absence, tandis que maintenant, par lettres comme de vive voix, elle fait incompréhensiblement alterner des promesses de fidélité et de froids avis de rupture. Cléante enquête, et apprend que sa maîtresse s'est depuis peu livrée à un « pédant », un « prêtre », « une espèce de fou », qui vient chez elle pour lui montrer les sciences. Malgré ses hautaines dénégations, et au cours d'une scène violente, Bélise doit reconnaître sa duplicité, la bassesse éhontée de sa conduite, le peu de souci qu'elle a de sa réputation. Le livre se termine par une double constatation, qui prend une valeur de leçon en répondant aux intentions énoncées dans l'Avant-propos (« cette petite histoire [...] ne sera pas inutile au public et surtout aux jeunes gens ») : Bélise s'est « longtemps donnée pour une héroïne de belle passion », alors qu'elle n'est qu'une femme infidèle. Cléante, certes, a vu cesser son amour avec son estime, mais est resté longtemps affligé, car en lui « ce n'était qu'avec peine que l'amour-propre avait pardonné une faute si grossière à son discernement ».

Cette curieuse histoire, Anne Ferrand l'a pour ainsi

dire signée : le nom de Bélise rappelle son nom de jeune fille de Bellinzani, souvent orthographié à l'époque Belisani. Les quelques faits historiques présentés sont conformes à la réalité. Cléante ne peut être que Louis-Nicolas Le Tonnelier de Breteuil (1648-1728), qui, écrit Saint-Simon, « se faisait appeler le baron de Breteuil », et fut de 1682 à 1684 ambassadeur de Louis XIV auprès du duc de Mantoue. Comme Cléante il avait épousé une parente : Mlle du Mormant, morte au couvent en août 1679, de qui il avait une petite fille. La mort en 1684 du père d'Anne Ferrand, l'inspecteur général des manufactures François Bellinzani, est d'autre part évoquée dans le récit. Mais cet aspect de « chronique scandaleuse » importe moins aujourd'hui que la remarquable densité du texte, la force de sa démonstration : Anne Ferrand fait valoir que le cœur « le plus sensible et le plus tendre » s'est ouvert à l'amour avant que « la raison et la vertu » aient pu en montrer les dangers. Le tempérament obstiné de Bélise la fait triompher de tous les obstacles pour parvenir à se faire aimer de Cléante, mais il l'entraîne par la suite à une véritable dégradation morale, que les dernières pages du livre condamnent sévèrement. Hélisenne de Crenne avait elle aussi, dans ses *Angoisses douloureuses qui procèdent d'amours* (1538), impitoyablement montré les ravages du désir, plus fort que tous les interdits.

Ce propos explicite n'est nullement celui des *Lettres*. Dans celles-ci il n'est d'ailleurs pas question de « Cléante » ni de « Bélise ». En fait, seul le titre de 1691 : *Histoire des amours de Cléante et de Bélise, avec le recueil de ses lettres,* dans sa maladroite formulation, autorise que dans une certaine mesure soient rapprochées les deux œuvres. Mais ce titre n'est-il pas surtout destiné à attirer aux *Lettres* un public déjà séduit par l'*Histoire ?* Car l'*Histoire*, nous l'avons vu, fait à plusieurs reprises référence à des lettres de Bélise : ce sont celles-là (par exemple « la déclaration que je lui fis de mon amour », ou les lettres contrefaites, ou les lettres de rupture) qu'on croyait trouver dans le recueil imprimé en 1691 ; or elles n'y apparaissent pas. Le titre est donc une assez habile tromperie. D'autre part, la chronologie rigoureuse suivie par l'auteur dans l'*Histoire* ne peut se retrouver dans les *Lettres*, où règne un grand désordre (voir les lettres X, XLV, LI, LIX, LXVII). Sans doute ce désordre est-il significatif, s'il faut le comparer à celui des *Lettres portugaises :* ici comme là, et comme chez Boursault, les lettres semblent ordonnées en fonction d'une progression stylistique ou d'un agencement esthétique plutôt que selon la succession linéaire de leur fictive rédaction. Quelques charnières, d'ailleurs estompées, permettent seulement de discerner des périodes de résistance et des périodes d'heureuses défaites, des jalousies, des reproches de froideur, les persécutions du mari et de la famille, l'absence insupportable de l'amant, l'amertume et la maladie finales. En tout état de cause la période couverte par les *Lettres* ne correspond qu'à un court segment de celle que conte l'*Histoire :* apparemment quelques mois avant et quelques mois après le départ de l'amant pour l'Italie. En dehors de deux ou trois allusions historiques assez imprécises, aucune date n'est indiquée. Enfin, et ce n'est pas le moins important, les deux dénouements n'ont aucun rapport l'un avec l'autre, au point qu'ils semblent concerner des héroïnes différentes.

Nous estimons donc opportun, ici encore, d'opérer une séparation, et de rendre aux *Lettres galantes de Madame* **** (nous adoptons ce titre, qui apparaît dans l'édition originale après l'avis « Au lecteur ») leur autonomie, qu'Anne Ferrand n'a vraisemblablement dissimulée à l'origine que dans une intention publicitaire. L'œuvre n'est pas une illustration ni un complément de l'*Histoire :* elle répond à une tout autre définition. Les quelques notations réalistes de l'*Histoire* ont disparu dans les *Lettres*, où d'autres les ont remplacées, telles ces banales indications de lieux que sont l'opéra, où les amants sont heureux de s'apercevoir dans la salle, le bal masqué où ils se rencontrent (Boursault y avait pensé lui aussi), la « bonne femme », maison de rendez-vous dans laquelle ils passent un moment ensemble, le jardin des Tuileries, où des regards indiscrets les ont surpris, le service religieux qui leur permet de se retrouver dans une église. Tout cela compte fort peu en regard de l'éloquence du ton et de la simplicité mélodique des accents, que rend transparentes le dépouillement de l'expression. Il est donc clair que les lettres ne sauraient être « authentiques », en ce sens qu'elles ne dessinent pas l'itinéraire d'une passion vécue, mais proposent, par petites touches, une transcription des joies et des souffrances amoureuses. Tout l'anecdotique étant effacé, il ne subsiste que le cri ou le gémissement : nous renvoyons ici aux pages 29-34 de l'Introduction.

Notre texte reproduit l'édition originale, dans une orthographe modernisée.

AU LECTEUR

Le livre que je vous présente n'a point besoin ni d'épître ni de préface ; il suffit seulement de dire qu'il n'y a jamais eu d'histoire plus agréable ni de lettres plus galantes ; la personne qui les a composées a eu assez de réputation dans le monde pour faire connaître la délicatesse de son esprit. Je dirai en passant qu'elles ont été recueillies avec une exactitude très grande et je crois, ami lecteur, que vous ne serez pas fâché de lire ce que tant d'honnêtes gens ont trouvé charmant ; je puis assurer qu'elles sont très conformes aux originaux, y ayant apporté tout le soin qui s'y pouvait prendre : il n'y a rien du roman que le nom. C'est tout ce que j'ai pu faire pour votre satisfaction et la mienne. Adieu.

I

Je ne croyais pas que la tendresse que j'ai pour vous pût augmenter la vivacité qu'elle m'a conservée au milieu du tumulte du monde ; je m'étais persuadée que la solitude n'y pouvait rien ajouter, mais hélas ! que je me suis trompée et qu'une vie solitaire dans des lieux où l'on a vu ce que l'on aime est propre à fortifier une passion ! La mienne est ici d'une ardeur que rien ne peut exprimer ; chaque arbre de ce bois, chaque lieu où je vous ai parlé, l'augmente et je désire de vous y revoir avec tant d'ardeur que si vous avez autant d'amour que moi, et aussi peu de raison, vous ferez la folie d'y revenir.

II

Mes derniers malheurs sont si terribles et il me restera désormais si peu de liberté de vous en instruire que vous apprendrez plutôt par le bruit du monde que par moi quelle sera ma destinée, mais assurez-vous que vous saurez par moi-même, dès que j'y verrai le moindre jour, que je vous aime plus tendrement que jamais et que je vous conserverai mon cœur malgré l'absence et les efforts que l'on fait pour vous l'ôter. Pour reconnaissance d'une tendresse si parfaite, souvenez-vous quelquefois des malheurs que vous me causez ; si ceux que je souffre présentement vous étaient connus, vous auriez horreur des peines d'une malheureuse qui n'est infortunée que parce qu'elle vous aime. Adieu, mon cher. Si l'on mourait de douleur, j'expirerais sans doute en prononçant ce cruel adieu. Sont-ce là les douceurs que j'espérais goûter en arrivant à Paris ? Je passe toutes les nuits en larmes, dont il faut même que les traces disparaissent le jour; rien n'égale mes tourments, et je n'ai pas seulement la liberté de les pleurer. Que de peines fait souffrir une véritable passion! Adieu encore une fois, mon cher enfant. Un engagement de famille dont rien ne peut me dispenser me mènera apparemment demain à l'opéra; j'avoue, à la honte de toute ma raison, que je souhaite que vous y soyez témoin de ma tristesse et de voir dans vos yeux toute la compassion et l'amour que je mérite. Je crois que je n'ai pas besoin de vous dire qu'il faudrait agir avec moi comme avec une personne qui vous serait inconnue.

III

Puis-je mieux vous convaincre de votre crime qu'en trouvant dans la bouche d'un autre des secrets qui ne doivent jamais être sus que de vous? Je vous le redis encore, il y a des choses répandues dans le monde que l'on ne peut savoir que par l'un de nous deux; je suis sûre de ne les avoir point dites, elles sont d'une nature à porter cette assurance avec elles. Cependant elles sont sues et vous m'accusez d'injustice et de simplicité quand je crois ceux qui me parlent contre vous. Ah! cruel, veux-tu encore redoubler mes supplices et tes cruautés par les protestations d'une feinte innocence qui, toute fausse qu'elle est, n'affaiblit que trop mes justes ressentiments? Mais ne te flatte pas de triompher seul par ton esprit de la plus tendre amante qui ait jamais été; le temps de ma faiblesse est passé et si je suis assez malheureuse pour être exposée désormais à la honte de t'aimer encore, au moins sera-ce une honte secrète, aucune de mes actions ne la découvrira et tu n'entendras plus parler d'une femme qui a reçu de toi un traitement si peu digne de son amour. Enfin j'ai lieu de vous croire indiscret; par là je ne doute pas que vous ne me soyez infidèle. Un repentir ne peut effacer tant de crimes, il suffit d'en avoir été coupable pour perdre mon estime sans laquelle mon cœur ne peut agir. Si je ne vous avais pas estimé, aurais-je pu vous aimer d'une passion si violente ? Mais vous m'ôtez enfin la consolation que j'avais dans ma douleur de penser que, si le mérite d'un amant pouvait excuser la faiblesse d'une femme, les miennes doivent l'être. Hélas ! je n'ai plus cette douce consolation, tout ce que j'ai fait contre mon devoir, contre ma raison, et contre la nature même, en donne des chagrins si sensibles à ma famille qu'ils se présentent à moi comme des bourreaux qui viennent m'assassiner ; je suis remplie de honte, de repentir et de désespoir, et si la mort a jamais été désirable, c'est sans doute dans le malheureux état où vous me réduisez. Je ne dis plus comme autrefois que si tout ce que je souffre vous était connu, vous y seriez sensible ; puisque vous l'avez si peu été à tout ce que j'ai fait pour vous, je dois perdre l'espérance de vous le rendre jamais. C'est cette malheureuse assurance qui m'empêchera désormais de chercher à vous voir, car j'avoue à ma honte que, s'il me restait encore quelque espoir de me faire aimer de vous, il n'y a rien que je ne fisse pour y parvenir, et pour vous faire sentir ensuite par des duretés semblables aux vôtres quelles sont les douleurs que je souffre à présent. Quel plaisir de te voir, ingrat, vivement touché d'une femme que tu as si mortellement offensée ! Que tu le serais alors des peines que je souffre aujourd'hui ! Elles te paraîtraient ce qu'elles sont effectivement, c'est-à-dire insupportables ; je ne les puis plus souffrir, j'en mourrai ou j'en perdrai le peu de raison qui me reste. Le moyen d'en conserver dans des malheurs si terribles ? J'ai perdu les bonnes grâces de ma famille et me suis fait un enfer de mon domestique pour un amant qui ne mérite que ma haine. Mais Dieu ! c'est là le comble de ma misère, je ne puis le haïr, je le méprise, je l'abhorre, mais je sens que je ne le hais pas. N'espère pourtant rien, ingrat, de ce reste de faiblesse ; j'avalerais ce poison, que tu me demandes et que tu sais bien que tu ne recevras jamais de ma main, si je me croyais capable de la bassesse de faire à l'avenir aucun pas vers toi. J'avais résolu de te paraître modérée et froide, et j'y étais, ce me semble, parvenue dans la lettre que je t'ai écrite cette nuit, mais celle que je viens de recevoir de toi me tire de cet état apparent d'indifférence ; je ne puis considérer sans fureur le plaisir que tu te fais de te jouer de moi. Qu'en veux-tu faire, puisque tu ne m'aimes point ? Je sais qu'il est des choses d'usage même sans amour avec d'autres femmes, mais pour moi qui ne te verrais pas quand tu serais aussi fidèle que perfide, et que je serais aussi contente de toi que je m'en plains, que peux-tu gagner par tes manèges ? Cherches-tu le plaisir de me tromper ? Je t'assure que tu ne l'auras de ma vie. Je vois clair enfin, je connais par une malheureuse expérience que la vanité seule fait agir la plupart des hommes ; il les faut haïr et mépriser tous si l'on veut conserver quelque tranquillité. Si la haine que j'aurai désormais pour tous les autres m'en pouvait acquérir pour toi, que je serais assurée d'être bientôt heureuse ! Adieu, Monsieur. Une pareille lettre écrite tout d'un trait avec des sentiments si pénibles, et un bras nouvellement saigné, n'est pas une petite affaire. Vous avez apparemment appris par celui qui vous a rendu ma lettre quelle est ma maladie, mais apprenez par moi que je n'oublierai rien pour la rendre considérable et capable de finir une vie que je trouve trop longue, quoique à peine commencée. J'ai trop vécu puisque j'ai pu vous dire que je vous aime, et que je n'ai pu me faire aimer de vous.

IV

N'avez-vous point de meilleurs conseils à me donner pour prévenir les nouveaux malheurs que la jalousie me prépare, que celui de vous abandonner ? Ah ! j'y périrai ! Si je n'en puis sortir que par cette voie, les nouveaux tourments où je vais être exposée feront sur moi le même effet qu'ont déjà fait ceux que j'ai soufferts : je vous en aimerai avec plus d'ardeur. Un cœur véritablement touché ne cède point aux difficultés et un amant qui ne cesse point d'être aimable doit toujours être aimé. Soyez donc persuadé, mon cher enfant, que rien ne détruira l'amour que j'ai pour vous puisque vous êtes sûr de mon cœur.

Pourquoi vous abandonner au désespoir, et pourquoi renoncer aux douceurs de l'espérance ? La jalousie, avec toute sa vigilance, a-t-elle pu parvenir jusqu'à présent à m'ôter les moyens de vous voir ? Il y a deux ans que l'on y travaille et il n'y a que deux jours que nous nous jurions une fidélité éternelle. Ah ! mon cher amant, il ne faut que s'aimer toute sa vie pour être assuré d'être toujours heureux. Nos plaisirs mêmes ne sont pas éloignés ; j'ai une fermeté qui me fera passer sur toutes les difficultés et une tendresse qui ne cédera plus à d'inutiles bienséances. Il me semble que vous devez être touché de me voir tant de courage dans le fort du péril même : que sera-ce quand il sera passé ? Gardez-vous bien de vous affliger, vous n'êtes pas en état de le faire sans danger. Pensez à votre santé, mon cher enfant, et n'ayez d'autre soin que de la rétablir ; votre maladie est pour moi le plus pressant des malheurs, guérissez-vous et laissez faire le reste à l'Amour qui n'abandonne pas des amants si dignes de ses faveurs.

V

Vous êtes trop malade pour m'écrire de longues lettres, mais vous ne l'êtes pas assez pour manquer à m'écrire quatre lignes tous les jours. Votre maladie vous a-t-elle ôté et les désirs et les craintes ? N'en devez-vous point avoir de perdre mon cœur ? Je lui remarque depuis peu des faiblesses qui m'épouvantent ; votre présence est nécessaire pour le remettre à son devoir, et si vous êtes encore malade longtemps, je ne vous réponds de rien. Il y a longtemps que je suis blessée du peu de disposition que vous avez à devenir jaloux : je suis lasse de ne vous pas paraître digne des soins et des sentiments qui peuvent rendre une maîtresse fidèle ; je ne veux pas que la jalousie d'un amant vienne d'une mauvaise opinion qu'il ait de sa maîtresse, mais de la violence de sa passion, et si vous demeurez davantage dans une profonde certitude de ma fidélité, je vous ferai bien voir qu'un cœur qui manque d'ardeur et de délicatesse n'est pas digne du mien et qu'il faut le regarder comme un bien précieux que l'on doit toujours craindre de perdre. Enfin soyez jaloux si vous voulez me faire croire que vous m'aimez et si vous voulez que je ne cesse pas de vous aimer; car je trouve votre tranquillité si injurieuse que l'excès de la jalousie la plus terrible ne me paraît pas un mal si dangereux. Je n'ai jamais été qu'à vous et j'y veux être toute ma vie, mais soutenez ma constance, faites qu'elle soit un effet de ma passion et non pas de ma vanité; venez par votre vue fortifier des sentiments qui s'affaiblissent, vous me trouverez avec des empressements et des ardeurs qui vous persuaderont mieux ma fidélité que tout ce que je pourrais vous écrire. Guérissez donc promptement pour venir goûter les douceurs que vous promet l'Amour; n'ayez d'autre soin que celui d'avancer votre bonheur en avançant le retour de votre santé; conservez-en et ma vie et la vôtre, elles sont jointes inséparablement. Enfin je reconnaîtrai votre amour aux soins que vous prendrez de guérir. N'est-il pas juste que vous travailliez à diminuer le malheur que vous me causez et que vous veniez m'aider à supporter ceux qui ne dépendent point de vous?

VI

Oui, je crois que vous m'aimez, vos discours et vos yeux m'en ont donné des assurances trop tendres pour me laisser aucun lieu d'en douter; mais puisque je rends justice à votre cœur, rendez-la au mien et soyez fortement persuadé que je n'ai jamais aimé Monsieur... Le goût que j'ai pour vous n'est-il pas une suffisante preuve que je ne puis en avoir eu pour lui? Faites réflexion à votre bizarre jalousie, mon cher amant, et vous serez assurément honteux de l'avoir conçue; elle me fait une mortelle injure et je m'en plaindrais fort sérieurement si je ne vous trouvais assez puni par la pensée d'être le maître d'un cœur qui aurait pu être si méprisable. Je suis bien obligée à la pitié de mon amie, mais je ne sais si une personne qui est sûre de votre cœur doit en inspirer, quelque malheureuse qu'elle soit. D'ailleurs pour moi je me trouve digne d'envie : vous êtes aimable et vous m'aimez ; en faut-il davantage pour paraître heureuse et pour l'être en effet ? Il n'y a de sensible et de vrai bonheur au monde que dans l'union de deux cœurs dignes l'un de l'autre, et tout ce qui ne la détruit pas ne peut être un malheur considérable. Je crois même être redevable aux persécutions que l'on me fait souffrir depuis longtemps de la vivacité de vos sentiments : vous m'aimiez moins quand il vous était permis de me le dire, l'Amour qui a voulu me venger et punir votre orgueil vous a rendu plus sensible à mesure que je suis devenue plus captive. La connaissance que j'ai de cet effet de mes souffrances me les a rendues si chères que je regarde sans envie les commerces pleins de liberté ; je suis presque persuadée que vous cesseriez de m'aimer si je cessais d'être malheureuse. Gardez-vous bien de m'ôter cette opinion dans l'état où je suis : elle adoucit de beaucoup les maux que je souffre et n'altère point l'amour que j'ai pour vous.

VII

Je viens de passer la plus heureuse nuit que j'aie passée depuis que je n'en passe plus avec vous : je vous ai vu, mon cher amant, je vous ai parlé avec une entière liberté et dans des lieux charmants ; la vérité ne fait pas une plus forte impression qu'en a fait cette agréable illusion. Pourquoi la réflexion m'en désabusait-elle ? Que j'aurais été heureuse si je ne m'étais point éveillée ! J'aurais toujours cru vous voir et vous dire tout ce que je sens pour vous : il me semble même que je vous parlais avec plus d'ardeur et de tendresse que je n'ai jamais fait, que la crainte n'avait point de place dans nos cœurs, et que nous n'avions que les émotions et les transports que donne un amour parfaitement heureux. Mais ces plaisirs ne seront jamais pour nous qu'un songe, et je suis trop observée pour espérer d'en connaître jamais la vérité.

VIII

Le moyen de garder sa colère avec vous ? J'avais raison de ne vouloir plus vous voir, c'était assurément le moyen de garder ma fierté. Dieu ! que je me trouve faible ! Est-il possible que j'aie si facilement cédé, moi que deux mois d'absence et de résolution semblaient avoir rendue invincible ? Mais vous êtes un homme terrible à qui rien ne peut résister ; il faut l'avouer, je ne vous ai pas plutôt vu que j'ai souhaité d'être vaincue, et mes réflexions n'ont fait que me persuader que vous êtes digne de votre victoire. Aimez-la, je vous en conjure ; que je vous sois à l'avenir plus chère que je ne vous l'ai encore été. Aimez-moi, s'il est possible, autant que je vous aime.

IX

Tu m'accusais, ingrat, et tu me réduis à me justifier : tu as mille torts à mon égard. Ah ! que tu connais bien mon cœur ! Tu sais qu'il ne peut rien souffrir qui blesse sa délicatesse et que c'est un moyen sûr de le faire parler que de l'accuser d'infidélité. La manière dont je suis touchée de tes injustes reproches me fait sentir mille maux, et je vais te faire connaître que je t'ai trop aimé pour cesser de t'aimer de ma vie. Après une dissimulation de plusieurs jours et des efforts qui m'avaient persuadée que mon amour était affaibli, je viens t'avouer que je t'aime encore avec une violence qui ne peut être comparée qu'à ton injustice, et la honte d'avouer ce que je croyais te cacher le reste de mes jours cède sans résistance à la douleur de me voir accusée par un homme que j'ai aimé huit ans entiers sans en être aimée et sans l'espérance de l'être. Non seulement je n'ai jamais aimé que toi, mais je n'ai jamais eu une pensée ni une complaisance qui ait pu te déplaire, j'en jure par la peine que j'ai à cesser de t'aimer malgré les justes sujets que tu m'en donnes. Je suis prête à t'en donner toutes les marques que tu voudras : garde mes lettres, et surtout celle-ci, et rends-les publiques si tu trouves, quand tu daigneras t'éclaircir de ma conduite, que j'aie jamais aimé un autre que toi. Oui, je consens, si tu me trouves infidèle, d'être déshonorée par un horrible éclat; mais, après que je t'aurai fait voir mon innocence, n'attends plus de moi que des marques de mépris et de haine : je ne veux point te persuader sans fondement que tu es un perfide, les preuves que j'en ai ne sont que trop sûres. Cependant, quoique ma raison soit convaincue, je sens que mon cœur ne l'est pas encore et que sa faiblesse cherche à te donner des moyens de te justifier. J'accorde à l'empressement que j'ai de vous paraître innocente la conversation que je refuse depuis tant de jours à vos prières; je vous verrai, s'il m'est possible, dès ce soir; je vais mettre tout en usage pour aller au bal à l'hôtel de***. Ne manquez pas de vous y rendre : il me convient si peu d'y aller, dans l'état où est mon cœur, que je serais inconsolable si je n'avais pas le plaisir de vous y confondre. Vous savez de quelle conséquence il est de vous déguiser, si bien que personne ne puisse vous reconnaître; je ne veux point vous dire de quelle manière je serai masquée pour vous laisser le mérite de me démêler dans la foule, mais, comme votre cœur est un mauvais guide pour vous conduire vers moi, prenez garde de vous méprendre.

X

Vous me faites paraître la plus injurieuse jalousie que l'on puisse témoigner à une femme délicate : vous m'accusez de manquer à tous les serments que je vous ai faits et d'accorder à mon mari ce qui doit être consacré à l'amour. Si je l'aime, pourquoi entretiens-je un commerce avec vous, qui trouble tout le repos de mon mari ? Je suis si outrée de vos indignes soupçons que je ne veux pas me donner la peine de vous faire voir combien ils sont injurieux; je veux que vous doutiez encore quelques heures de ma fidélité pour vous punir de ne la pas connaître aussi exacte qu'elle est. Adieu. Mes dernières lettres, que vous dites que vous avez lues avec tant d'attention, vous ont pu faire voir que les inquiétudes que j'ai eues pour votre vie ont été sans mélange, et que je n'ai pensé dans ces terribles moments à rien moins qu'à la sûreté de mes lettres. Mais dois-je encore craindre quelque chose pour votre santé ? Grand Dieu ! tremblerai-je toujours pour une vie qui m'est mille fois plus chère que la mienne ? Si vous vous portiez bien, je vous verrais un quart d'heure aujourd'hui chez la bonne femme où je vous assurerais que je vous aime plus que je ne vous ai jamais aimé, malgré les cruels soupçons que vous me faites paraître ; je les donne aux chagrins de votre maladie, je vois bien que vous ne connaissez pas tout ce que je suis capable de faire pour ce que j'aime.

XI

On vient de m'apporter une lettre de vous qui détruit entièrement mes résolutions et qui me met en état plus que jamais d'être le jouet de l'amour et de vos injustices. Vous avez un si puissant ascendant sur mon cœur que ma raison s'oppose toujours en vain à ses mouvements ; je ne puis tenir contre vos soumissions feintes ou véritables et j'ai beau connaître de quelle conséquence il est de soutenir sa fierté, je n'en puis conserver pour vous. Bon Dieu ! que vous me faites de plaisir de m'ôter ma colère, je n'en savais plus que faire ; je ne suis point née pour vous gronder, je ne sais comment m'y prendre dans le moment que j'ai plus de sujet de le faire. Il n'y a que vous d'amant au monde qui puisse s'offenser de la jalousie de sa maîtresse, mais ne parlons plus de rien : on doit faire de bonne grâce ce que l'on a promis de faire. Je vous pardonne de bon cœur, et comme le pardon que je vous accorde remet les choses dans une égalité de tendresse entre nous, je vous prie, mon cher amant, de me pardonner aussi les chagrins que je vous ai causés ; je ne saurais vous en avoir donné d'aussi sensibles que ceux que me donne votre maladie. L'opinion qu'il me semble que vous avez que c'est moi qui vous la cause me met au désespoir ; vous n'avez déjà pas trop de tendresse pour moi, vous n'en aurez bientôt plus aucune si vous continuez de me regarder comme une femme qui vous accable de maux et qui augmente par la bizarrerie de ses sentiments les malheurs que vous cause la fortune.

XII

Tirez-vous au bâton [1] avec une pauvre femme qui n'a pas la liberté de suivre ses volontés ? Parce que vous avez été un jour sans recevoir de mes nouvelles, vous m'en laissez deux sans m'en donner des vôtres, quoique vous n'ignoriez pas que c'est la seule chose dans l'état où je suis qui puisse adoucir mes douleurs. Je ne sais si je ne me flatte point, mais il me semble que j'entrevois des remèdes et une fin à tout ce que je souffre. Je puis espérer de vous donner encore une fois en ma vie des marques de ma tendresse, mais aurez-vous bien la patience d'attendre un temps qui n'est pas trop proche, quand j'aurai vaincu tous les obstacles qui m'environnent ? N'échapperez-vous point à ma victoire, et retrouverai-je encore votre cœur tendre et fidèle ? Hélas ! il n'était ni l'un ni l'autre dans le plus fort de nos plaisirs ; m'aimerez-vous invisible et malheureuse, si vous me m'avez pas aimée quand vous avez reçu des témoignages d'une passion si particulière que vous pouvez vous vanter d'être l'homme du monde le plus tendrement aimé ?

XIII

Il est nécessaire que les mêmes choses qui conviennent à l'indifférence puissent aussi être attribuées à un excès d'amour, pour que ce qui se passa avant-hier entre nous ne m'ait pas fait mourir de honte et de dépit. C'est vainement que je m'efforce de me flatter : je ne puis me défendre de certains soupçons qui troublent entièrement

1. « On dit "tirer au bâton avec quelqu'un" pour dire "contester quelque chose avec lui comme d'égal à égal" » (Furetière).

mon repos. L'amour que vous dites avoir pour moi devait-il paraître sous une forme si languissante ? Ah ! Monsieur, vos vivacités sont dans votre tête et non dans votre cœur ; vous avez trop d'esprit quand il n'est plus temps d'en faire paraître et vous n'aimez pas enfin comme on aime quand l'amour est violent. Cependant je vous aime sans que les difficultés de votre passion puissent affaiblir la mienne.

XIV

C'est en vain que nous nous flattons d'avoir un jour la liberté de nous voir ; la vigilance de ma famille est infatigable : je tremble à chaque pas que l'amour me fait faire sans que la raison et la crainte puissent m'empêcher de faire tous les jours de nouveaux projets pour vous voir. Mais cette crainte, hélas ! n'est pas toujours le plus grand de mes maux ; j'en crains un que j'ai éloigné autant qu'il m'a été possible et dont la seule idée me fait frémir. Mon mari renouvelle ses persécutions, à peine en suis-je hier échappée. Il n'y a point d'effort que je ne veuille faire pour me conserver toute à vous, mais enfin il n'y a plus de bonnes raisons pour autoriser un si long refus et je serai bientôt contrainte ou à céder, grand Dieu ! ou à pousser les choses dans une dernière extrémité. Je suis prête à m'exposer à tout plutôt que de vous déplaire. Examinez ce que vous devez exiger de moi dans ce péril et soyez sûr que quand même ce serait des choses injustes, je m'y soumettrai aveuglément. Je ne reconnais pour guide que la volonté de ce que j'aime et je crois que c'est seulement dans un amour de ce caractère que l'on peut trouver des excuses aux faiblesses dont j'ai été capable. Il y a longtemps que je me crois justifiée de l'attachement que j'ai pour vous par l'impossibilité de m'en détacher et que je ne me reproche plus une passion involontaire. Peut-être que si vous m'aimez véritablement, vous me conseillerez ce que la raison devrait m'inspirer ; peut-être aussi qu'une semblable marque d'amour ne me plairait pas. Enfin je suis incertaine dans toutes mes pensées et mes projets : je n'en sais qu'un sûr qui est de vous aimer toute ma vie. Adieu. Je forme tous les jours mille desseins pour vous voir, mais la réflexion me fait aussitôt connaître qu'ils sont tous impossibles à exécuter.

XV

Vous voyez bien par tout ce que je viens de vous dire que la jalousie et la fureur de ma famille est venue à un point qu'il faudra désormais que j'agisse avec vous comme avec l'homme du monde que je haïrais le plus ; que je ne songe jamais à vous voir et que, dans l'inutilité de conserver toujours une passion qui ne peut plus être heureuse, je combatte la mienne et fasse mille efforts pour vous oublier sans y pouvoir réussir. Jugez vous-même si cette situation n'est pas douloureuse et s'il y a personne au monde plus à plaindre que moi. Je n'aurai jamais de liberté que lorsque l'on croira que je ne vous aime plus, et l'on ne perdra jamais l'opinion que je vous aime parce que je ne cesserai jamais de vous aimer. C'est en vain que l'on se fie sur de l'esprit et beaucoup de finesse : la vérité a un caractère qui n'échappe pas à des yeux fins et j'ai affaire à des gens qui démêleront toujours mes sentiments, quelque soin que je prenne de les leur cacher. Enfin, mon cher amant, je ne prévois que des malheurs et la réflexion me désespère ; aussi suis-je dans un état à faire pitié. J'ai eu dans les autres tourments que j'ai soufferts de la constance et de la fermeté, mais je n'ai plus ni l'une ni l'autre, et le dernier coup m'a accablée ; je suis pénétrée d'une douleur si vive que je suis comme hébétée. Enfin je vous toucherais de compassion quand même vous ne m'aimeriez pas.

XVI

On continue à me vouloir convaincre de vous avoir hier vu dans le jardin de ***. J'ai répondu jusqu'à présent avec froideur pour gagner temps et recevoir de vos nouvelles, mais j'ai reçu trop tard les avis que vous me donnez et il règne un malheur sur tout ce qui regarde notre amour qui m'épouvante. Il semble que le ciel et la terre soient conjurés pour nous empêcher de nous aimer; mais si vous êtes dans des sentiments semblables aux miens, les dieux et les hommes ne viendront jamais à bout de désunir deux cœurs si dignes l'un de l'autre. J'en ai trop fait, et nos ennemis en font trop pour céder. Je résisterai avec fermeté à une puissance qui ne s'étend pas jusqu'aux volontés et vous me trouverez toujours telle que vous me vîtes avant-hier. Mais ne nous reverrons-nous jamais, mon cher amant? Y a-t-il lieu de l'espérer après ce dernier malheur? Le peu de certitude que les jaloux avaient de notre commerce était un frein à leurs duretés, mais présentement qu'ils n'en peuvent douter, leur fureur agira dans toute leur étendue, et je vais être la plus malheureuse personne du monde. Vous savez si mon amour redoute les tourments et s'il est timide: je n'en ai point souffert où je n'aie trouvé une secrète douceur dans la pensée qu'ils pouvaient servir à vous convaincre de la violence de ma passion.

XVII

Quelque chose que je fasse, je suis une femme perdue. Juste ciel! se peut-il que je sois réduite à de si terribles humiliations? J'en mourrai et je ne résisterai jamais à ce dernier coup. Le moyen de conserver de la constance quand on a perdu tout espoir? Je vois la nécessité de rompre tout commerce avec vous et je la vois absolue sans pouvoir m'y soumettre. Je vous aime plus que je ne vous ai jamais aimé; cependant il faut vous abandonner et il est impossible de continuer à vous écrire. On ne peut rien concevoir qui approche de mes malheurs; mon cœur est déchiré par mille sentiments différents, mais l'amour est toujours le plus fort comme le plus malheureux. Bonsoir, mon cher enfant, je n'ose écrire davantage, on m'épie de tous côtés. Abandonnez une malheureuse dont le commerce ne peut plus avoir de charmes ni pour son amant, ni pour elle-même. Nous ne pouvons ni vous ni moi vaincre ma destinée et si l'amour est plus fort que la mort, il ne l'est pas tant que la rage d'un jaloux.

XVIII

La joie que je sens depuis que je vous ai vu et ce que je viens de hasarder pour vous voir vous doit assurer pour toujours que mon amour et ma fidélité seront éternels. J'étais perdue sans ressource si l'on m'avait surprise dans ce jardin, et je pouvais facilement l'être. Je prévois pourtant qu'il peut m'en arriver de nouveaux malheurs ; les espions qui me suivent auront pu découvrir quelque chose, mais je ne puis dans ce moment sentir que de la joie ; j'en ai si rarement qu'il est juste que je la goûte aujourd'hui sans mélange. Bonsoir, mon cher enfant. Fortifiez l'opinion que j'ai toujours eue, que pour être digne du cœur d'un honnête homme, il faut se conserver une réputation inviolable. Je vais donc faire des merveilles et n'omettrai que cette dévotion dont vous m'avez longtemps soupçonnée avec tant d'injustice. Je n'ai ni le bonheur ni la faiblesse de devenir dévote, et vous pouvez vous assurer que vous ne me verrez jamais que philosophe amante et fidèle. Ce dernier terme paraîtra inutile à quiconque vous connaîtra, car il est impossible de soupçonner une femme d'esprit qui aura eu du goût pour vous d'en avoir jamais pour un autre.

XIX

Est-il possible que vous m'aimiez ? N'est-ce point un songe ? Hélas ! qu'il est doux de se pouvoir flatter de ce que l'on souhaite si ardemment ! Ne craignez plus mes réflexions, elles sont entièrement détruites, je ne fais plus qu'entrevoir que l'on en a à faire. Achevez de me rendre folle, il n'y a que cet état d'heureux ; tant que l'on voit la raison, on est à plaindre. Je ne veux plus voir que vous, que la passion que vous dites avoir pour moi, que la mienne, enfin que les douceurs dont l'Amour a récompensé ma constance. Qu'elles sont grandes, mon cher, et que vous êtes à plaindre que je ne les puisse bien exprimer ! Vous ignorez encore la plus grande partie de votre pouvoir et je ne sais comment vous l'apprendre.

XX

Vous avez raison de me souhaiter dans la solitude où j'ai passé des moments si doux à mon amour; j'y suis encore plus occupée qu'ailleurs de mon amant, et j'y jouis d'une tranquillité que la jalousie ne me permet pas de goûter à Paris. C'est ici que je suis délivrée de mille complaisances pénibles, je puis m'abandonner tout entière aux mouvements de mon cœur, je suis délivrée de la vue de tout ce que je hais. Mais hélas ! je n'y vois point et je n'ose espérer d'y voir ce que j'aime. Non, mon cher amant, je me trompe, un vif souvenir vous rend toujours présent à mon esprit, et j'ai cru même plus d'une fois que vous l'étiez à mes yeux.

XXI

Je vous avoue que j'ai un déplaisir sensible que vous connaissiez si mal la délicatesse de mon cœur : vous n'en avez qu'une idée grossière si vous croyez qu'elle doive être satisfaite quand j'ai évité les crimes. Mais connaissez mieux un cœur dont vous êtes le maître, et sachez qu'il se croirait indigne de vous s'il pouvait avoir de la complaisance pour un homme qui prétend le toucher. La raison veut sans doute que je le ménage ; je le fais aussi mais je mêle tant de froideur dans mes actions que je trouve le moyen de satisfaire également et ma délicatesse et la prudence : plus de politique ne convient pas à beaucoup d'amour.

XXII

Quelles assurances puis-je vous donner contre les plus injurieux soupçons du monde ? En croirez-vous quatre lignes d'écriture, vous qui doutez encore de la vérité de mes sentiments ? Les doux moments de Saint-Germain ne doivent-ils pas vous assurer pour toujours sur des craintes qui pourraient convenir aux autres maîtresses mais jamais à la vôtre ? Vous ignorez ce que vous valez et la force de l'idée que vous laissez de vous, puisque vous croyez que je puisse souffrir un autre que mon amant et profaner par un indigne devoir ce qui ne doit être accordé qu'à l'amour.

XXIII

Je m'éloigne d'un lieu où vous arriverez dans peu de jours ; un long voyage va nous séparer pour longtemps. La douleur que j'ai de n'avoir plus l'espérance de vous voir est infinie, mais mon amour n'en est pas moins violent et je vous aime avec une ardeur qui ne cède point à celle qui inspire les plaisirs aux amants les plus heureux. Mais hélas ! je crains, et mes craintes me paraissent justes, que vous ne soyez bientôt rebuté d'une passion qui aurait à peine pu faire votre bonheur quand elle aurait été aussi heureuse qu'elle est traversée par la jalousie. Il faut aimer comme j'aime pour résister à tant de tourments, et vous ne m'avez jamais véritablement aimée ; et si vous vous êtes donné le soin de me le dire, ç'a été par une compassion que la vérité de mon amour vous a inspirée. Vous avez respecté une passion dont vous êtes l'objet et vous l'avez voulu flatter par quelques marques de tendresse. Mais quand j'aurais le malheur de vous être indifférente, de quoi vous pourrais-je accuser ? Je ne sais que trop par moi-même que l'amour n'est pas volontaire. Je n'ai point, il est vrai, de véritable sujet de me plaindre de vous, mais en suis-je plus heureuse ? Et puis-je m'accommoder de ne toucher que faiblement votre cœur pendant que vous remplissez le mien tout entier, et que je vous sacrifie mon repos et ma gloire en aimant jusqu'à la folie un homme dont je ne crois être que médiocrement aimée ? Nous eûmes hier toute la frayeur que donne à des femmes l'apparence d'un grand péril : nous nous crûmes noyées et nous fûmes effectivement en danger de l'être. L'opinion d'une mort prochaine ne vous effaça pas un moment de mon souvenir et de mon cœur, et ce ne fut que l'idée de me séparer éternellement de vous qui me la fit paraître affreuse : de tout ce que je crus aller perdre, je ne regrettai que vous, et la nature même ne partagea point mes sentiments.

XXIV

Je m'attendais hier à recevoir de vos nouvelles et je m'étais flattée que vous continueriez à m'en donner souvent. Ne vous affermirez-vous jamais dans les soins que vous devez prendre de me plaire ? Vos manières sont si inégales qu'il semble que le personnage d'un amant tendre ne vous soit pas naturel. Ne puis-je vous inspirer l'envie de suivre mon exemple ? Ah ! si vous saviez quelle douceur l'on trouve à penser toujours à ce que l'on aime, et d'employer à lui rendre compte des plus secrets sentiments de son cœur ces heures que le commun du monde emploie à une oisiveté ennuyeuse, vous seriez plus exact à me donner des marques de votre amour. L'intérêt du mien veut que je fasse ma lettre courte, et que le chagrin que vous en aurez vous fasse comprendre celui que j'ai de ne point recevoir des vôtres.

XXV

Je ne puis différer à vous dire combien je suis contente de vous avoir vu ; vous ne m'avez jamais paru si aimable et vous ne m'avez jamais si bien persuadée que vous m'aimiez que cette après-dînée. Votre vue m'a laissé une joie si vive que la présence de ceux que je dois haïr si mortellement n'a pu la dissiper; ils n'ont pu parvenir de tout le soir à me mettre de mauvaise humeur, la satire même n'a pu me déplaire, et il me semble que j'aime tout le monde le jour que je vous ai vu. Adieu, mon cher enfant. Les difficultés que nous avons de nous voir ne servent qu'à augmenter mon amour en donnant toujours une nouvelle ardeur à mes désirs, et la passion que nous avons l'un pour l'autre a des plaisirs que les passions communes ne font jamais connaître.

XXVI

Vous me faites mourir, mon cher enfant, si vous ne me laissez quelques moments en repos; vous devriez faire scrupule de m'occuper autant que vous faites: je n'ai pas fermé l'œil de toute la nuit. Vos charmes, vos regards et vos discours ne m'ont point sorti de la tête, j'ai pensé à vous avec des transports si violents que ma santé ne peut plus résister à tous les mouvements que l'amour me cause. J'entendis parler de vous tout hier par cette dame que vous veniez de quitter; un de ses amants était avec elle: ses manières si différentes des vôtres me firent encore mieux connaître votre mérite; je m'applaudis mille fois en secret d'aimer et d'être aimée d'un amant qui a tant de charmes au-dessus des autres; votre passion m'a donné un orgueil qui me rend insupportable et je ne puis plus douter que vous ne m'aimiez. Mille soupçons avaient jusqu'à présent combattu ma passion; je n'en ai plus, grâce à l'amour, et je m'abandonne à vous et à la tendresse sans réserve et sans crainte. Jouissez de cette victoire, mon cher amant, et souhaitez que le soleil se montre au plus vite pour aller où l'Amour nous doit donner la récompense due aux peines que nous venons de souffrir pour lui. Avez-vous autant d'empressement de la recevoir que j'en ai de vous la donner? La désirez-vous avec une ardeur égale à la mienne? Ah! que l'Amour nous garde de plaisirs pour ce bienheureux jour! Je vous en promets qui vous seront plus sensibles que mille lettres: on n'a jamais aimé comme je vous aime.

XXVII

Je ne pense pas avec moins de plaisir que vous à l'inutilité des soins que la jalousie a pris pour nous séparer. Quelle serait la rage de l'homme que vous savez s'il pouvait savoir ce qui se passe entre nous ! Mais, mon cher amant, prenons tant de précautions qu'il n'en puisse jamais rien connaître, et faisons notre principale occupation de notre amour. Peut-on mieux faire que de travailler à se rendre heureux, et peut-on l'être sans s'aimer, et sans voir une personne qu'on sait qui nous aime uniquement et qui nous préfère à toute la terre ? C'est là le portrait de la passion que j'ai pour vous : que je serais heureuse si du même trait j'avais peint la vôtre ! L'espérance de vous revoir ce soir m'a guérie ; je me porte fort bien aujourd'hui. Bonsoir, mon cher amant. Aimez-moi comme je vous aime : je vous adore.

XXVIII

La connaissance que j'ai de votre passion donne une ardeur à la mienne que je n'ai point encore ressentie, et je vous aime jusqu'à la folie depuis que j'ai lieu de croire que votre cœur est tout à moi. Mais est-il bien vrai qu'il y soit, et ne me trompé-je point quand je m'en flatte ? Le style si tendre qui est dans vos lettres ne serait-il dicté que par votre esprit ? Mais pourquoi douterais-je de votre tendresse ? L'excès de la mienne ne m'assure-t-elle pas de la vôtre ? Pouvez-vous être assuré du mien sans être touché d'une maîtresse qui a tant souffert pour vous ? Oui, mon cher amant, vous m'aimez et je vous adore. Que les jaloux s'applaudissent de leur vigilance et qu'ils se remercient de la pensée qu'ils ont d'avoir par leur fureur détaché nos cœurs l'un de l'autre ; n'admirez-vous pas comme l'Amour confond leurs projets ? Tout ce qu'ils ont fait contre nous nous est devenu avantageux. Si nous n'avions pas été contraints, nous aurions sans doute laissé trop voir nos sentiments et j'aurais payé de la perte de ma réputation les plaisirs d'une passion tranquille; mais grâce à leurs soins, je la conserve tout entière en goûtant toutes les douceurs de l'amour, et pour quelques moments que vous êtes sans me voir, vous me retrouvez digne de tout l'attachement de votre cœur. Les contraintes et les manèges ont leurs charmes et, depuis huit jours que je vous vois dans des lieux où à peine le langage des yeux est permis, j'ai passé des moments que je ne changerais pas pour ceux que l'on croit les plus sensibles. Quel plaisir, mon cher amant, de se dire impunément qu'on s'aime en présence de mille gens qui ignorent seulement si nous nous connaissons, et qui se piquent cependant d'une finesse infinie, et de démêler tous les mystères d'amour ! Qu'une véritable passion est noble et qu'elle inspire des sentiments élevés ! Si jamais je parviens à avoir quelque mérite, je le devrai à la mienne ; je suis touchée d'émulation pour toutes les femmes qui en ont : l'extrême envie que j'ai de me rendre digne de vous me fait chercher tous les moyens de leur ressembler, et je ne puis souffrir que ce que vous aimez ne soit pas parfait. Il y a déjà longtemps que cette maladie me tient, et je l'ai depuis que je vous aime, c'est-à-dire depuis que j'ai de la raison. Mais je me trompe : je vous aimais avant que d'en avoir, et elle n'a commencé à se faire sentir en moi que par l'inclination naturelle que j'ai toujours eue pour vous.

XXIX

Je vous attends avec une impatience qu'on ne peut s'imaginer sans sentir une passion aussi vive que la mienne. J'aurais présentement le plaisir de vous voir et de vous donner enfin des marques sensibles de mon amour, mais l'heure s'avance, vous ne paraissez point. Ah ! que faites-vous ? vous ne m'envoyez personne de votre part, il y a une demi-heure que je suis seule. Faut-il perdre de si précieux moments ? Jamais je ne me suis sentie agitée de mouvements si violents, la crainte des choses affreuses qui peuvent nous arriver et le désir de vous voir... Mais Dieu ! on me dit que vous arrivez.

XXX

Je me reprochais mes folies comme étant sans exemple, mais je loue le ciel d'apprendre que vous êtes encore plus fou que moi. Je n'ai point cessé depuis hier de penser à vous et d'en parler ; j'y emploie les nuits et les jours que j'emploierais bien autrement si la jalousie ne mettait des bornes à mes désirs. Que vous seriez content de moi si vous saviez ce qui se passe dans mon cœur, et avec quelle application nous pensons, ma confidente et moi, aux moyens de vous voir souvent ! Je me flatte que notre rendez-vous d'hier vous en a laissé une sorte d'envie. Pour moi, je vous adore et ce que je sens pour vous est quelque chose au-delà de l'amour.

XXXI

Je commence à vous écrire aussitôt que vous venez de me quitter. Pourrais-je être occupée d'autre chose que de vous dans les moments qui succèdent à ceux que nous venons de passer ensemble ? Ah ! mon cher amant, puis-je en croire les transports que je vous ai vus ? Êtes-vous aussi tendre et aussi sensible que moi ? Mais non ; personne n'a jamais connu ce que je viens de sentir et l'Amour pour me récompenser de tant de peines a fait pour moi des plaisirs tout nouveaux ; l'impression qu'ils ont faite sur mes sens est si vive que je n'ose encore me laisser voir à personne : il serait aisé de démêler quelle est la paresse où je suis. Mais mon mari entre. Dieu ! quelle cruauté d'être obligée de voir ce qu'on hait en quittant ce qu'on aime. Comment me présenterai-je à ses yeux en l'état où je suis ? Il me ramène la crainte et la pudeur que vous aviez écartées.

XXXII

La conversation que je viens d'essuyer est l'épine des

roses. Quel supplice, grand Dieu ! d'entretenir un homme de sang-froid quand on est si éloignée d'en avoir ! Pleine de vous et du souvenir de nos plaisirs, que pouvais-je lui dire ? Je lui ai dit en deux mots que je m'étais trouvée fort mal toute l'après-dînée, et je me suis mise tout aussitôt à chanter, sans penser à la contradiction qu'il y avait entre les mouvements de joie et ce que je venais de lui dire. Pourrais-je être sage aujourd'hui et penser à autre chose qu'à vous ? Mais où êtes-vous, mon cher amant, au moment que je vous écris ? Quelles sont vos occupations ? Pour moi, je pense à vous dans le même lieu où vous m'assuriez tantôt une fidélité éternelle. Qu'il est doux de triompher ainsi de la vigilance des jaloux, et quelle serait leur rage s'ils connaissaient notre bonheur ! Il me semble qu'il y manque quelque chose parce qu'ils n'ont pas la douleur de savoir comme nous les trompons. Disons-le-leur pour nous venger. Mais non, qu'il n'y ait que nous qui connaissions nos plaisirs ; faisons tout ce qu'il faut pour que le monde nous oublie autant que je l'ai oublié : je crois qu'il n'y a que vous dans l'univers et je ne vois plus rien que ce qui a rapport à mon amour. Adieu. La réflexion augmente les vrais plaisirs et j'ai une joie si vive qu'elle éclate dans tout ce que je fais.

XXXIII

Est-il bien vrai que vous m'aimiez aussi tendrement que vous venez de m'en assurer ? Ah ! je crains de me flatter et j'en veux douter toujours pour en recevoir des nouvelles marques. Qu'il serait doux, mon cœur, d'en recevoir dans un lieu pareil à celui de l'autre jour ! Que j'en ai d'envie et qu'il est cruel de ne l'oser suivre ! Chaque moment que je vous vois ajoute quelque chose à la vivacité de ma passion. Si vous êtes de mon goût, je dois vous paraître la plus aimable maîtresse du monde, car j'avoue que si j'étais homme, une femme aussi observée que je suis aurait pour moi des charmes capables d'effacer ceux des plus belles personnes du monde. Parmi les autres amants, les rendez-vous et les plaisirs ne sont pas toujours les preuves d'une forte passion, mais entre vous et moi, jusqu'à un regard, tout a son prix et nous ne nous voyons jamais que nous ne puissions nous assurer avec raison que nous nous aimons plus que notre vie. Ne sentez-vous point votre amour-propre flatté par ces réflexions? et quelque chose pourrait-il vous détacher d'une maîtresse que tant de raisons vous doivent faire aimer? Je ne sais d'où me viennent certains mouvements de jalousie que je combats vainement depuis deux jours, mais je ne suis point contente de vous, sans avoir de véritables sujets de me plaindre. Venez demain aux Tuileries vous justifier ou rougir de votre injustice par les nouvelles marques que je vous donnerai de mon amour.

XXXIV

La tête vous a-t-elle tourné depuis l'autre jour que je vous trouvai raisonnable? et vous me paraissez aujourd'hui le plus injuste et le plus fou de tous les hommes. Ne vous souvient-il plus des raisons que j'ai de vous refuser ce que vous me demandez? Est-il possible que vous vouliez hasarder pour un moment de plaisir ma réputation et ma gloire? Ah! si elle n'a pu chasser l'amour de mon cœur, il n'est pas juste que l'amour en triomphe absolument et je suis si persuadée qu'une maîtresse décriée n'a point de charmes aux yeux d'un honnête homme et d'un amant délicat, que vous ne m'obligerez jamais à faire des démarches qui puissent entièrement me déshonorer, comme serait celle d'aller au lieu que vous me proposez. Si pour vous voir je pouvais hasarder ma vie sans mon honneur, je n'y balancerais pas un moment : je vous aime avec une ardeur à toute épreuve hors celle de l'infamie; vous en conviendrez, si je suis assez heureuse pour que le rendez-vous de demain réussisse. Que je crains de me flatter en vain du plaisir de vous voir en particulier! Dieu! que je l'attends avec une terrible impatience! Il me semble que depuis la conversation que nous eûmes dans le jardin de ***, je ne vous ai point entretenu assez vivement de mon amour; je crois que j'avais ce jour-là un secret pressentiment du long silence auquel j'allais être condamnée ; je ne vous ai jamais parlé si tendrement ni si hardiment car, je vous l'avoue, je manque souvent de hardiesse quand je vous vois ; je ne suis encore familière qu'avec vos idées et je vous dis des choses sans vous voir, que je n'ose plus prononcer quand vous pouvez m'entendre. Venez donc, mon cher amant, m'enhardir et triompher d'un reste de prudence qui vous dérobe le plaisir de m'entendre dire tout ce que m'inspire l'amour, et qui vous coûte le chagrin que vous avez de me reprocher quelquefois que vous me trouvez plus passionnée dans mes lettres que dans mes conversations.

XXXV

Je ne vous trouvai pas hier dans tous les lieux où je croyais vous rencontrer, mais il n'y a rien de perdu ; le plaisir dont nous aurions joui hier ne serait plus et nous sommes assurés de l'avoir aujourd'hui puisque vous me trouverez vers le soir chez***. Si ce raisonnement vous choque, apprenez que je le tiens de vous et que je m'en sers par vengeance et non par aucun goût. Je suis au contraire persuadée qu'il faut toujours être impatiente et vivre pour ce que l'on aime, et que la délicatesse d'une passion aussi bien que la sagesse ne permettent pas qu'on préfère l'avenir au présent et qu'on compte le lendemain pour beaucoup.

XXXVI

Il est bien vrai que l'amour vend bien cher ses plaisirs, mais on ne peut trop payer celui de revoir son amant et de le retrouver fidèle. Je suis si satisfaite de la conversation que j'eus hier avec vous, et je vous y trouvai des sentiments si tendres que je ne doute presque plus que vous n'ayez pour moi un véritable attachement et que vous ne méritiez tout le mien. Aussi suis-je résolue à ne plus écouter désormais les discours de ceux que je reconnais qui sont mes ennemis aussi bien que les vôtres, et qui ne cherchent qu'à m'inspirer de la défiance de votre procédé pour affaiblir la violence des sentiments qu'ils sont au désespoir que j'aie pour vous. Je vous aime trop pour que ma passion ne soit pas une preuve que vous êtes aimable, et vous ne pourriez l'être si vous manquiez de fidélité pour une maîtresse qui vous aime si constamment malgré tout ce que vous lui causez de douleur. Si le détail vous en était bien connu, vous admireriez la force de la passion qui m'attache à vous et la folie des précautions des jaloux, car enfin, malgré tous leurs soins et leur vigilance, et pendant qu'ils se flattent d'avoir détruit le penchant que j'ai pour vous, nous nous aimons plus que jamais ; nous nous le dîmes hier et nous nous le jurerons encore dans peu de jours au milieu de tous les plaisirs de l'amour. N'admirez-vous point combien il est difficile de désunir deux cœurs véritablement attachés l'un à l'autre ? Quel triomphe pour deux amants de braver ainsi toutes les précautions de la plus affreuse jalousie ! Que l'union qui sera désormais entre nous serve de punition à ceux qui me persécutent et qu'elle me venge de tout ce qu'ils me font souffrir. Quelle serait leur rage s'ils savaient les plaisirs que je vous prépare dans peu de jours ! L'idée que je me fais de leur colère ajoute de nouveaux charmes à tout ce que je fais pour vous.

XXXVII

C'est enfin demain ce jour si ardemment désiré et si longtemps attendu, c'est demain assurément qu'après une si longue absence et tant de tourments, vous vous verrez entre les bras de l'Amour. Oui, ce sera de l'Amour même que vous recevrez des faveurs car jamais mortel n'a fait sentir à un cœur tout ce que j'ai prétendu demain faire sentir au vôtre. Que la sûreté de ce rendez-vous ne vous empêche pas de venir d'assez bonne heure de Versailles pour me voir à la messe : je prétends y rencontrer vos yeux, je ne saurais les voir assez.

XXXVIII

Croyez-vous que je puisse laisser échapper une occasion de vous écrire et qu'il suffise à ma tendresse que j'aie été aujourd'hui deux heures avec vous ? Ah ! votre vue m'inspire trop d'amour pour ne chercher pas à vous en parler : il faudrait que je pusse vous voir le moment après que vous m'avez quittée pour vous bien exprimer tout ce que votre présence fait sentir à mon cœur. Je n'ai jamais été si contente de vous, il me paraît avoir trouvé dans vos yeux et dans vos discours le caractère d'une véritable passion. Serait-il bien vrai que vous m'aimassiez autant que je vous aime ? Jugez quelle vivacité cette pensée doit donner à mon amour. Je vous ai aimé insensible et ingrat : comment ne vous aimerais-je pas tendre et fidèle ? Je n'aimais alors que votre personne et ma victoire ; j'en jouis avec un plaisir qui flatte également et ma tendresse et ma vanité. Je m'estime d'autant plus heureuse que je dois mon bonheur à mes soins, et je trouve qu'il est bien plus doux d'avoir forcé par son attachement et sa tendresse un cœur rebelle à devenir sensible, que d'en devoir la conquête facile à un premier coup d'œil.

XXXIX

Oui, je me vengerai et je vous ferai voir qu'on ne m'offense point impunément. Je vous donnerai tant d'amour la première fois que nous nous verrons que vous ne serez plus capable de manquer (comme aujourd'hui) à m'écrire le lendemain que vous m'avez vue. Je veux vous punir des anciennes froideurs que vous avez eues pour moi pour vous inspirer plus d'ardeur et de désirs que n'en ont eu tous les amants ensemble et, par ce pas [1], croire ensuite ce que vous me direz de votre amour. Pour la jalousie dont vous me parlez, je ne comprends pas ce qui

1. Texte original. D'autres versions de ce passage ont été proposées : elles sont inacceptables.

peut l'avoir fait naître : en prend-on dans les moments que nous passâmes hier ensemble ?

XL

Je vous écris dans un lieu qui me rappelle des souvenirs bien vifs ; ce que j'y ai senti de plaisir et de douleur a occupé tout aujourd'hui mes rêveries ; tout me parle ici de vous : pourquoi ne m'en parlez-vous pas vous-même ? L'absence est toujours sensible, quelque courte qu'elle soit ; les plaisirs qui l'ont précédée et ceux qui la doivent suivre ne sauraient entièrement détruire la tristesse qui l'accompagne. Elle est trop longue quand elle dure plus d'un jour, et celle d'aujourd'hui m'a paru un siècle. Veuille l'amour que le temps que vous passez sans moi vous paraisse aussi ennuyeux et que vous souhaitiez de me revoir avec le même empressement que j'ai de vous rejoindre et que je vous retrouve tel que je vous laissai hier.

XLI

J'avoue que j'ai joint à la captivité où l'on m'a tenue depuis quelque temps l'envie d'éprouver votre cœur, et que j'ai voulu juger de votre amour par la manière dont vous résisteriez aux obstacles que j'ai apportés moi-même à votre bonheur. Mais un moment de votre vue a bien changé mes projets ; vos regards m'ont inspiré plus d'ardeur que je n'en ai jamais senti et je ne suis plus occupée au moment qu'il est que de trouver des moyens de vous voir, même aux dépens de ma vie. Bon Dieu ! que j'ai de choses à vous dire, mais la plus pressante est de vous assurer de la joie que j'ai eue de trouver votre santé si parfaite après qu'elle m'a donné tant d'alarmes. Les soins que vous me mandez que vous avez pris pour me plaire ont si bien réussi que j'aurais commencé à vous aimer aujourd'hui si je vous avais vu pour la première fois. Vous m'avez paru dans un état si propre à vous faire aimer que j'aurais bien voulu qu'en sortant de l'église, vous eussiez été vous enfermer dans votre chambre, et je n'ai pu songer sans quelques petits mouvements de jalousie qu'en vous éloignant de mes yeux, vous alliez vous faire voir à d'autres. Adieu.

XLII

Mes propres douleurs ne sont rien pour moi en comparaison des vôtres, et si vous voulez me voir bientôt expirer de désespoir, vous n'avez qu'à continuer dans l'horrible affliction où vous êtes. Quoi ! le courage vous abandonne et vous souffrez qu'une femme en ait plus que vous ? Que pensez-vous qui pourrait me soutenir dans l'état malheureux où la jalousie m'a réduite si l'amour que vous avez pour moi ne servait de consolation à tous mes maux ? Celui que j'ai pour vous est si malheureux que, si j'en suivais les mouvements, je ne songerais qu'à mourir. Suivez donc mon exemple ; que les assurances que vous devez avoir de ma tendresse vous soutiennent contre tous les chagrins que la fortune et l'amour vous causent. Le temps peut changer nos destinées et, même sans de grands changements, vous aurez bientôt la consolation de me parler de vos douleurs. Pensez-vous que j'aie consenti à ne vous revoir jamais ? Avez-vous pu croire que j'aie pu m'y résoudre ? Ah ! je vous recevrai aux dépens de ma vie, et toute la terre ensemble ne peut pas m'empêcher de vous dire adieu avant le départ de la cour. Que cette espérance adoucisse les peines que vous cause mon absence et la tristesse que vous donne le souvenir de feue Madame de ***, quoiqu'elle ne puisse occuper votre cœur sans le distraire de la tendresse que vous me devez [1]. Je ne saurais trouver mauvais que vous y pensiez encore tendrement, et je la pleurerais avec vous s'il m'était permis de vous voir, mais on nous envie jusqu'à la consolation de mêler nos larmes. Que j'eus peu de temps l'autre jour à vous laisser voir les miennes :

1. Allusion probable à un mariage antérieur.

deux amants qu'on sépare pour toujours l'ont-ils jamais été si brusquement ? Cette douce et cruelle conversation ne m'est pas sortie de la tête ; il me semble à chaque instant vous voir essuyer mes larmes et me jurer une fidélité éternelle. Quand je pense à ces moments, tous mes malheurs s'évanouissent et peu s'en faut que je ne me tienne heureuse au milieu de toutes mes douleurs quand je songe que je suis aimée de l'homme du monde que je trouve le plus aimable.

XLIII

Croyez-vous que je trouve bon de voir votre santé si brillante sur le point d'abandonner une maîtresse que la seule peine de votre absence fait mourir de douleur ? Ah ! je veux vous voir abattu et languissant, et puisque le chagrin que vous devez avoir de me quitter n'est pas suffisant pour le faire, je veux appeler tant de plaisirs au secours que je voie enfin la langueur dans vos yeux pareille à celle que vous avez dû remarquer ce matin dans les miens. Venez donc me voir tantôt ; abandonnons-nous sans réserve à l'amour pendant le peu de jours qui nous reste à nous voir, quand l'absence devrait même nous en paraître mille fois plus sensible. Venez promptement, le plaisir de vous voir m'est nécessaire, je meurs d'amour et de langueur.

XLIV

Croyez-vous le courage qu'on se fait par raison à l'épreuve des attaques que vous m'avez données aujourd'hui ? Quoi ! il serait vrai que vous pourriez être un an absent et vous pouvez en parler sans des marques d'une douleur extrême ? Ah ! vous ne savez point aimer et votre cœur est bien inférieur à la sensibilité du mien : vous êtes, ce me semble, déjà consolé de votre départ ; je ne vois plus en vous cette affliction tendre et vive que je vous ai vue les premiers jours, et je crains fort de penser que vous me devez quitter. Vous vous êtes déjà accoutumé à l'absence; pour moi, quelques efforts que la raison fasse sur mon cœur, il ne peut se résoudre à cette cruelle séparation. Je mourrai sans doute à vos yeux de la douleur que me causera votre départ, et, si vous m'aimez, vous souffrirez ce désespoir sans vous y opposer : il me sera plus doux de mourir en vous quittant que de vivre après que vous m'aurez quittée.

XLV

L'amour de la gloire n'est pas si fort dans mon cœur que vous vous l'imaginez; vous l'avez vaincu et je suis à vous si vous pouvez trouver le secret de me voir. Inventez le moyen de tromper la vigilance des jaloux, et je ne m'opposerai plus ni à vos désirs ni aux miens; je vous laisserai voir tout mon amour. Hélas ! il n'a jamais diminué mais il est vrai que, désespérant de le voir jamais heureux, j'ai cherché à vous lasser d'un commerce qui ne servait qu'à entretenir des sentiments que je croyais devoir être affaiblis. Mais puisque de si longues épreuves ne vous ont point lassé, je m'abandonne toute à vous. Songez seulement que je suis perdue sans ressource si je suis surprise ; agissez sur ce principe et parlez : je vous obéirai en tout. Je ne hasarde rien si votre amour est aussi véritable qu'il me parut hier dans vos yeux. Adieu, mon cher amant; souffrez sans scrupule tous les termes de ma tendresse; il n'y en a aucun que j'aie jamais profané : vous m'en soupçonnez à tort et je vous jure que l'amour et ses expressions ne m'ont jamais été connus que pour vous. Adieu. Je vous aime plus que jamais et quelque forte que soit ma passion par elle-même, je sais bien qu'elle est encore plus vive qu'elle n'était hier.

XLVI

Rien ne nourrit[1] tant une passion et n'est si propre à la garantir de l'assoupissement de l'absence que d'en parler souvent ; ainsi je consens très volontiers que vous parliez de la vôtre à la personne dont vous me parlez : ce secours vous est plus nécessaire qu'à moi et cet amant qui crie qu'on l'abandonne est peut-être tout prêt à m'abandonner. Je suis plus sûre de mon cœur que vous ne l'êtes du vôtre, et je crois même que vous êtes de même opinion que moi : on se connaît toujours malgré les efforts que fait l'amour-propre pour nous tromper et vous avez un fond de coquetterie que je suis sûre qui alarme quelquefois votre raison, qui ne saurait manquer d'être de mon parti. Si vous me conservez votre cœur, je devrai ce bonheur à la différence qu'il y a à présent de l'Italie à ce qu'elle était au temps qu'Ovide en écrivait les galanteries, et je ne répondrais pas de votre fidélité si Corinne était en même lieu que vous. Au portrait que vous avez fait de moi au comte de***, vous n'avez pas eu dessein qu'il démêle ce que je suis, car, quoique vous lui disiez que je ne suis pas belle, ainsi qu'il n'est que trop vrai, vous me peignez cependant avec tant d'avantages qu'une femme ainsi faite aurait suffisamment de quoi se consoler de n'être pas belle. Surtout, vous ne deviez pas me peindre enjouée : croyez-vous qu'on la soit, éloignée de ce qu'on aime ? L'absence d'un amant tendrement aimé fait un grand changement dans une maîtresse fidèle.

XLVII

Je m'étonne que vous employiez votre philosophie à vous préparer à supporter courageusement un malheur qui ne peut être qu'imaginaire, et je ne comprends pas que vous me connaissiez et que le changement de mon cœur puisse être l'objet de vos méditations. Elles seraient

1. Éd. originale : « guérit » ; inadvertance probable.

mieux employées à penser à l'inconstance et à l'ingratitude de la fortune à laquelle vous vous êtes entièrement sacrifié ; c'est un malheur auquel on ne court jamais risque de se préparer inutilement. J'ai été réjouie d'apprendre par un de vos amis qu'on est fort satisfait de vous à la cour mais, pour me donner une joie parfaite, il faudrait me faire voir une copie de votre congé : vous avez beau contenter le roi, je ne puis être contente que quand vous reviendrez.

XLVIII

Je ne comprends pas comme il est possible d'aimer fortement quelqu'un sans se faire une affaire sérieuse de tout ce qui peut lui faire de la peine, et la facilité que vous avez à me gronder dans vos lettres me fait sentir la différence qu'il y a entre vos sentiments et les miens ; car, bien que vous méritiez encore de plus violents reproches que ceux que je vous ai faits, je ne laisse pas, en les écrivant, d'être occupée du chagrin que vous auriez à les lire, et quoiqu'ils soient bien fondés, je vous les aurais épargnés sûrement si les réflexions qu'ils peuvent vous faire faire n'étaient nécessaires pour éviter à l'avenir tout ce qui vous est arrivé de fâcheux par le peu d'application que vous avez donné à de certaines choses.

XLIX

Craindrai-je toujours pour votre cœur ? Ah ! quoique je sois peut-être née avec un peu trop de défiance, et peu portée à croire ce que je souhaite le plus, vous n'êtes pas innocent de mes craintes ; il fallait me persuader si fortement que je suis aimée comme j'aime que je n'en pusse douter que dans les moments où la délicatesse agit plutôt que la raison. Mais comment m'auriez-vous fait voir une violente passion, si vous ne l'avez jamais sentie ? On n'abuse point une maîtresse éclairée, et si j'ai quelquefois paru satisfaite de vous, c'est que je voyais bien que ce qu'il aurait fallu pour remplir mes désirs passait la portée de vos sentiments, ou le pouvoir de mes charmes.

L

Jamais un amant n'a essayé de rassurer les craintes d'une maîtresse par une lettre comme celle que j'ai reçue de vous : le style dont vous vous servez pour me dire que vous m'aimez est une preuve claire que vous ne m'aimez plus, et je suis plus malcontente que je ne veux vous le dire des sentiments que j'entrevois dans votre cœur. Je ne le suis pas moins de moi-même ; je me trouve trop de tendresse pour un ingrat et je ne puis souffrir la faiblesse que j'ai de vous en donner encore des marques. Mais mon cœur est si fort à vous que rien ne le peut détourner d'un penchant qui lui est si naturel ; je ne connais que trop le pouvoir que vous avez sur lui et vous le dire dans le dépit où je suis n'est pas une des moindres marques que vous ayez reçues de mon cœur. J'ai toujours été pour vous tendre, fidèle et patiente dans les persécutions les plus horribles ; je suis à présent jalouse sans emportement, et mécontente sans colère. Que puis-je faire si cela ne peut vous toucher ? et quel est le moyen de gagner votre cœur ? serait-il possible, ingrat, qu'un autre l'eût trouvé ? Ah ! cette pensée me tourmente au point de me faire perdre l'esprit : il ne tiendra qu'à vous de la détruire.

LI

J'ai du plaisir de vous voir pour adoucir tous les chagrins que me cause la bizarrerie de ma famille : elle passe l'imagination. Si je ne me comptais pour beaucoup, j'agirais d'une manière que je leur ferais bien voir que je les compte pour rien, ou plutôt si j'étais bien sage, je ne songerais plus du tout à vous voir ; j'en ai mille bonnes raisons, mais il n'y en a point qui tiennent contre une passion bien vive. Je ne suis point contente de vous. Votre absence, et celle de ma rivale en même temps, blesse mon imagination. Je commence à partager l'opinion du public : vous pourriez bien avoir poussé la feinte jusqu'à la vérité et m'avoir plus obéi que je ne souhaitais de l'être.

LII

Les sentiments de votre cœur n'échappent ni à mes lumières ni à mon amour. Vous êtes tel qu'on doit être pour se faire uniquement et éternellement aimer : aussi vous aimé-je jusqu'à la folie. Mon cœur est à vous indépendamment même de la tendresse du vôtre et vous devez compter que je ne profiterai jamais du mauvais exemple que vous devriez me donner si vous deveniez infidèle. Je vous aimerais même quand vous n'auriez plus pour moi que de l'indifférence, mais je veux espérer que vous n'éprouverez jamais jusqu'où pourrait aller la force de l'inclination que j'ai pour vous, et que vous pourrez toujours soupçonner ma passion être mêlée de reconnaissance. J'avoue que je ne puis me résoudre de vous donner mon portrait ; tenez-vous-en à l'idée qui vous restera de moi : tant de choses que l'on ne peut peindre y doivent entrer que j'ose me flatter qu'elle ne sera pas si désavantageuse que le portrait que je pourrais vous donner.

LIII

Je reconnais aux châteaux en Espagne que vous faites sur l'avenir la différence de votre passion à la mienne : l'amour ne peut subsister chez vous sans l'espérance des plaisirs ; et pour moi je ne vous en promets plus de ma vie et je ne vous en aime pas moins. Et quelque convaincue que je sois que je jouirais d'une assez heureuse tranquillité si je ne vous aimais pas, aucun bonheur ne me paraît désirable s'il faut pour l'acquérir sacrifier les sentiments que j'ai pour vous ; mon amour tout malheureux qu'il est m'est plus cher que toutes les choses du monde et que la vie même : vous ne savez pas aimer ainsi.

LIV

Pourquoi me vouloir faire croire que vous souhaitez si ardemment votre retour et que vous allez tenter tous les moyens de l'avancer? Ah! si je vous avais été véritablement chère, vous ne vous seriez jamais résolu à me quitter; mais puisque vous avez eu la force, ou pour mieux dire, la cruauté de le faire, je dois être la première à vous exhorter à soutenir en homme de courage le parti que vous avez pris et à n'oublier rien pour le rendre utile à votre service. Vous ne sauriez dans la situation où vous êtes prendre trop garde à donner des prises sur vous à vos ennemis ou à ces sortes de gens qui, sans haïr précisément personne, sont toujours prêts à expliquer peu favorablement les actions de tout le monde. Je suis bien sûre que vous ne manquerez pas aux choses essentielles, mais vous savez mieux que moi que ce sont souvent les plus petites qui attirent des ridicules et qu'on a vu quelquefois des gens d'un vrai mérite gâtés par des bagatelles. Ainsi donnez, je vous en conjure, de l'attention jusqu'aux moindres de vos actions; le caractère enjoué qui a fait l'agrément de vos jeunes années ne doit plus convenir au poste où vous êtes; celui même d'un homme qui vise à la galanterie n'est pas du personnage que vous jouez. Au nom de Dieu, n'allez point vous gâter pour des niaiseries et croyez que je n'ai pas assez bonne opinion de mes lumières pour les opposer aux générales, et que je jugerai de vous selon qu'en pensera le public. Si j'étais moins délicate que je suis ou que je vous aimasse moins véritablement, ces sortes de choses ne me toucheraient guère, mais je suis une amie difficile et une maîtresse glorieuse : je vous pardonnerai même plutôt les fautes qui me regarderont que celles qui pourront affaiblir l'estime que je souhaite que tout le monde ait pour vous. Je vous explique peut-être mes sentiments avec trop de liberté, mais je suis persuadée qu'on doit souffrir les conseils des personnes dont on sait qu'on est sincèrement aimé. Vous savez quelle créance j'ai eue aux vôtres et combien je vous croyais capable d'en donner de bons, mais tout homme sage doit se défier de l'amour-propre : il est à craindre qu'il ne gauchisse la règle pour lui en même temps qu'il la redresse pour les autres. Voilà un discours bien sérieux et je vois bien qu'on le prendrait plutôt pour la lettre d'un philosophe que pour celle de la plus tendre et de la plus passionnée maîtresse du monde.

LV

Je me porte assez bien depuis quelques jours : aussi ne pensé-je qu'à ma santé depuis que vous me l'avez ordonné ; et après vous avoir donné mon cœur et vous avoir encore sacrifié l'indifférence que j'avais pour elle, je suis à présent obéissante à tout ce que veulent les médecins parce que vous m'avez mandé que vous le vouliez. Enfin je ménage ma santé d'une manière qui fait bien voir que j'en dois bien rendre compte à l'amour et il ne tiendra pas à moi que vous ne trouviez à votre retour cette maîtresse que vous avez pensé perdre, en bon point et en état de se venger des sottises que son mari lui a faites depuis peu.

LVI

Il ne faut pas que vous fassiez tant de choses qu'un autre pour donner une violente jalousie à un amant : on est aisément jaloux d'un rival aimable. Monsieur *** s'est aperçu sans doute que vous l'êtes, il peut craindre que sa maîtresse ne s'en aperçoive à son tour et les discours qu'on a tenus sur cela me donnent lieu de croire qu'elle n'a pas attendu jusqu'à cette heure à s'en apercevoir. Croyez-moi, il n'y a point d'affaire de vanité qui mérite qu'on mette sa vie au hasard, et quand on en fait la sottise, il faut du moins pouvoir être excusé par la violence d'une véritable passion. Il me paraît qu'il ne vous doit pas être difficile d'éviter, pour une maîtresse qui vous adore, ce qui choque la fidélité que vous lui devez et qui peut en même temps vous perdre. Quand je vous ai vu partir, j'ai espéré que vous me seriez fidèle pendant votre absence mais je n'ai point fondé cet espoir sur le manque d'occasions ; je connais trop votre mérite, et je suis persuadée que j'aurai pour rivales toutes les femmes qui auront de la délicatesse et du goût. Mais je veux me flatter aussi que vous n'en trouverez point de plus digne de votre cœur que moi : je céderai à plusieurs l'avantage de la beauté, mais pour les sentiments de tendresse et une fidélité qui va jusqu'au scrupule, je prétends l'emporter sur toutes les femmes du monde ; et il me semble que, si ces sentiments ne sont pas tout à fait nécessaires pour une galanterie, ils le sont du moins pour soutenir une longue passion.

LVII

Depuis que je ne vous vois plus, j'ai un tel dégoût pour toutes choses, et même pour la vie, que, quand j'y songe, je ne comprends pas qu'avec un si grand attachement pour vous, j'en aie si peu pour elle. Le moyen de n'être pas désespérée quand vous êtes absent, et que le temps de votre retour est incertain, et que votre présence seule peut dissiper mes douleurs ? Il faut vous voir pour oublier ce que je souffre et un moindre remède ne peut me soulager. Au reste, si vous voulez que je me donne la consolation de vous instruire avec sincérité de tout ce qui me peut arriver dans les suites, il faut être plus modéré et plus sage que vous ne l'avez été en apprenant ma dernière maladie ; autrement vous m'ôteriez la douceur de me plaindre et il faudrait joindre à la contrainte où je suis ici celle de vous cacher mes plus secrètes pensées. Ne m'exposez pas à une peine si cruelle et laissez-moi la liberté de vous dire tout ce que je souffre par rapport à vous et à l'amour.

LVIII

On ne vient que de me rendre votre lettre du 14 juin. Je ne comprends pas qu'elle ait pu être si longtemps en chemin ; la poste irait plus vite si ceux qui en ont soin connaissaient l'inquiétude qu'on a de recevoir deux jours plus tard des nouvelles de ce qu'on aime. Je suis à tout moment aussi occupée de vous que vous me mandez l'avoir été de moi en courant la poste et je n'ai pas besoin qu'une belle nuit et son silence augmente ma tendresse pour en avoir une infinie : je ne vis que pour vous, je vous désire incessamment et je sens pour vous les mêmes ardeurs qu'inspire aux autres maîtresses la présence de ce qu'elles aiment ; il me semble même que votre absence redouble mon amour, du moins redouble-t-elle mon attention pour vous. Je prends garde encore de plus près à ma conduite et je serais au désespoir d'avoir la moindre chose à me reprocher sur l'exacte fidélité que je vous ai promise ; je ne vais plus dans les lieux où se rassemble tout le monde, il me paraît que j'y sens davantage le malheur de ne vous point voir. Ah ! qu'il est cruel de voir qu'on ne peut rencontrer en aucun lieu ce qu'on aime et qu'on mène pendant l'absence une triste vie ! qu'il faut de courage pour la soutenir ! La mienne est d'une retraite qui me ferait tort si les sentiments que j'ai pour vous étaient connus de beaucoup de personnes. J'ai trouvé le secret d'être plus solitaire que les chartreux, et cette retraite me livre tout entière à l'amour dont la vivacité s'affaiblit par la dissipation que cause le grand monde. Il me semble que depuis que vous êtes parti, Paris est devenu un désert ; je n'y vois plus rien, ou du moins je n'y vois rien qui puisse m'occuper un quart d'heure : je ne le suis que de vous et je vous aime si uniquement et si passionnément que la tête me tournera sans doute si votre absence est aussi longue que je crains qu'elle ne soit. Quoi ! ne revient-on pas plus tôt que les autres quand on est assuré d'être le plus aimé de tous les hommes ? et le plaisir de revoir une maîtresse tendre et fidèle n'est-il pas préférable à toutes les choses du monde ? Auriez-vous l'impudence de comparer les plaisirs de l'ambition à ceux de l'amour ? Ah ! cette passion doit toujours être la plus forte comme elle est la plus agréable ; il n'y a qu'elle qui puisse faire chérir jusqu'à ses souffrances et les miennes ont un charme secret et de certaines douceurs que je ne changerais pas pour tous les fades amusements des personnes indifférentes.

LIX

Je vous ai promis dans ma dernière lettre un long récit de quelque chose qui regarde mon mari, mais en vérité, je n'ai pas la force de songer à lui ni d'en parler si longtemps. Quittez-moi de ma parole et vous contentez de savoir qu'il me traite à présent d'une manière tout opposée à celle que vous lui avez connue : il est presque devenu galant avec moi, mais s'il est assez malheureux pour pousser ses prétentions plus loin, ma vengeance est certaine, je vous jure une fidélité à l'épreuve de tout. Vous a-t-on mandé que le confesseur de Madame de *** est du nombre des exilés, qu'elle en a une douleur si grande qu'elle pleure nuit et jour[1] ? Cela va à un excès ridicule et son amie, que je vis hier, m'en parut toute honteuse. N'admirez-vous point la faiblesse des femmes et leur légèreté ? Dirait-on que des yeux qui ont su vous regarder autrefois avec tant de tendresse ne dussent s'employer aujourd'hui qu'à pleurer la disgrâce d'un cagot ? Je trouve les femmes plus méprisables dans la dévotion que dans la galanterie.

LX

Ah ! que ne pouvez-vous voir tout l'amour qui est dans mon cœur et connaître tous les maux que me cause votre absence ? Vous abandonneriez bientôt la fortune pour venir essuyer mes larmes : les laisserez-vous encore longtemps couler ? Est-ce une absence de plusieurs années que j'ai à craindre, ainsi que le dit tout le monde ? Annoncez-moi, cruel, tout mon malheur, vous ne m'avez que trop flattée. Hélas ! que j'étais aveuglée de me laisser

1. Six docteurs, qui dans une assemblée du 15 juin 1682 s'étaient opposés à la Déclaration des Quatre Articles, furent exilés en province par Louis XIV.

persuader que votre séparation ne serait que pour quelques jours ! Si je l'eusse crue aussi longue que je vois présentement qu'elle le doit être, je serais morte à vos yeux et vous ne m'auriez point vue survivre à nos derniers adieux. N'aurais-je pas été heureuse d'éviter tout ce que je souffre depuis trois mois et tout ce qui me reste à souffrir avant que de vous revoir ? Mais ce qui augmente ma douleur, c'est que la vôtre n'est point aussi vraie que la mienne ; non, vous ne sentez point l'absence aussi cruellement que moi, c'est vous qui m'avez voulu quitter et vous n'avez pas regardé comme le plus grand des malheurs pour vous ce qui devait me causer des douleurs si terribles. Ingrat, n'ai-je pu vous inspirer une passion digne de la mienne et ne serai-je aimée que médiocrement d'un homme que j'aime avec tant de violence ? Pardonnez, mon cher amant, si j'augmente aujourd'hui par mes reproches l'ennui de la vie que je mène depuis votre départ ; je ne vous en ferai plus, ils sont inutiles dans l'état où nous sommes. J'oublie le passé et puisque ce qui nous sépare est sans remède, pensez au moins à rendre votre éloignement utile à votre fortune, et je ne penserai, moi, qu'au bonheur de votre retour. Si l'ardeur de mes désirs pouvait l'avancer, je vous verrais dans cet instant ; que je vous dirais des choses tendres ! Il me semble que je n'ai jamais bien exprimé tout mon amour et je sens dans ce moment une ardeur capable de réparer tout ce que j'ai manqué à vous dire. Ah ! rien ne serait comparable à tout ce que l'amour mettrait de transports et de vivacités dans mes yeux et dans mes sens. Mais pourquoi augmenter mon tourment par l'image d'un bonheur si parfait et dont je suis si éloignée de jouir ? Adieu, cruel amant ! pensez quelquefois au milieu de vos occupations que vous êtes plus aimé qu'homme du monde.

LXI

Je ne puis vous pardonner la malice que vous avez de me donner par votre dernière lettre un conseil qui ne peut convenir qu'à une coquette. Avez-vous cru que je donnerais dans ce panneau ? Apprenez à me mieux connaître et soyez persuadé que, si le hasard fait jamais que je plaise à quelqu'un, ce sera assurément sans dessein, et que je me donnerai bien de garde de faire aucun pas pour conserver les conquêtes que j'aurai faites ni pour en faire apercevoir les autres. Si j'ai eu autrefois la fantaisie de paraître aimable à de certaines gens, c'est que je ne vous plaisais point encore et que je croyais que pour y parvenir, de certaines conquêtes n'y seraient peut-être pas inutiles et auraient donné un prix à ma personne et à mon cœur que vous n'y aviez pas trouvé. Je vois par le conseil que vous me donnez que je ne m'étais pas fort trompée, mais je ne saurais plus avoir cette sorte de complaisance pour votre vanité ; qu'elle se contente si elle peut, de savoir que votre maîtresse est si peu touchée de ce qui fait les plus violents désirs de la plupart des femmes, et que, hors de vous, aucun homme ne peut pas seulement m'amuser un moment.

LXII

Que ne puis-je croire que vous ne m'aimez pas assez pour être poussé à m'écrire de la manière que je vous aime ? Je serais moins à plaindre que de craindre depuis quinze jours, comme je fais, que vous ne soyez malade. Êtes-vous pardonnable de m'exposer à une inquiétude si cruelle ? Ne connaissez-vous pas ma délicatesse et ma vivacité ? M'avez-vous oubliée ou ne pouvez-vous m'écrire ? L'un ou l'autre de ces malheurs serait un coup mortel pour moi ; il n'y a rien de funeste qui ne m'ait passé dans la tête depuis que je ne reçois point de vos nouvelles. Vraiment l'absence est la source de bien des maux.

LXIII

Je ne demeure pas d'accord des louanges que vous me donnez dans votre dernière lettre ; je vous cède du côté de l'esprit et du mérite, et vous gagnerez autant aux comparaisons que je ferai de votre personne à la mienne que vous perdrez quand vous en ferez de votre cœur au mien. Personne n'aime comme moi et pour vous en convaincre, il ne faut que lire ce que vous m'écriviez sur l'ambition et sur la fortune ; on voit pleinement que les affaires du cœur ne vont pas chez vous les premières et que vous cherchez à vous persuader que l'amour cause en vous le désir naturel que vous avez de vous agrandir. Tout ce que vous m'écrivez sur cela a de la fausseté et une passion véritable ne connaît de bonheur qu'à vivre avec la personne qui l'a inspirée. Tout ce qui éloigne le plaisir de la voir ne peut lui paraître avantageux et ce sont les regards d'une maîtresse qui doivent faire la félicité d'un véritable amant. Cependant vous cherchez la fortune préférablement à moi et vous me donnez lieu de craindre que des vues ambitieuses ne vous accoutument à vivre loin de moi et à ne vous en pas croire peut-être plus malheureux.

LXIV

Les reproches que vous vous faites de m'avoir quittée et les remords que vous donnent les marques de mon amour ne me vengent point encore assez de tout ce que me fait souffrir votre absence. Tant de douleurs finiront quand il plaira à la Fortune qui nous guide présentement. Il y a longtemps que je vous ai mandé que je m'attendais à vous recevoir de ses mains plutôt que de celles de l'Amour; vous nous avez l'un et l'autre méprisés pour elle : je souhaite qu'elle reconnaisse ce sacrifice par des faveurs plus constantes que ne sont celles qu'elle a accoutumé de faire et que vous ne veniez pas un jour chercher dans les bras de l'Amour une consolation à son inconstance et un asile contre ses dégoûts. Peut-être que si vous m'aviez bien connue, vous ne m'eussiez point abandonnée pour elle. Adieu, pensez à moi et m'écrivez régulièrement.

LXV

Mes maux ont été si violents depuis que je ne vous ai écrit que j'ai été en danger de perdre la vie ; c'est quelque chose d'affreux que de voir de près une mort douloureuse, mais elle n'a rien de si terrible que de se trouver privée dans ces moments de la consolation de voir ce qu'on aime, et de n'oser prononcer son nom. L'Amour m'est témoin que votre absence a été la plus sensible de mes douleurs et que j'ai été occupée de vous en ce triste état avec autant de vivacité que dans des moments plus heureux ; mais que mes souffrances augmentèrent quand je connus que la prudence voulait que j'ôtasse d'auprès de moi et de mon cabinet tout ce que j'ai de vous ! Je sentis, je crois, ce qui arrive dans la séparation de l'âme et du corps car je ne vis que pour l'amour et par les assurances que vous me donnez de m'être fidèle. Adieu, croyez que vous perdez beaucoup à ne pas voir de près la passion que j'ai pour vous.

LXVI

Vous ne dites pas un mot de votre retour dans vos lettres, ce silence m'en dit assez. Que j'étais simple de me laisser persuader que vous seriez peu de temps séparé de moi ! Ah ! croyez-vous que si j'avais su sur cela ce que je sais présentement, j'eusse jamais consenti à votre départ ? Je vous aurais mis dans la nécessité de choisir de votre fortune ou de votre maîtresse. Mais non, je vous aurais laissé faire ce que vous avez fait et je n'aurais pas voulu démentir le caractère de la passion que j'ai depuis longtemps pour vous. Je me suis toujours piquée de préférer vos intérêts aux miens et de n'exiger rien de vous de pénible ; j'ai mis mon plus grand bonheur à ne pouvoir mériter vos reproches et à vous faire rougir d'aimer médiocrement une femme qui vous aime avec tant de tendresse. Mais connaissez-vous assez la différence qu'il y a de votre passion à la mienne pour ressentir cette sorte de honte ? Ne vous trompez-vous point ? Il me paraît par vos lettres que vous faites hardiment des comparaisons avec moi : pourriez-vous vous méprendre au point de ne pas connaître que je vous aime mille fois plus que vous ne m'aimez ? Est-il possible que vous me donniez pour exemple Madame de *** ? Si je supportais votre absence comme elle fait celle de Monsieur de ***, vous auriez quelque sujet de vous plaindre ; la date de douze ans ne fait rien à l'affaire selon moi, il faut toujours aimer ce que l'on a une fois jugé digne de son amour et de son cœur, les années ne diminuent que les passions médiocres et la manière dont vous regardez douze ans ne me fait pas croire la vôtre à l'épreuve du temps : il n'en est pas un plus propre à diminuer l'amour que celui de l'absence. Adieu, je vous aime et vous souhaite avec une ardeur qu'il n'y a que moi capable de sentir. Que ne donnerais-je point pour vous donner le bonsoir ? Ah ! quand ce serait par magie que votre figure paraîtrait à mes yeux, je me tiendrais heureuse de la voir.

LXVII

Vous me quittez quand tout change pour nous, quand nous passons tous les huit jours dix heures ensemble ; vous renoncez à des plaisirs que vous avez paru désirer avec tant d'ardeur ; vous laissez votre maîtresse malade sans penser au péril qui peut menacer sa vie ; vous voulez devenir héros et chercher la gloire d'être au-dessus des faiblesses humaines. Songez que quand on veut être plus qu'un homme, on devient beaucoup moins quelquefois. Thésée fut moins blâmé d'avoir été sensible aux charmes d'Ariane que de l'avoir abandonnée ; le plus grand des crimes est de violer ses serments ; vous m'en aviez fait de m'aimer tendrement : puis-je croire que je le suis après ce que vous avez fait ? Mais que me sert-il de vous faire des reproches ? Mes lettres n'auront apparemment pas plus de pouvoir que n'en ont eu mes larmes, grand Dieu ! des larmes mêlées de toutes les douceurs de l'amour. Dans quel état vous ai-je prié de ne point partir ! Dans quel moment vous ai-je dépeint la douleur et le désespoir que me causerait votre absence ! Rien de tout cela ne vous a attendri et vous êtes parti malgré mon amour et mes douleurs ; après les marques d'une passion médiocre, aurais-je la folie de croire que vous êtes fort touché de ce que je souffre présentement ? Adieu, je sens dans ce moment de certains mouvements de dépit dont je veux vous épargner la connaissance. Aimez-moi s'il est possible et vous souvenez de moi si vous pouvez.

LXVIII

Sur quoi fondez-vous les soupçons de jalousie qui vous occupent si fort ? Est-ce sur ce que je vous ai écrit de ce prétendu amant ? Cette exactitude à vous rendre compte des moindres choses ne vous prouvait-elle pas que je ne suis occupée que de vous ? Pouvez-vous me dire que j'ai peut-être des sentiments secrets pour lui que je ne démêle pas bien encore ? Une femme qui a aimé dix ans n'est plus novice en amour et les mouvements d'une passion n'échappent pas à sa connaissance. En vérité, vous ne vous faites pas une juste idée de tout ce que je souffre ; si vous le connaissiez bien et que vous m'aimassiez tendrement, vous me souhaiteriez plus de dissipation que je n'en ai. Mais vous n'êtes pas capable de tant de délicatesse et vous comparez hardiment ce que vous faites pour moi à ce que je souffre pour vous ; cependant il me semble que vous ne devriez point avoir tant de peine à me céder l'avantage de savoir mieux aimer que vous. Hélas ! que je l'achète cher et qu'il m'en coûte de douloureux moments.

LXIX

Je vous demande pardon de vous avoir écrit aigrement, mais le principe qui m'a fait agir ne doit point vous déplaire. Cependant je suis une divinité plus équitable que vous ne croyez, mais suivant l'usage des dieux, je gronde et je menace suivant mes caprices et la crainte peut faire souvent ce que la reconnaissance ne ferait pas.

LXX

La fortune met une grande différence entre votre vie et la mienne. Mon partage est les douleurs pendant que vous êtes tous les jours aux opéras de Venise. Je ne suis pas fâchée que vous soyez plus heureux que moi, mais je crains que les divertissements ne vous accoutument à supporter tranquillement mon absence. La joie dissipe trop et la mélancolie rend assurément l'amour plus sensible : on souhaite avec plus d'ardeur ce qu'on aime quand on ne jouit d'aucun plaisir dans les lieux où l'on est sans maîtresse, et de l'humeur dont je vous connais, il est difficile que vous viviez sans amusement, et plus difficile encore, que celui de m'écrire, de recevoir de mes lettres et de vous souvenir de moi en soit un capable de remplir toute votre vivacité. Cependant, ne vous préparez à aucune indulgence : plus votre absence sera longue, plus je serai sévère parce que je souffrirai davantage et que de si longues peines me paraîtront dignes de votre fidélité. Les sentiments sont peut-être un peu injustes, mais beaucoup d'amour est ordinairement suivi d'un peu d'injustice. N'y en a-t-il pas à m'ennuyer comme je fais avec tous mes amis parce que vous êtes absent ? Devraient-ils être punis de vos fautes ? Cependant je suis de si mauvaise humeur que je ne comprends pas que quelqu'un me veuille voir.

LXXI

Si la passion que vous m'avez inspirée vous était bien connue, vous seriez au-dessus des inquiétudes qui agitent ordinairement les amants ; vous ne craindriez point que j'en aimasse un autre et vous ne songeriez qu'à vous rendre digne d'être toujours ardemment aimé de moi. Pour cela il faut souhaiter fortement votre retour et n'employer que peu de temps à tenter la fortune ; si mon absence vous était aussi sensible que m'est la vôtre, vous payeriez trop cher les plus éclatantes faveurs, mais les raisonnements que vous faites dans vos dernières lettres, par rapport à elles, font bien voir que vous n'êtes encore qu'apprenti philosophe : l'avenir est-il à vous pour en disposer comme vous faites ? Qui me sera caution de vos espérances ? Et ne faut-il pas avoir perdu le sens pour renoncer au bien présent qu'on possède, dans l'espoir d'en acquérir un chimérique ? Les conseils du confident de Pyrrhus vous conviennent mieux qu'à lui : vous courez pour vous reposer et dans la vue incertaine d'acquérir un jour plus de liberté de me voir, vous avez renoncé pour mille années au plaisir de me voir au moins tous les huit jours une fois. Pour moi, sans renoncer aux avantages que le temps peut m'apporter, je regarde le présent comme ce qui décide de ma destinée, et les douceurs que vous me peignez dans l'avenir ne me consolent point du mal présent de votre absence ; la mienne ne vous touche pas de la même manière, l'ambition partage votre cœur et vous vous faites un plaisir de servir le roi pour vous cacher à vous-même la faiblesse que vous avez de ne pouvoir vous passer des faveurs de la fortune. Je m'aperçois que je ne songe pas que l'amour doit être badin et ne s'accommode guère des réflexions d'un philosophe, mais je suis d'une mélancolie et d'une mauvaise humeur qui ne convient point du tout à parler de tendresse.

LXXII

Si vous êtes, comme vous me l'écrivez, un exemple de la puissance de l'amour, j'en suis un des malheurs que causent ses passions extrêmes, et comme je donne ordre que vous ne receviez cette lettre qu'en apprenant ou ma mort ou ma guérison, je ne dois point craindre de vous y laisser voir le triste état où mon cœur et ma santé sont réduits. J'ai souffert, depuis deux fois vingt-quatre heures, tout ce qu'on peut souffrir du corps et de l'esprit, et comme je suis si abattue que je ne puis m'assurer de ne pas succomber à un remède violent que les médecins veulent me faire prendre cette nuit, j'ai voulu, avant de m'y exposer, vous assurer que, quoique je meure ou que je vive, l'amour régnera dans mon cœur jusqu'au dernier soupir avec la même vivacité que vous m'avez vue au milieu de ses plus doux transports; et que si le destin veut terminer si promptement une vie aussi peu avancée que la mienne, je mourrai sans me repentir de tout ce que l'amour m'a fait faire pour vous, sans vous reprocher un départ dont la douleur seule est cause des maux dont je vais peut-être mourir. Pour vous montrer digne d'une passion si constante, conservez de moi un tendre souvenir; je sais que les morts n'en doivent pas demander davantage s'ils veulent être exaucés. Je vous demande seulement de respecter assez la passion que j'ai pour vous pour ne vous servir jamais des mêmes expressions et des mêmes transports qui m'ont persuadée de votre amour pour convaincre d'autres femmes de votre ardeur; mettez dans les manières que vous pourrez avoir pour elles toute la différence qui est effectivement entre l'attachement que j'ai pour vous et ceux dont sont capables les autres femmes: vous n'en trouverez point qui aient un cœur digne de remplacer le mien, et je m'assure que vous me regretterez quand vous voudrez songer à la manière dont je vous ai aimé. Que ma destinée vous inspire une tendre compassion, je n'ai jamais été heureuse et je meurs encore plus malheureuse que je n'ai vécu. Si ma mort ne peut mettre ma gloire à couvert, et que ceux qui me haïssent veulent pour se venger de moi publier ce qu'ils ont pu découvrir de mon aventure, justifiez la violence de ma passion par la durée de la vôtre, et qu'on connaisse par votre attachement pour une maîtresse morte qu'elle a dû tout faire pour vous pendant sa vie. Mais je m'abandonne trop à la cruelle tristesse dont je suis remplie et je ne songe pas aux larmes que cette lettre pourra vous faire verser. Au nom de votre amour, pardonnez-moi la douleur qu'elle vous causera; s'il est des moments où il est permis de ne se pas contraindre, ce sont sans doute ceux où l'on envisage la mort de près, mais voici le moment d'être philosophe et de ne pas démentir le caractère que vous connaissez et que vous avez paru aimer en moi.

J'espère que vous n'apprendrez pas que j'aie rien fait en ce triste moment qui en soit indigne : vous seul m'attachez à la vie et vous seul aussi me rendez la mort pénible. Rien ne me touche plus sensiblement que de ne pouvoir appeler personne auprès de moi qui vous puisse rendre un compte exact de tout ce que je sentirai de tendre pour vous dans ce moment. S'il est écrit qu'il doive si tôt arriver, imaginez-vous tout ce que peut sentir le cœur le plus sensible et le plus délicat qui ait jamais aimé, et pour vous en former quelque idée, croyez que j'aurai quelque plaisir à mourir parce que ma mort préviendra la vôtre et que j'éviterai par ce moyen le supplice affreux de vous voir peut-être expirer à mes yeux. Adieu, mon cher amant, je vais mettre tout en usage pour que ce ne soit pas là le dernier de ma vie et pour retirer ce que vous aimez des bras de la mort. Mais si mes soins sont inutiles, songez que votre maîtresse a plus aimé que femme du monde et que vous devez quelque chose aux sentiments qu'elle conserve pour vous jusqu'à la mort. Adieu.

NOTE BIBLIOGRAPHIQUE

Texte :

ASSE, Eugène (éd.), *Lettres de la présidente Ferrand au baron de Breteuil, suivies de l'Histoire des amours de Cléante et de Bélise* [...], Paris, Charpentier, 1880.

FRANÇOISE DE GRAFIGNY

LETTRES D'UNE PÉRUVIENNE

NOTICE

Trente éditions du petit roman de Mme de Grafigny, *Lettres d'une Péruvienne,* dont dix en langues anglaise et italienne, virent le jour dans les trente années qui suivirent la première publication, c'est-à-dire de 1747 à 1777 : on comprend que le professeur américain English Showalter, qui a consacré de nombreux articles à cette femme de lettres bien oubliée aujourd'hui et prépare sur elle une étude d'ensemble, ait parlé à ce propos d'un « best-seller ». Roman épistolaire et sentimental écrit dans une langue harmonieuse et facile, tableau critique de la société française du temps, document exposant les principaux traits de la civilisation inca et les rites du culte péruvien du Soleil, le livre avait de quoi plaire à une époque où plusieurs classes de lecteurs se montraient friands de tels attraits. Ainsi s'explique aussi qu'au début du XIXe siècle, sous le règne d'un autre goût, les *Lettres d'une Péruvienne* devinrent rapidement objet de risée pour la critique sérieuse, comme en témoigne par exemple une formule ironique de Sainte-Beuve. La réhabilitation, fondée sur une appréhension plus largement scientifique, ne s'est amorcée que depuis les années 1960 : elle est essentiellement l'ouvrage de trois étrangers : English Showalter aux États-Unis, Gianni Nicoletti en Italie, et Jürgen von Stackelberg en Allemagne fédérale. Les pages qui suivent doivent beaucoup aux travaux de ces trois érudits.

La très abondante correspondance de Mme de Grafigny, actuellement réunie à l'Université Yale et à la Bibliothèque nationale de Paris, est en cours de classement et sa publication est annoncée comme prochaine. Mme de Grafigny est une Lorraine ; une fois installée à Paris, à l'âge de quarante-quatre ans, elle expédie régulièrement à ses amis de Nancy ou de Lunéville des nouvelles détaillées de sa vie quotidienne dans la capitale. La Péruvienne Zilia, dépaysée elle aussi dans les salons parisiens, recourt aux lettres, comme son auteur, pour décrire, et pour se plaindre.

Le grand-père de la romancière s'appelait Dissambourg Dubuisson. Anobli par le duc de Lorraine en reconnaissance de ses services militaires, il prit le nom d'une petite seigneurie qu'il acquit à Happoncourt. Son fils François d'Happoncourt fit également carrière dans l'armée, tant du côté français que du côté lorrain. Il fut à la fin de sa vie gouverneur de Boulay et de la Sarre. Il avait épousé une petite-nièce du graveur lorrain Callot, de noblesse tout aussi modeste mais plus ancienne. Leur fille, Françoise-Paule d'Issembourg d'Happoncourt, née à Nancy le 11 février 1695, fut mariée à seize ans, le 19 janvier 1712, à François Huguet de Grafigny, d'une famille de Neufchâteau, anoblie en 1704 (le village de Grafigny, ou Graffigny, se trouve à une vingtaine de kilomètres au sud de Neufchâteau). Trois enfants naquirent, qui ne vécurent point. La mésentente survint tôt entre les époux : brutalité, violences du côté du mari, caractère plaintif et désordonné chez la femme, suppose-t-on. Une séparation fut prononcée. François de Grafigny mourut en 1725.

Sa veuve s'attacha alors à la cour de Lorraine. Elle trouva des protecteurs dans la famille ducale elle-même, qui lui resta fidèle lorsque, peu après le traité de Vienne, François de Lorraine accéda à la dignité impériale ; la jeune duchesse de Richelieu, amie de Voltaire, d'ascendance lorraine elle aussi, accorda son soutien à Mme de Grafigny ; enfin celle-ci se fit à Lunéville de nombreux amis parmi les familiers du château, tels le jeune François Devaux, plus connu sous le sobriquet de Panpan, et l'officier Léopold Desmarets. Comme on le sait, le traité de Vienne attribua le duché de Lorraine au roi de Pologne dépossédé Stanislas Leczinski. Cette « cession » entraîna le renouvellement du personnel de la cour : Françoise de Grafigny, à peu près sans ressources, décida de s'établir à Paris. Sur son chemin, elle fit étape à Cirey, chez Mme du Châtelet et à l'invitation de Voltaire qu'elle avait rencontré en 1735 à Lunéville : séjour de dix semaines, resté mémorable grâce aux quelque trente lettres adressées à Panpan, qui furent publiées dès 1820 et qui firent connaître, au naturel, la vie à la fois laborieuse et excitée que menaient à Cirey Voltaire et sa compagne ; séjour marqué aussi par une scène violente, le philosophe ayant soupçonné que son invitée avait copié et livré à l'extérieur un chant de sa frondeuse *Pucelle*.

En février 1739 Léopold Desmarets se rendant de Lorraine à Paris passe à Cirey et emmène son amie. Les premières années du séjour dans la capitale sont mal connues. Mme de Grafigny voit mourir en 1740 sa protectrice la duchesse de Richelieu, et sa situation matérielle est sans doute alors fort difficile. S'approchant des milieux littéraires, elle se joint au comte de Caylus et à Mlle Quinault dans la petite société du Bout du Banc. C'est dans le *Recueil de ces Messieurs* (1745) que paraît son premier ouvrage, une moralisatrice *Nouvelle espagnole*. Le cercle de ses amis s'élargit, ses ressources s'améliorent peu à peu, et elle ouvre à son tour, près de la porte Saint-Michel, un petit salon aux habitués duquel elle soumet les essais de sa plume. Il semble que la rédaction des *Lettres d'une Péruvienne* ait été ainsi suivie de près par de nombreux conseillers amicaux, dont on ne peut toutefois évaluer exactement la part qu'ils prirent à l'ouvrage. Le public et les critiques s'enthousiasment pour le roman (1747). « Il y a longtemps qu'on ne nous avait rien donné d'aussi agréable », écrit l'abbé Raynal dans ses *Nouvelles littéraires*, et il note l' « élégante naïveté » dans l'expression du sentiment, non sans dénoncer ensuite, tant du point de vue de la vraisemblance du récit que dans « le portrait des mœurs françaises », de graves faiblesses. Forte de ce succès, Françoise de Grafigny écrit quelques saynètes morales qui furent expédiées à la cour de Vienne, où elles contribuèrent à l'éducation des princesses impériales — la future reine de France, Marie-Antoinette, étant l'une d'elles.

Le succès vint une seconde fois avec une comédie larmoyante, *Cénie,* « pièce nouvelle » (1750), proche par son sujet de *La Gouvernante* de Nivelle de la Chaussée (1747) : vingt-cinq représentations dans l'année, puis la publication du texte, n'épuisèrent pas le plaisir ému des spectateurs et des lecteurs, encore confirmé par le long et élogieux article que Grimm consacra à la pièce le 15 juillet 1754 dans sa *Correspondance littéraire,* puis par l' « hommage pur et désintéressé » de Rousseau dans sa *Lettre à d'Alembert* (1758). N'insistons pas sur les grossières invraisemblances de l'intrigue, sur l'inconsistance des caractères ni sur l'omniprésente vertu, qui revient comme un refrain dans le langage uniformément sentencieux et attendrissant. Mais il faut noter, en pensant à l'expérience conjugale de Mme de Grafigny, et peut-être aussi à la thématique sentimentale des *Lettres d'une Péruvienne,* ce fragment de dialogue entre la jeune Cénie et sa gouvernante (II, 1) :

CÉNIE. — [...] pensez-vous à l'horreur de s'unir à un mari que l'on ne peut aimer ?

ORPHISE. — Hélas ! c'est quelquefois un bonheur de n'avoir pour son époux qu'une tendresse mesurée.

CÉNIE. — Je me suis fait une idée différente du mariage. Un mari qui n'est point aimé ne me paraît qu'un maître redoutable [etc.].

On a suggéré que Cénie était probablement l'anagramme de *nièce* ; car Mme de Grafigny avait auprès d'elle à cette époque une jeune nièce, charmante et pauvre, « Minette » de Ligniville, dont elle préparait le mariage : après une longue attente, Minette devint enfin en août 1751 Mme Helvétius.

Les dernières années de notre auteur virent la publication de l'édition définitive et augmentée des *Lettres d'une Péruvienne* (1752), pourvue d'une « Introduction historique » due peut-être à Antoine Bret. Celui-ci fut l'un des nombreux jeunes hommes qui successivement s'attachèrent à Mme de Grafigny au cours de sa carrière ; elle refusa malgré ses instances d'être pour lui plus qu'une amie. *La Fille d'Aristide,* pièce « grecque » à sujet moral, représentée en avril 1758, marqua la fin des bonheurs littéraires de l'écrivain : ce fut cette fois un échec cruel, que la critique souligna avec ironie et que les familiers du salon ne cherchèrent pas à masquer. Mme de Grafigny mourut, en achevant, dit-on, la correction des épreuves d'imprimerie de sa pièce, le 12 décembre 1758. Elle légua sa bibliothèque à son dernier protégé, Guimond de la Touche, et ses lettres et manuscrits au fidèle Panpan.

Revenons aux *Lettres d'une Péruvienne.* L'édition de 1747, parue sous l'anonymat, comporte trente-huit lettres, précédées d'un bref « Avertissement ». Deux tirages en parurent, tous deux portant l'indication de lieu « A Peine ». Peine pour Paris ? discret symbole signalant sans doute l'une des significations du roman... La même année ou l'année suivante paraît la première « Suite », composée de sept lettres, fade pastiche qui, respectant à peu près le dénouement original, se contente de le retarder en prolongeant l'intrigue par un échange de lettres entre Déterville, Céline et Zilia. En 1749 sont lancées les *Lettres d'Aza ou d'un Péruvien,* dont l'auteur, resté mal connu, est l'essayiste et polygraphe Ignace Hugary de Lamarche-Courmont (1728-1768). Ce ne sont pas exactement des *réponses* aux lettres de Zilia : Aza n'a pas reçu les missives de sa fidèle amante, et c'est à son ami Kranhuiscap qu'il écrit la plus grande part des lettres (trente-cinq) du recueil. De Madrid où les Espagnols l'ont amené, il décrit à son tour les mœurs françaises (« Madrid » désigne évidemment Paris), mettant souvent dans sa critique plus d'audace que n'en avait Zilia, notamment en matière religieuse. Mais la conclusion montre bien la faiblesse d'imagination de Lamarche-Courmont : au lieu que chez Mme de Grafigny l'héroïne, inébranlable dans ses premiers sentiments, refuse son cœur à Déterville, et lui indique les charmes d'une amitié pure, naturelle, où s'épanouira leur bonheur d'exister, chez son rival masculin le héros Aza retrouve sa dignité compromise, et revient enfin à sa maîtresse péruvienne après quelques écarts de jalousie ; « Zilia m'est rendue, elle m'attend, je vole dans ses bras », conclut-il, avant de la ramener triomphalement, sur un vaisseau français, dans leur Pérou natal. Les *Lettres d'Aza* obtinrent un vif succès, et à partir de 1760 furent presque toujours jointes dans les éditions françaises à l'ouvrage de Mme de Grafigny.

L'édition définitive, nous l'avons vu, paraît en 1752. La romancière, dont le nom figure cette fois dans le privilège accordé à l'imprimeur, a procédé à d'assez nombreuses corrections de détail et surtout a introduit dans le corps du livre des adjonctions significatives, portant le nombre de lettres de trente-huit à quarante et une. Il s'agit pour elle, comme l'a montré Jürgen von Stackelberg, de renforcer le message « féministe » de l'œuvre, de relever les responsabilités d'une société essentiellement masculine, et de dégager le rôle néfaste de l'éducation superficielle donnée aux jeunes filles dans les couvents ; la lettre XXXIV, nouvelle, est très explicite sur ces points. La lettre XXIX, également nouvelle, juge avec la plus grande sévérité l'affectation française et l'insignifiance des rites de la vie sociale.

En 1774 un traducteur anglais, R. Roberts, fait imprimer une nouvelle « Suite », marquée par la conversion de Zilia au christianisme. Une quatrième « Suite » paraît enfin en 1797, œuvre de Mme Morel de Vindé (quinze lettres) : Aza a trahi non seulement ses premières amours, mais aussi sa religion et sa patrie ; Déterville est ruiné ; Zilia lui offre sa fortune, qu'il refuse d'abord ; il ne l'accepte qu'avec sa main, qu'elle lui accorde enfin. Céline, Déterville et Zilia trouvent donc ensemble un bonheur plus « normal » que celui qu'avait esquissé Mme de Grafigny, dénouement dont l'originalité ressort clairement de la comparaison avec ceux que proposèrent les quatre continuateurs.

On a souvent placé les *Lettres d'une Péruvienne* quelque part entre les *Portugaises* et les *Persanes* — parfois aussi non loin de l'abbé Prévost, sans oublier la dernière page de *La Princesse de Clèves*. Il est certain qu'au roman de Montesquieu Mme de Grafigny emprunta une part importante de son dessein, à savoir le « reportage fictif » sur un pays exotique, figure complémentaire de celle que constitue le « regard naïvement critique » porté sur la France par le voyageur étranger. Voltaire lui aussi et bien d'autres, au XVIIIe siècle, usèrent largement de ce double procédé : voir sur ce point l'Introduction, pages 45-46. Pour sa description des mœurs des Incas Mme de Grafigny a surtout puisé dans l'ouvrage classique du métis Garcilaso de la Vega, dont la traduction française, maintes fois rééditée aux XVIIe et XVIIIe siècles, venait de connaître un nouveau tirage à Paris en 1744. Elle y renvoie expressément dans certaines notes (lettres VII, XXI, XXVII). Mais l'appareil d'annotation assez détaillé, renforcé par l' « Introduction historique », est surtout destiné à atténuer le caractère utopique de la construction romanesque, en appuyant le contraste Pérou/Europe sur un système didactique de références. L'un des plus importants chapitres en est certainement la description des « quipos » : le moment où Zilia, ayant épuisé la provision de fils de soie nécessaire à ses nœuds, se résout à apprendre à lire, à écrire, puis à parler correctement la langue française, marque à peu près, vers le milieu du volume (lettres XVI à XIX), la transition entre l'amusante fiction exotique et le sérieux panorama critique des mœurs contemporaines ; on ne peut plus nettement indiquer l'importance de la fonction linguistique dans l'acquisition et la transmission des connaissances, et peut-être même dans le dialogue des cœurs (« l'intelligence des langues serait-elle celle de l'âme ? » interroge Zilia dans la lettre XIX : cette question capitale est développée dans l'Introduction, pages 47-49).

D'autres perspectives idéologiques pourraient être ouvertes de façon analogue. Ainsi ce « socialisme » qui fit l'objet d'un article de Louis Étienne dans la *Revue des Deux Mondes* de 1871, et qui n'affleure à vrai dire que dans quelques formules de Zilia de la lettre XX. Ou le pré-rousseauisme — de ton et d'idée — de certaines notations « existentialistes », telle celle-ci, empruntée à la lettre XXXIV : « Le premier sentiment que la nature a mis en nous est le plaisir d'être, [etc.] », qui sera développée dans les dernières lignes du livre : « Le plaisir d'être ; ce plaisir oublié, ignoré même de tant d'aveugles humains ;

cette pensée si douce, ce bonheur si pur, *je suis, je vis, j'existe,* pourrait seul rendre heureux, si l'on s'en souvenait, si l'on en jouissait, si l'on en connaissait le prix». Ou encore la revendication féministe, fermement lancée par celle que ses amis, toujours habitués aux sobriquets, appelaient «la Grosse», et qui certainement fut malheureuse sous plusieurs aspects de sa vie de femme. Ou enfin la critique sociale, qui, sans grande originalité certes, dénote pourtant une observation personnelle et attentive: Zilia, dans les premiers temps de son séjour en France, remarque lucidement les hypocrisies, les hontes cachées, les injustices et les inégalités, la désarmante futilité de la société parisienne. Souvent un écho de La Bruyère se fait entendre dans ces pages. Mais les pénibles expériences de la jeune fille reflètent aussi, en quelque sorte, celles qu'a faites Françoise de Grafigny à son arrivée à «Peine». C'est ainsi que dans les *Lettres d'une Péruvienne* se laissent apercevoir à la fois, sous les tournures gracieuses et les ornements conventionnels du langage, une esthétique, plus ou moins heureusement dissimulée, de la confession individuelle, une grande sensibilité aux goûts contemporains, et la volonté d'exprimer un certain nombre d'idées réformatrices.

Notre édition reproduit, à quelques détails près, le texte du roman tel qu'il figure dans l'édition complète de 1752. L'orthographe a été modernisée; la ponctuation n'a appelé que de rares corrections. Un problème délicat a été posé par les majuscules, que Zilia emploie à l'initiale d'un très grand nombre de substantifs, sans doute (si ce n'est seulement l'exagération de l'habitude typographique de l'époque) de façon à souligner l'étrangeté, quasi divine selon elle, des concepts qu'ils représentent; nous avons réduit à la minuscule nation, province, temple, contrée, sauvage, palais, amant, empire, lettre, religion, livre, lois, rois, législateur, seigneur, etc.; en revanche nous avons presque toujours conservé Soleil, Inca, Dieu, Ciel, Vierge, Créateur, etc. Pour les mots du langage inca nous gardons l'initiale majuscule lorsqu'il s'agit des humains (dignités, offices), et employons la minuscule pour les objets, tels que le maïs ou les quipos.

L'excellente édition critique établie par G. Nicoletti nous a grandement aidés à établir notre texte.

L'annotation est celle des éditions originales.

AVERTISSEMENT

Si la vérité, qui s'écarte du vraisemblable, perd ordinairement son crédit aux yeux de la raison, ce n'est pas sans retour; mais pour peu qu'elle contrarie le préjugé, rarement elle trouve grâce devant son tribunal.

Que ne doit donc pas craindre l'éditeur de cet ouvrage, en présentant au public les lettres d'une jeune Péruvienne, dont le style et les pensées ont si peu de rapport à l'idée médiocrement avantageuse qu'un injuste préjugé nous a fait prendre de sa nation.

Enrichis par les précieuses dépouilles du Pérou, nous devrions au moins regarder les habitants de cette partie du monde comme un peuple magnifique; et le sentiment du respect ne s'éloigne guère de l'idée de la magnificence.

Mais toujours prévenus en notre faveur, nous n'accordons du mérite aux autres nations qu'autant que leurs mœurs imitent les nôtres, que leur langue se rapproche de notre idiome. Comment peut-on être Persan [1] ?

Nous méprisons les Indiens; à peine accordons-nous une âme pensante à ces peuples malheureux; cependant leur histoire est entre les mains de tout le monde; nous y trouvons partout des monuments de la sagacité de leur esprit, et de la solidité de leur philosophie.

Un de nos plus grands poètes a crayonné les mœurs indiennes dans un poème dramatique, qui a dû contribuer à les faire connaître [2].

Avec tant de lumières répandues sur le caractère de ces

1. Lettres persanes.
2. Alzire.

peuples, il semble qu'on ne devrait pas craindre de voir passer pour une fiction des lettres originales, qui ne font que développer ce que nous connaissons déjà de l'esprit vif et naturel des Indiens ; mais le préjugé a-t-il des yeux ? Rien ne rassure contre son jugement, et l'on se serait bien gardé d'y soumettre cet ouvrage, si son empire était sans bornes.

Il semble inutile d'avertir que les premières lettres de Zilia ont été traduites par elle-même : on devinera aisément qu'étant composées dans une langue, et tracées d'une manière qui nous sont également inconnues, le recueil n'en serait pas parvenu jusqu'à nous, si la même main ne les eût écrites dans notre langue.

Nous devons cette traduction au loisir de Zilia dans sa retraite. La complaisance qu'elle a eue de les communiquer au chevalier Déterville, et la permission qu'il obtint de les garder les a fait passer jusqu'à nous.

On connaîtra facilement aux fautes de grammaire et aux négligences du style, combien on a été scrupuleux de ne rien dérober à l'esprit d'ingénuité qui règne dans cet ouvrage. On s'est contenté de supprimer un grand nombre de figures hors d'usage dans notre style : on n'en a laissé que ce qu'il en fallait pour faire sentir combien il était nécessaire d'en retrancher.

On a cru aussi pouvoir, sans rien changer au fond de la pensée, donner une tournure plus intelligible à de certains traits métaphysiques, qui auraient pu paraître obscurs. C'est la seule part que l'on ait à ce singulier ouvrage.

INTRODUCTION HISTORIQUE AUX *LETTRES PÉRUVIENNES*

Il n'y a point de peuple dont les connaissances sur son origine et son antiquité soient aussi bornées que celles des Péruviens. Leurs annales renferment à peine l'histoire de quatre siècles.

Mancocapac, selon la tradition de ces peuples, fut leur législateur, et leur premier Inca. Le Soleil, disait-il, qu'ils appelaient leur père, et qu'ils regardaient comme leur Dieu, touché de la barbarie dans laquelle ils vivaient depuis longtemps, leur envoya du Ciel deux de ses enfants, un fils et une fille, pour leur donner des lois, et les engager, en formant des villes et en cultivant la terre, à devenir des hommes raisonnables.

C'est donc à *Mancocapac* et à sa femme *Coya-Mama-Oello-Huaco* que les Péruviens doivent les principes, les mœurs et les arts qui en avaient fait un peuple heureux, lorsque l'avarice, du sein d'un monde dont ils ne soupçonnaient pas même l'existence, jeta sur leurs terres des tyrans dont la barbarie fit la honte de l'humanité et le crime de leur siècle.

Les circonstances où se trouvaient les Péruviens lors de la descente des Espagnols ne pouvaient être plus favorables à ces derniers. On parlait depuis quelque temps d'un ancien oracle qui annonçait qu'*après un certain nombre de rois, il arriverait dans leur pays des hommes extraordinaires, tels qu'on n'en avait jamais vu, qui envahiraient leur royaume et détruiraient leur religion.*

Quoique l'astronomie fût une des principales connaissances des Péruviens, ils s'effrayaient des prodiges ainsi que bien d'autres peuples. Trois cercles qu'on avait aperçus autour de la lune, et surtout quelques comètes, avaient répandu la terreur parmi eux ; une aigle poursuivie par d'autres oiseaux, la mer sortie de ses bornes, tout enfin rendait l'oracle aussi infaillible que funeste.

Le fils aîné du septième des Incas, dont le nom annonçait dans la langue péruvienne la fatalité de son époque [1], avait vu autrefois une figure fort différente de celle des Péruviens. Une barbe longue, une robe qui couvrait le spectre jusqu'aux pieds, un animal inconnu qu'il menait en laisse ; tout cela avait effrayé le jeune prince, à qui le fantôme avait dit qu'il était fils du Soleil, frère de *Mancocapac*, et qu'il s'appelait Viracocha. Cette fable ridicule s'était malheureusement conservée parmi les Péruviens, et dès qu'ils virent les Espagnols avec de grandes barbes, les jambes couvertes et montés sur des animaux dont ils n'avaient jamais connu l'espèce, ils crurent voir en eux les fils de ce Viracocha qui s'était dit fils du Soleil, et c'est de là que l'usurpateur se fit donner par les ambassadeurs qu'il leur envoya le titre de descendant du Dieu qu'ils adoraient : tout fléchit devant eux, le peuple est partout le même. Les Espagnols furent reconnus presque généralement pour des Dieux, dont on ne parvint point à calmer les fureurs par les dons les plus considérables et les hommages les plus humiliants.

Les Péruviens, s'étant aperçus que les chevaux des Espagnols mâchaient leurs freins, s'imaginèrent que ces monstres domptés, qui partageaient leur respect et peut-être leur culte, se nourrissaient de métaux, ils allaient leur chercher tout l'or et l'argent qu'ils possédaient, et les entouraient chaque jour de ces offrandes. On se borne à ce trait pour peindre la crédulité des habitants du Pérou, et la facilité que trouvèrent les Espagnols à les séduire.

Quelque hommage que les Péruviens eussent rendu à leurs tyrans, ils avaient trop laissé voir leurs immenses richesses pour obtenir des ménagements de leur part.

Un peuple entier, soumis et demandant grâce, fut passé au fil de l'épée. Tous les droits de l'humanité violés

1. Il s'appelait *Yahuarhuocac*, ce qui signifiait littéralement *Pleure-sang*.

laissèrent les Espagnols les maîtres absolus des trésors d'une des plus belles parties du monde. *Méchaniques victoires* (s'écrie Montaigne [1] en se rappelant le vil objet de ces conquêtes) *jamais l'ambition* (ajoute-t-il) *jamais les inimitiés publiques ne poussèrent les hommes les uns contre les autres à si horribles hostilités ou calamités si misérables*.

C'est ainsi que les Péruviens furent les tristes victimes d'un peuple avare qui ne leur témoigna d'abord que de la bonne foi et même de l'amitié. L'ignorance de nos vices et la naïveté de leurs mœurs les jetèrent dans les bras de leurs lâches ennemis. En vain des espaces infinis avaient séparé les villes du Soleil de notre monde, elles en devinrent la proie et le domaine le plus précieux.

Quel spectacle pour les Espagnols, que les jardins du temple du Soleil, où les arbres, les fruits et les fleurs étaient d'or, travaillés avec un art inconnu en Europe! Les murs du temple revêtus du même métal, un nombre infini de statues couvertes de pierres précieuses, et quantité d'autres richesses inconnues jusqu'alors éblouirent les conquérants de ce peuple infortuné. En donnant un libre cours à leurs cruautés, ils oublièrent que les Péruviens étaient des hommes.

Une analyse aussi courte des mœurs de ces peuples malheureux que celle qu'on vient de faire de leurs infortunes, terminera l'introduction qu'on a crue nécessaire aux Lettres qui vont suivre.

Ces peuples étaient en général francs et humains; l'attachement qu'ils avaient pour leur religion les rendait observateurs rigides des lois qu'ils regardaient comme l'ouvrage de *Mancocapac,* fils du Soleil qu'ils adoraient.

Quoique cet astre fût le seul Dieu auquel ils eussent érigé des temples, ils reconnaissaient au-dessus de lui un Dieu créateur qu'ils appelaient *Pachacamac,* c'était pour eux le *grand nom*. Le mot de Pachacamac ne se prononçait que rarement, et avec des signes de l'admiration la plus grande. Ils avaient aussi beaucoup de vénération pour la Lune, qu'ils traitaient de femme et de sœur du

1. Tome V, chap. VI, des Coches.

Soleil. Ils la regardaient comme la mère de toutes choses ; mais ils croyaient, comme tous les Indiens, qu'elle causerait la destruction du monde en se laissant tomber sur la terre qu'elle anéantirait par sa chute. Le tonnerre, qu'ils appelaient *Yalpor*, les éclaîrs et la foudre passaient parmi eux pour les ministres de la justice du Soleil, et cette idée ne contribua pas peu au saint respect que leur inspirèrent les premiers Espagnols, dont ils prirent les armes à feu pour des instruments du tonnerre.

L'opinion de l'immortalité de l'âme était établie chez les Péruviens ; ils croyaient, comme la plus grande partie des Indiens, que l'âme allait dans des lieux inconnus pour y être récompensée ou punie selon son mérite.

L'or et tout ce qu'ils avaient de plus précieux composaient les offrandes qu'ils faisaient au Soleil. Le *Raymi* était la principale fête de ce Dieu, auquel on présentait dans une coupe du *maïs*, espèce de liqueur forte que les Péruviens savaient extraire d'une de leurs plantes, et dont ils buvaient jusqu'à l'ivresse après les sacrifices.

Il y avait cent portes dans le temple superbe du Soleil. L'Inca régnant, qu'on appelait le Capa-Inca, avait seul le droit de les faire ouvrir ; c'était à lui seul aussi qu'appartenait le droit de pénétrer dans l'intérieur de ce temple.

Les Vierges consacrées au Soleil y étaient élevées presque en naissant, et y gardaient une perpétuelle virginité, sous la conduite de leurs *Mamas*, ou gouvernantes, à moins que les lois ne les destinassent à épouser des Incas, qui devaient toujours s'unir à leurs sœurs, ou à leur défaut à la première princesse du sang qui était Vierge du Soleil. Une des principales occupations de ces Vierges était de travailler aux diadèmes des Incas, dont une espèce de frange faisait toute la richesse.

Le temple était orné des différentes idoles des peuples qu'avaient soumis les Incas, après leur avoir fait accepter le culte du Soleil. La richesse des métaux et des pierres précieuses dont il était embelli le rendait d'une magnificence et d'un éclat dignes du Dieu qu'on y servait.

L'obéissance et le respect des Péruviens pour leurs rois étaient fondés sur l'opinion qu'ils avaient que le Soleil était le père de ces rois. Mais l'attachement et l'amour qu'ils avaient pour eux étaient le fruit de leurs propres vertus, et de l'équité des Incas.

On élevait la jeunesse avec tous les soins qu'exigeait l'heureuse simplicité de leur morale. La subordination n'effrayait point les esprits parce qu'on en montrait la nécessité de très bonne heure, et que la tyrannie et l'orgueil n'y avaient aucune part. La modestie et les égards mutuels étaient les premiers fondements de l'éducation des enfants ; attentifs à corriger leurs premiers défauts, ceux qui étaient chargés de les instruire arrêtaient les progrès d'une passion naissante [1], ou les faisaient tourner au bien de la société. Il est des vertus qui en supposent beaucoup d'autres. Pour donner une idée de celles des Péruviens, il suffit de dire qu'avant la descente des Espagnols, il passait pour constant qu'un Péruvien n'avait jamais menti.

Les *Amautas,* philosophes de cette nation, enseignaient à la jeunesse les découvertes qu'on avait faites dans les sciences. La nation était encore dans l'enfance à cet égard, mais elle était dans la force de son bonheur.

Les Péruviens avaient moins de lumières, moins de connaissances, moins d'arts que nous, et cependant ils en avaient assez pour ne manquer d'aucune chose nécessaire. Les *quapas* ou les *quipos* [2] leur tenaient lieu de notre art d'écrire. Des cordons de coton ou de boyau, auxquels d'autres cordons de différentes couleurs étaient attachés, leur rappelaient, par des nœuds placés de distance en distance, les choses dont ils voulaient se ressouvenir. Ils leur servaient d'annales, de codes, de rituels, de cérémonies, etc. Ils avaient des officiers publics, appelés *Quipocamaios,* à la garde desquels les quipos étaient confiés. Les finances, les comptes, les tributs, toutes les affaires, toutes les combinaisons étaient aussi aisément traités avec les *quipos* qu'ils auraient pu l'être par l'usage de l'écriture.

Le sage législateur du Pérou, Mancocapac, avait rendu

1. Voyez les cérémonies et coutumes religieuses, *Dissertations sur les peuples de l'Amérique,* chap. 13.

2. Les quipos du Pérou étaient aussi en usage parmi plusieurs peuples de l'Amérique méridionale.

sacrée la culture des terres ; elle s'y faisait en commun, et les jours de ce travail étaient des jours de réjouissance. Des canaux d'une étendue prodigieuse distribuaient partout la fraîcheur et la fertilité. Mais ce qui peut à peine se concevoir, c'est que sans aucun instrument de fer ni d'acier, et à force de bras seulement, les Péruviens avaient pu renverser des rochers, traverser les montagnes les plus hautes pour conduire leurs superbes aqueducs, ou les routes qu'ils pratiquaient dans tout leur pays.

On savait au Pérou autant de géométrie qu'il en fallait pour la mesure et le partage des terres. La médecine y était une science ignorée, quoiqu'on y eût l'usage de quelques secrets pour certains accidents particuliers. *Garcilasso* dit qu'ils avaient une sorte de musique, et même quelque genre de poésie. Leurs poètes, qu'ils appelaient *Hasavec,* composaient des espèces de tragédies et des comédies, que les fils des *Caciques* [1] ou des *Curacas* [2] représentaient pendant les fêtes devant les Incas et toute la cour.

La morale et la science des lois utiles au bien de la société étaient donc les seules choses que les Péruviens eussent apprises avec quelque succès. *Il faut avouer* (dit un historien [3]), *qu'ils ont fait de si grandes choses, et établi une si bonne police, qu'il se trouvera peu de nations qui puissent se vanter de l'avoir emporté sur eux en ce point.*

1. Caciques, espèce de gouverneurs de province.
2. Souverains d'une petite contrée ; ils ne se présentaient jamais devant les Incas et les reines sans leur offrir un tribut des curiosités que produisait la province où ils commandaient.
3. Puffendorf, *Introd. à l'Histoire*.

I

Aza! mon cher Aza! les cris de ta tendre Zilia, tels qu'une vapeur du matin, s'exhalent et sont dissipés avant d'arriver jusqu'à toi ; en vain je t'appelle à mon secours; en vain j'attends que tu viennes briser les chaînes de mon esclavage : hélas! peut-être les malheurs que j'ignore sont-ils les plus affreux! peut-être tes maux surpassent-ils les miens!

La ville du Soleil, livrée à la fureur d'une nation barbare, devrait faire couler mes larmes; et ma douleur, mes craintes, mon désespoir ne sont que pour toi.

Qu'as-tu fait dans ce tumulte affreux, chère âme de ma vie? Ton courage t'a-t-il été funeste ou inutile? Cruelle alternative! mortelle inquiétude! ô, mon cher Aza! que tes jours soient sauvés, et que je succombe, s'il le faut, sous les maux qui m'accablent!

Depuis le moment terrible (qui aurait dû être arraché de la chaîne du temps, et replongé dans les idées éternelles) depuis le moment d'horreur où ces sauvages impies m'ont enlevée au culte du Soleil, à moi-même, à ton amour; retenue dans une étroite captivité, privée de toute communication avec nos citoyens, ignorant la langue de ces hommes féroces dont je porte les fers, je n'éprouve que les effets du malheur, sans pouvoir en découvrir la cause. Plongée dans un abîme d'obscurité, mes jours sont semblables aux nuits les plus effrayantes.

Loin d'être touchés de mes plaintes, mes ravisseurs ne le sont pas même de mes larmes; sourds à mon langage, ils n'entendent pas mieux les cris de mon désespoir.

Quel est le peuple assez féroce pour n'être point ému

aux signes de la douleur? Quel désert aride a vu naître des humains insensibles à la voix de la nature gémissante? Les barbares maîtres d'*Yalpor*[1], fiers de la puissance d'exterminer! la cruauté est le seul guide de leurs actions. Aza! comment échapperas-tu à leur fureur? où es-tu? que fais-tu? si ma vie t'est chère, instruis-moi de ta destinée.

Hélas! que la mienne est changée! comment se peut-il que des jours si semblables entre eux aient par rapport à nous de si funestes différences? Le temps s'écoule, les ténèbres succèdent à la lumière; aucun dérangement ne s'aperçoit dans la nature; et moi, du suprême bonheur, je suis tombée dans l'horreur du désespoir, sans qu'aucun intervalle m'ait préparée à cet affreux passage.

Tu le sais, ô délices de mon cœur! ce jour horrible, ce jour à jamais épouvantable, devait éclairer le triomphe de notre union. A peine commençait-il à paraître, qu'impatiente d'exécuter un projet que ma tendresse m'avait inspiré pendant la nuit, je courus à mes *quipos*[2], et profitant du silence qui régnait encore dans le temple, je me hâtai de les nouer, dans l'espérance qu'avec leur secours je rendrais immortelle l'histoire de notre amour et de notre bonheur.

A mesure que je travaillais, l'entreprise me paraissait moins difficile; de moment en moment cet amas innombrable de cordons devenait sous mes doigts une peinture fidèle de nos actions et de nos sentiments, comme il était autrefois l'interprète de nos pensées, pendant les longs intervalles que nous passions sans nous voir.

Tout entière à mon occupation, j'oubliais le temps, lorsqu'un bruit confus réveilla mes esprits et fit tressaillir mon cœur.

Je crus que le moment heureux était arrivé, et que les cent portes[3] s'ouvraient pour laisser un libre passage au

1. Nom du tonnerre.
2. Un grand nombre de petits cordons de différentes couleurs dont les Indiens se servaient au défaut de l'écriture pour faire le paiement des troupes et le dénombrement du peuple. Quelques auteurs prétendent qu'ils s'en servaient aussi pour transmettre à la postérité les actions mémorables de leurs Incas.
3. Dans le temple du Soleil il y avait cent portes; l'*Inca* seul avait le pouvoir de les faire ouvrir.

Soleil de mes jours; je cachai précipitamment mes *quipos* sous un pan de ma robe, et je courus au-devant de tes pas.

Mais quel horrible spectacle s'offrit à mes yeux! Jamais son souvenir affreux ne s'effacera de ma mémoire.

Les pavés du temple ensanglantés, l'image du Soleil foulée aux pieds, des soldats furieux poursuivant nos Vierges éperdues et massacrant tout ce qui s'opposait à leur passage; nos *Mamas* [1] expirantes sous leurs coups, et dont les habits brûlaient encore du feu de leur tonnerre; les gémissements de l'épouvante, les cris de la fureur répandant de toutes parts l'horreur et l'effroi, m'ôtèrent jusqu'au sentiment.

Revenue à moi-même, je me trouvai, par un mouvement naturel et presque involontaire, rangée derrière l'autel que je tenais embrassé. Là immobile de saisissement, je voyais passer ces barbares; la crainte d'être aperçue arrêtait jusqu'à ma respiration.

Cependant je remarquai qu'ils ralentissaient les effets de leur cruauté à la vue des ornements précieux répandus dans le temple; qu'ils se saisissaient de ceux dont l'éclat les frappait davantage; et qu'ils arrachaient jusqu'aux lames d'or dont les murs étaient revêtus. Je jugeai que le larcin était le motif de leur barbarie, et que ne m'y opposant point, je pourrais échapper à leurs coups. Je formai le dessein de sortir du temple, de me faire conduire à ton palais, de demander au *Capa Inca* [2] du secours et un asile pour mes compagnes et pour moi; mais aux premiers mouvements que je fis pour m'éloigner, je me sentis arrêter: ô, mon cher Aza, j'en frémis encore! ces impies osèrent porter leurs mains sacrilèges sur la fille du Soleil.

Arrachée de la demeure sacrée, traînée ignominieusement hors du temple, j'ai vu pour la première fois le seuil de la porte céleste que je ne devais passer qu'avec les ornements de la royauté [3]; au lieu des fleurs que l'on aurait semées sur mes pas, j'ai vu les chemins couverts de

1. Espèce de gouvernantes des Vierges du Soleil.
2. Nom générique des Incas régnants.
3. Les Vierges consacrées au Soleil entraient dans le temple presque en naissant, et n'en sortaient que le jour de leur mariage.

sang et de mourants; au lieu des honneurs du trône que je devais partager avec toi, esclave de la tyrannie, enfermée dans une obscure prison, la place que j'occupe dans l'univers est bornée à l'étendue de mon être. Une natte baignée de mes pleurs reçoit mon corps fatigué par les tourments de mon âme; mais, cher soutien de ma vie, que tant de maux me seront légers, si j'apprends que tu respires!

Au milieu de cet horrible bouleversement, je ne sais par quel heureux hasard j'ai conservé mes *quipos*. Je les possède, mon cher Aza! C'est aujourd'hui le seul trésor de mon cœur, puisqu'il servira d'interprète à ton amour comme au mien; les mêmes nœuds qui t'apprendront mon existence, en changeant de forme entre tes mains, m'instruiront de ton sort. Hélas! par quelle voie pourrai-je les faire passer jusqu'à toi? Par quelle adresse pourront-ils m'être rendus? Je l'ignore encore; mais le même sentiment qui nous fit inventer leur usage nous suggérera les moyens de tromper nos tyrans. Quel que soit le *Chaqui* [1] fidèle qui te portera ce précieux dépôt, je ne cesserai d'envier son bonheur. Il te verra, mon cher Aza; je donnerais tous les jours que le Soleil me destine, pour jouir un seul moment de ta présence. Il te verra, mon cher Aza! Le son de ta voix frappera son âme de respect et de crainte. Il porterait dans la mienne la joie et le bonheur. Il te verra certain de ta vie: il la bénira en ta présence; tandis qu'abandonnée à l'incertitude, l'impatience de son retour desséchera mon sang dans mes veines. O mon cher Aza! tous les tourments des âmes tendres sont rassemblés dans mon cœur: un moment de ta vue les dissiperait; je donnerais ma vie pour en jouir.

II

Que l'arbre de la vertu, mon cher Aza, répande à jamais son ombre sur la famille du pieux citoyen qui a reçu sous ma fenêtre le mystérieux tissu de mes pensées,

1. Messager.

et qui l'a remis dans tes mains ! Que *Pachammac* [1] prolonge ses années en récompense de son adresse à faire passer jusqu'à moi les plaisirs divins avec ta réponse !

Les trésors de l'Amour me sont ouverts ; j'y puise une joie délicieuse dont mon âme s'enivre. En dénouant les secrets de ton cœur, le mien se baigne dans une mer parfumée. Tu vis, et les chaînes qui devaient nous unir ne sont pas rompues ! Tant de bonheur était l'objet de mes désirs, et non celui de mes espérances.

Dans l'abandon de moi-même, je ne craignais que pour tes jours ; ils sont en sûreté, je ne vois plus le malheur. Tu m'aimes, le plaisir anéanti renaît dans mon cœur. Je goûte avec transport la délicieuse confiance de plaire à ce que j'aime ; mais elle ne me fait point oublier que je te dois tout ce que tu daignes approuver en moi. Ainsi que la rose tire sa brillante couleur des rayons du Soleil, de même les charmes que tu trouves dans mon esprit et dans mes sentiments ne sont que les bienfaits de ton génie lumineux ; rien n'est à moi que ma tendresse.

Si tu étais un homme ordinaire, je serais restée dans l'ignorance à laquelle mon sexe est condamné ; mais ton âme, supérieure aux coutumes, ne les a regardées que comme des abus ; tu en as franchi les barrières pour m'élever jusqu'à toi. Tu n'as pu souffrir qu'un être semblable au tien fût borné à l'humiliant avantage de donner la vie à ta postérité. Tu as voulu que nos divins *Amautas* [2] ornassent mon entendement de leurs sublimes connaissances. Mais, ô lumière de ma vie, sans le désir de te plaire, aurais-je pu me résoudre à abandonner ma tranquille ignorance pour la pénible occupation de l'étude ? Sans le désir de mériter ton estime, ta confiance, ton respect, par des vertus qui fortifient l'amour, et que l'amour rend voluptueuses, je ne serais que l'objet de tes yeux ; l'absence m'aurait déjà effacée de ton souvenir.

Hélas ! si tu m'aimes encore pourquoi suis-je dans l'esclavage ? En jetant mes regards sur les murs de ma prison, ma joie disparaît, l'horreur me saisit, et mes

1. Le Dieu créateur, plus puissant que le Soleil.
2. Philosophes indiens.

craintes se renouvellent. On ne t'a point ravi la liberté, tu ne viens pas à mon secours; tu es instruit de mon sort, il n'est pas changé. Non, mon cher Aza, ces peuples féroces, que tu nommes Espagnols, ne te laissent pas aussi libre que tu crois l'être. Je vois autant de signes d'esclavage dans les honneurs qu'ils te rendent que dans la captivité où ils me retiennent.

Ta bonté te séduit; tu crois sincères les promesses que ces barbares te font faire par leur interprète, parce que tes paroles sont inviolables; mais moi qui n'entends pas leur langage, moi qu'ils ne trouvent pas digne d'être trompée, je vois leurs actions.

Tes sujets les prennent pour des Dieux, ils se rangent de leur parti : ô mon cher Aza ! malheur au peuple que la crainte détermine ! Sauve-toi de cette erreur, défie-toi de la fausse bonté de ces étrangers. Abandonne ton empire, puisque *Viracocha* en a prédit la destruction. Achète ta vie et ta liberté au prix de ta puissance, dc ta grandeur, de tes trésors : il ne te restera que les dons de la nature. Nos jours seront en sûreté.

Riches de la possession de nos cœurs, grands par nos vertus, puissants par notre modération, nous irons dans une cabane jouir du ciel, de la terre et de notre tendresse. Tu seras plus roi en régnant sur mon âme, qu'en doutant de l'affection d'un peuple innombrable : ma soumission à tes volontés te fera jouir sans tyrannie du beau droit de commander. En t'obéissant je ferai retentir ton empire de mes chants d'allégresse; ton diadème [1] sera toujours l'ouvrage de mes mains; tu ne perdras de ta royauté que les soins et les fatigues.

Combien de fois, chère âme de ma vie, tu t'es plaint des devoirs de ton rang ! Combien les cérémonies, dont tes visites étaient accompagnées, t'ont-elles fait envier le sort de tes sujets ! Tu n'aurais voulu vivre que pour moi, craindrais-tu à présent de perdre tant de contraintes ? Ne suis-je plus cette Zilia que tu aurais préférée à ton em-

1. Le diadème des Incas était une espèce de frange : c'était l'ouvrage des Vierges du Soleil.

pire? Non, je ne puis le croire, mon cœur n'est point changé, pourquoi le tien le serait-il?

J'aime, je vois toujours le même Aza qui régna dans mon âme au premier moment de sa vue; je me rappelle ce jour fortuné, où ton père, mon souverain seigneur, te fit partager, pour la première fois, le pouvoir réservé à lui seul d'entrer dans l'intérieur du temple[1]; je me représente le spectacle agréable de nos Vierges rassemblées, dont la beauté recevait un nouveau lustre par l'ordre charmant dans lequel elles étaient rangées, telles que dans un jardin les plus brillantes fleurs tirent un nouvel éclat de la symétrie de leurs compartiments.

Tu parus au milieu de nous comme un Soleil levant dont la tendre lumière prépare la sérénité d'un beau jour; le feu de tes yeux répandait sur nos joues le coloris de la modestie, un embarras ingénu tenait nos regards captifs; une joie brillante éclatait dans les tiens; tu n'avais jamais rencontré tant de beautés ensemble. Nous n'avions jamais vu que le *Capa-Inca :* l'étonnement et le silence régnaient de toutes parts. Je ne sais quelles étaient les pensées de mes compagnes; mais de quels sentiments mon cœur ne fut-il point assailli! Pour la première fois j'éprouvai du trouble, de l'inquiétude, et cependant du plaisir. Confuse des agitations de mon âme, j'allais me dérober à ta vue; mais tu tournas tes pas vers moi, le respect me retint.

O mon cher Aza, le souvenir de ce premier moment de mon bonheur me sera toujours cher! Le son de ta voix, ainsi que le chant mélodieux de nos hymnes, porta dans mes veines le doux frémissement et le saint respect que nous inspire la présence de la Divinité.

Tremblante, interdite, la timidité m'avait ravi jusqu'à l'usage de la voix; enhardie enfin par la douceur de tes paroles, j'osai élever mes regards jusqu'à toi, je rencontrai les tiens. Non, la mort même n'effacera pas de ma mémoire les tendres mouvements de nos âmes qui se rencontrèrent, et se confondirent dans un instant.

Si nous pouvions douter de notre origine, mon cher Aza, ce trait de lumière confondrait notre incertitude.

1. L'Inca régnant avait seul le droit d'entrer dans le temple du Soleil.

Quel autre que le principe du feu aurait pu nous transmettre cette vive intelligence des cœurs, communiquée, répandue et sentie avec une rapidité inexplicable ?

J'étais trop ignorante sur les effets de l'amour pour ne pas m'y tromper. L'imagination remplie de la sublime théologie de nos *Cucipatas* [1], je pris le feu qui m'animait pour une agitation divine, je crus que le Soleil me manifestait sa volonté par ton organe, qu'il me choisissait pour son épouse d'élite [2] : j'en soupirai, mais après ton départ, j'examinai mon cœur, et je n'y trouvai que ton image.

Quel changement, mon cher Aza, ta présence avait fait sur moi ! tous les objets me parurent nouveaux ; je crus voir mes compagnes pour la première fois. Qu'elles me parurent belles ! je ne pus soutenir leur présence ; retirée à l'écart, je me livrais au trouble de mon âme, lorsqu'une d'entre elles vint me tirer de ma rêverie, en me donnant de nouveaux sujets de m'y livrer. Elle m'apprit qu'étant ta plus proche parente, j'étais destinée à être ton épouse dès que mon âge permettrait cette union.

J'ignorais les lois de ton empire [3] ; mais depuis que je t'avais vu, mon cœur était trop éclairé pour ne pas saisir l'idée du bonheur d'être à toi. Cependant, loin d'en connaître toute l'étendue, accoutumée au nom sacré d'épouse du Soleil, je bornais mon espérance à te voir tous les jours, à t'adorer, à t'offrir des vœux comme à lui.

C'est toi, mon cher Aza, c'est toi qui dans la suite comblas mon âme de délices en m'apprenant que l'auguste rang de ton épouse m'associerait à ton cœur, à ton trône, à ta gloire, à tes vertus ; que je jouirais sans cesse de ces entretiens si rares et si courts au gré de nos désirs, de ces entretiens qui ornaient mon esprit des perfections de ton âme, et qui ajoutaient à mon bonheur la délicieuse espérance de faire un jour le tien.

O mon cher Aza, combien ton impatience contre mon

1. Prêtres du Soleil.

2. Il y avait une Vierge choisie pour le Soleil, qui ne devait jamais être mariée.

3. Les lois des Indiens obligeaient les Incas d'épouser leurs sœurs, et quand ils n'en avaient point, de prendre pour femme la première princesse du sang des Incas, qui était Vierge du Soleil.

extrême jeunesse, qui retardait notre union, était flatteuse pour mon cœur ! combien les deux années qui se sont écoulées t'ont paru longues, et cependant que leur durée a été courte ! Hélas, le moment fortuné était arrivé. Quelle fatalité l'a rendu si funeste ? quel Dieu poursuit ainsi l'innocence et la vertu ? Ou quelle puissance infernale nous a séparés de nous-mêmes ? L'horreur me saisit, mon cœur se déchire, mes larmes inondent mon ouvrage. Aza ! mon cher Aza !...

III

C'est toi, chère lumière de mes jours, c'est toi qui me rappelles à la vie ; voudrais-je la conserver, si je n'étais assurée que la mort aurait moissonné d'un seul coup tes jours et les miens ! Je touchais au moment où l'étincelle du feu divin dont le Soleil anime notre être allait s'éteindre : la nature laborieuse se préparait déjà à donner une autre forme à la portion de matière qui lui appartient en moi ; je mourais : tu perdais pour jamais la moitié de toi-même, lorsque mon amour m'a rendu la vie, et je t'en fais un sacrifice. Mais comment pourrais-je t'instruire des choses surprenantes qui me sont arrivées ? Comment me rappeler des idées déjà confuses au moment où je les ai reçues, et que le temps qui s'est écoulé depuis rend encore moins intelligibles ?

A peine, mon cher Aza, avais-je confié à notre fidèle *Chaqui* le dernier tissu de mes pensées, que j'entendis un grand mouvement dans notre habitation : vers le milieu de la nuit, deux de mes ravisseurs vinrent m'enlever de ma sombre retraite, avec autant de violence qu'ils en avaient employé à m'arracher du temple du Soleil.

Je ne sais par quel chemin on me conduisit ; on ne marchait que la nuit, et le jour on s'arrêtait dans des déserts arides, sans chercher aucune retraite. Bientôt succombant à la fatigue, on me fit porter par je ne sais quels *Hamas,* dont les mouvements me fatiguaient presque autant que si j'eusse marché moi-même. Enfin, arrivés apparemment où l'on voulait aller, une nuit ces barbares me portèrent sur leurs bras dans une maison dont les approches, malgré l'obscurité, me parurent extrêmement difficiles. Je fus placée dans un lieu plus étroit et plus incommode que n'avait jamais été ma première prison. Mais, mon cher Aza ! pourrais-je te persuader ce que je ne comprends pas moi-même, si tu n'étais assuré que le mensonge n'a jamais souillé les lèvres d'un enfant du Soleil [1] ! Cette maison, que j'ai jugée être fort grande, par la quantité de monde qu'elle contenait ; cette maison, comme suspendue, et ne tenant point à la terre, était dans un balancement continuel.

Il faudrait, ô lumière de mon esprit, que *Ticaiviracocha* eût comblé mon âme comme la tienne de sa divine science, pour pouvoir comprendre ce prodige. Toute la connaissance que j'en ai, est que cette demeure n'a pas été construite par un être ami des hommes : car, quelques moments après que j'y fus entrée, son mouvement continuel, joint à une odeur malfaisante, me causa un mal si violent, que je suis étonnée de n'y avoir pas succombé : ce n'était que le commencement de mes peines.

Un temps assez long s'était écoulé, je ne souffrais presque plus, lorsqu'un matin je fus arrachée au sommeil par un bruit plus affreux que celui d'*Yalpa :* notre habitation en recevait des ébranlements tels que la terre en éprouvera lorsque la lune, en tombant, réduira l'univers en poussière [2]. Des cris, qui se joignirent à ce fracas, le rendaient encore plus épouvantable ; mes sens, saisis d'une horreur secrète, ne portaient à mon âme que l'idée de la destruction de la nature entière. Je croyais le péril universel ; je tremblais pour tes jours : ma frayeur s'accrut enfin jusqu'au dernier excès à la vue d'une troupe d'hommes en fureur, le visage et les habits ensanglantés, qui se jetèrent en tumulte dans ma chambre. Je ne soutins pas cet horrible spectacle, la force et la connaissance m'abandonnèrent : j'ignore encore la suite de ce terrible événement. Revenue à moi-même, je me trouvai dans un lit assez propre, entourée de plusieurs sauvages qui

1. Il passait pour constant qu'un Péruvien n'avait jamais menti.
2. Les Indiens croyaient que la fin du monde arriverait par la lune, qui se laisserait tomber sur la terre.

n'étaient plus les cruels Espagnols, mais qui ne m'étaient pas moins inconnus.

Peux-tu te représenter ma surprise en me trouvant dans une demeure nouvelle, parmi des hommes nouveaux, sans pouvoir comprendre comment ce changement avait pu se faire ? Je refermai promptement les yeux, afin que plus recueillie en moi-même, je pusse m'assurer si je vivais, ou si mon âme n'avait point abandonné mon corps pour passer dans les régions inconnues [1].

Te l'avouerai-je, chère idole de mon cœur : fatiguée d'une vie odieuse, rebutée de souffrir des tourments de toute espèce, accablée sous le poids de mon horrible destinée, je regardai avec indifférence la fin de ma vie que je sentais approcher : je refusai constamment tous les secours que l'on m'offrait ; en peu de jours je touchai au terme fatal, et j'y touchai sans regret.

L'épuisement des forces anéantit le sentiment ; déjà mon imagination affaiblie ne recevait plus d'images que comme un léger dessin tracé par une main tremblante ; déjà les objets qui m'avaient le plus affectée n'excitaient en moi que cette sensation vague, que nous éprouvons en nous laissant aller à une rêverie indéterminée ; je n'étais presque plus. Cet état, mon cher Aza, n'est pas si fâcheux que l'on croit : de loin il nous effraye, parce que nous y pensons de toutes nos forces ; quand il est arrivé, affaiblis par les gradations des douleurs qui nous y conduisent, le moment décisif ne paraît que celui du repos. Cependant j'éprouvai que le penchant naturel qui nous porte durant la vie à pénétrer dans l'avenir, et même dans celui qui ne sera plus pour nous, semble reprendre de nouvelles forces au moment de la perdre. On cesse de vivre pour soi ; on veut savoir comment on vivra dans ce qu'on aime. Ce fut dans un de ces délires de mon âme que je me crus transportée dans l'intérieur de ton palais ; j'y arrivais dans le moment où l'on venait de t'apprendre ma mort. Mon imagination me peignit si vivement ce qui devait se passer, que la vérité même n'aurait pas eu plus de pouvoir :

1. Les Indiens croyaient qu'après la mort l'âme allait dans des lieux inconnus pour y être récompensée ou punie selon son mérite.

je te vis, mon cher Aza, pâle, défiguré, privé de sentiment, tel qu'un lys desséché par la brûlante ardeur du Midi. L'amour est-il donc quelquefois barbare ? Je jouissais de ta douleur, je l'excitais par de tristes adieux ; je trouvais de la douceur, peut-être du plaisir à répandre sur tes jours le poison des regrets ; et ce même amour qui me rendait féroce déchirait mon cœur par l'horreur de tes peines. Enfin, réveillée comme d'un profond sommeil, pénétrée de ta propre douleur, tremblante pour ta vie, je demandai des secours, je revis la lumière.

Te reverrai-je, toi, cher arbitre de mon existence ? Hélas ! qui pourra m'en assurer ? Je ne sais plus où je suis ; peut-être est-ce loin de toi. Mais dussions-nous être séparés par les espaces immenses qu'habitent les enfants du Soleil, le nuage léger de mes pensées volera sans cesse autour de toi.

IV

Quel que soit l'amour de la vie, mon cher Aza, les peines le diminuent, le désespoir l'éteint. Le mépris que la nature semble faire de notre être, en l'abandonnant à la douleur, nous révolte d'abord ; ensuite l'impossibilité de nous en délivrer nous prouve une insuffisance si humiliante, qu'elle nous conduit jusqu'au dégoût de nous-mêmes.

Je ne vis plus en moi ni pour moi ; chaque instant où je respire est un sacrifice que je fais à ton amour, et de jour en jour il devient plus pénible ; si le temps apporte quelque soulagement à la violence du mal qui me dévore, il redouble les souffrances de mon esprit. Loin d'éclaircir mon sort, il semble le rendre encore plus obscur. Tout ce qui m'environne m'est inconnu, tout m'est nouveau, tout intéresse ma curiosité, et rien ne peut la satisfaire. En vain j'emploie mon attention et mes efforts pour entendre, ou pour être entendue ; l'un et l'autre me sont également impossibles. Fatiguée de tant de peines inutiles, je crus en tarir la source, en dérobant à mes yeux l'impression qu'ils recevaient des objets : je m'obstinai quelque temps à les tenir fermés ; efforts infructueux ! les ténèbres volontaires auxquelles je m'étais condamnée ne soulageaient que ma modestie toujours blessée de la vue de ces hommes, dont les services et les secours sont autant de supplices ; mais mon âme n'en était pas moins agitée. Renfermée en moi-même, mes inquiétudes n'en étaient que plus vives, et le désir de les exprimer plus violent. L'impossibilité de me faire entendre répand encore jusque sur mes organes un tourment non moins insupportable que des douleurs qui auraient une réalité plus apparente. Que cette situation est cruelle !

Hélas ! je croyais déjà entendre quelques mots des sauvages espagnols ; j'y trouvais des rapports avec notre auguste langage ; je me flattais qu'en peu de temps je pourrais m'expliquer avec eux : loin de trouver le même avantage avec mes nouveaux tyrans, ils s'expriment avec tant de rapidité, que je ne distingue pas même les inflexions de leur voix. Tout me fait juger qu'ils ne sont pas de la même nation ; et à la différence de leurs manières, et de leur caractère apparent, on devine sans peine que *Pachacamac* leur a distribué dans une grande disproportion les éléments dont il a formé les humains. L'air grave et farouche des premiers fait voir qu'ils sont composés de la matière des plus durs métaux, ceux-ci semblent s'être échappés des mains du Créateur au moment où il n'avait encore assemblé pour leur formation que l'air et le feu : les yeux fiers, la mine sombre et tranquille de ceux-là, montraient assez qu'ils étaient cruels de sang-froid ; l'inhumanité de leurs actions ne l'a que trop prouvé. Le visage riant de ceux-ci, la douceur de leur regard, un certain empressement répandu sur leurs actions, et qui paraît être de la bienveillance, prévient en leur faveur ; mais je remarque des contradictions dans leur conduite qui suspendent mon jugement.

Deux de ces sauvages ne quittent presque pas le chevet de mon lit : l'un, que j'ai jugé être le *Cacique* [1] à son air de grandeur, me rend, je crois, à sa façon, beaucoup de respect ; l'autre me donne une partie des secours qu'exige

1. *Cacique* est une espèce de gouverneur de province.

ma maladie ; mais sa bonté est dure, ses secours sont cruels, et sa familiarité impérieuse.

Dès le premier moment où, revenue de ma faiblesse, je me trouvai en leur puissance, celui-ci, car je l'ai bien remarqué, plus hardi que les autres, voulut prendre ma main, que je retirai avec une confusion inexprimable ; il parut surpris de ma résistance, et sans aucun égard pour la modestie, il la reprit à l'instant : faible, mourante, et ne prononçant que des paroles qui n'étaient point entendues, pouvais-je l'en empêcher ? Il la garda, mon cher Aza, tout autant qu'il voulut, et depuis ce temps il faut que je la lui donne moi-même plusieurs fois par jour, si je veux éviter des débats qui tournent toujours à mon désavantage.

Cette espèce de cérémonie [1] me paraît une superstition de ces peuples : j'ai cru remarquer que l'on y trouvait des rapports avec mon mal ; mais il faut apparemment être de leur nation pour en sentir les effets ; car je n'en éprouve que très peu : je souffre toujours d'un feu intérieur qui me consume ; à peine me reste-t-il assez de force pour nouer mes *quipos*. J'emploie à cette occupation autant de temps que ma faiblesse peut me le permettre : ces nœuds qui frappent mes sens, semblent donner plus de réalité à mes pensées ; la sorte de ressemblance que je m'imagine qu'ils ont avec les paroles, me fait une illusion qui trompe ma douleur : je crois te parler, te dire que je t'aime, t'assurer de mes vœux, de ma tendresse ; cette douce erreur est mon bien et ma vie. Si l'excès d'accablement m'oblige d'interrompre mon ouvrage, je gémis de ton absence ; ainsi, tout entière à ma tendresse, il n'y a pas un de mes moments qui ne t'appartienne.

Hélas ! quel autre usage pourrais-je en faire ? O mon cher Aza ! quand tu ne serais pas le maître de mon âme, quand les chaînes de l'amour ne m'attacheraient pas inséparablement à toi, plongée dans un abîme d'obscurité, pourrais-je détourner mes pensées de la lumière de ma vie ? Tu es le Soleil de mes jours, tu les éclaires, tu les prolonges, ils sont à toi. Tu me chéris, je consens à vivre. Que feras-tu pour moi ? tu m'aimeras, je suis récompensée.

1. Les Indiens n'avaient aucune connaissance de la médecine.

V

Que j'ai souffert, mon cher Aza, depuis les derniers nœuds que je t'ai consacrés ! La privation de mes *quipos* manquait au comble de mes peines ; dès que mes officieux persécuteurs se sont aperçus que ce travail augmentait mon accablement, ils m'en ont ôté l'usage.

On m'a enfin rendu le trésor de ma tendresse, mais je l'ai acheté par bien des larmes. Il ne me reste que cette expression de mes sentiments ; il ne me reste que la triste consolation de te peindre mes douleurs, pouvais-je la perdre sans désespoir ?

Mon étrange destinée m'a ravi jusqu'à la douceur que trouvent les malheureux à parler de leurs peines : on croit être plaint quand on est écouté, une partie de notre chagrin passe sur le visage de ceux qui nous écoutent ; quel qu'en soit le motif, il semble nous soulager. Je ne puis me faire entendre, et la gaieté m'environne.

Je ne puis même jouir paisiblement de la nouvelle espèce de désert où me réduit l'impuissance de communiquer mes pensées. Entourée d'objets importuns, leurs regards attentifs troublent la solitude de mon âme, contraignent les attitudes de mon corps, et portent la gêne jusque dans mes pensées : il m'arrive souvent d'oublier cette heureuse liberté que la nature nous a donnée de rendre nos sentiments impénétrables, et je crains quelquefois que ces sauvages curieux ne devinent les réflexions désavantageuses que m'inspire la bizarrerie de leur conduite, je me fais une étude gênante d'arranger mes pensées comme s'ils pouvaient les pénétrer malgré moi.

Un moment détruit l'opinion qu'un autre moment m'avait donnée de leur caractère et de leur façon de penser à mon égard.

Sans compter un nombre infini de petites contradictions, ils me refusent, mon cher Aza, jusqu'aux aliments nécessaires au soutien de la vie, jusqu'à la liberté de choisir la place où je veux être : ils me retiennent par une espèce de violence dans ce lit, qui m'est devenu insupportable : je dois donc croire qu'ils me regardent comme leur esclave, et que leur pouvoir est tyrannique.

D'un autre côté, si je réfléchis sur l'envie extrême qu'ils témoignent de conserver mes jours, sur le respect dont ils accompagnent les services qu'ils me rendent, je suis tentée de penser qu'ils me prennent pour un être d'une espèce supérieure à l'humanité.

Aucun d'eux ne paraît devant moi sans courber son corps plus ou moins, comme nous avons coutume de faire en adorant le Soleil. Le *Cacique* semble vouloir imiter le cérémonial des Incas au jour du *Raymi* [1]. Il se met sur ses genoux fort près de mon lit, il reste un temps considérable dans cette posture gênante : tantôt il garde le silence, et les yeux baissés, il semble rêver profondément : je vois sur son visage cet embarras respectueux que nous inspire *le grand Nom* [2] prononcé à haute voix. S'il trouve l'occasion de saisir ma main, il y porte sa bouche avec la même vénération que nous avons pour le sacré diadème [3]. Quelquefois il prononce un grand nombre de mots qui ne ressemblent point au langage ordinaire de sa nation. Le son en est plus doux, plus distinct, plus mesuré ; il y joint cet air touché qui précède les larmes, ces soupirs qui expriment les besoins de l'âme, ces accents qui sont presque des plaintes ; enfin tout ce qui accompagne le désir d'obtenir des grâces. Hélas ! mon cher Aza, s'il me connaissait bien, s'il n'était pas dans quelque erreur sur mon être, quelle prière aurait-il à me faire ?

Cette nation ne serait-elle point idolâtre ? Je n'ai encore vu faire aucune adoration au Soleil ; peut-être prennent-ils les femmes pour l'objet de leur culte. Avant que le Grand *Manco-Capac* [4] eût apporté sur la terre les volontés du Soleil, nos ancêtres divinisaient tout ce qui les frappait de

1. Le *Raymi*, principale fête du Soleil : l'Inca et les prêtres l'adoraient à genoux.

2. Le grand Nom était *Pachacamac*, on ne le prononçait que rarement, et avec beaucoup de signes d'adoration.

3. On baisait le diadème de *Manco-Capac*, comme nous baisons les reliques de nos saints.

4. Premier législateur des Indiens. Voyez l'*Histoire des Incas*.

crainte ou de plaisir : peut-être ces sauvages n'éprouvent-ils ces deux sentiments que pour les femmes.

Mais, s'ils m'adoraient, ajouteraient-ils à mes malheurs l'affreuse contrainte où ils me retiennent ? Non, ils chercheraient à me plaire, ils obéiraient aux signes de mes volontés ; je serais libre, je sortirais de cette odieuse demeure ; j'irais chercher le maître de mon âme ; un seul de ses regards effacerait le souvenir de tant d'infortunes.

VI

Quelle horrible surprise, mon cher Aza ! Que nos malheurs sont augmentés ! Que nous sommes à plaindre ! Nos maux sont sans remède : il ne me reste qu'à te l'apprendre et à mourir.

On m'a enfin permis de me lever, j'ai profité avec empressement de cette liberté ; je me suis traînée à une petite fenêtre qui depuis longtemps était l'objet de mes désirs curieux ; je l'ai ouverte avec précipitation : Qu'ai-je vu ! Cher amour de ma vie ! Je ne trouverai point d'expressions pour te peindre l'excès de mon étonnement, et le mortel désespoir qui m'a saisie en ne découvrant autour de moi que ce terrible élément dont la vue seule fait frémir.

Mon premier coup d'œil ne m'a que trop éclairée sur le mouvement incommode de notre demeure. Je suis dans une de ces maisons flottantes dont les Espagnols se sont servis pour atteindre jusqu'à nos malheureuses contrées, et dont on ne m'avait fait qu'une description très imparfaite.

Conçois-tu, cher Aza, quelles idées funestes sont entrées dans mon âme avec cette affreuse connaissance ? Je suis certaine que l'on m'éloigne de toi ; je ne respire plus le même air, je n'habite plus le même élément : tu ignoreras toujours où je suis, si je t'aime, si j'existe ; la destruction de mon être ne paraîtra pas même un événement assez considérable pour être porté jusqu'à toi. Cher arbitre de mes jours, de quel prix te peut être désormais ma vie infortunée ? Souffre que je rende à la Divinité un bienfait insupportable dont je ne veux plus jouir ; je ne te verrai plus, je ne veux plus vivre.

Je perds ce que j'aime, l'univers est anéanti pour moi ; il n'est plus qu'un vaste désert que je remplis des cris de mon amour ; entends-les, cher objet de ma tendresse ; sois-en touché ; permets que je meure...

Quelle erreur me séduit ! Non, mon cher Aza, non, ce n'est pas toi qui m'ordonnes de vivre, c'est la timide nature qui, en frémissant d'horreur, emprunte ta voix plus puissante que la sienne pour retarder une fin toujours redoutable pour elle ; mais, c'en est fait, le moyen le plus prompt me délivrera de ses regrets...

Que la mer abîme à jamais dans ses flots ma tendresse malheureuse, ma vie et mon désespoir.

Reçois, trop malheureux Aza, reçois les derniers sentiments de mon cœur, il n'a reçu que ton image, il ne voulait vivre que pour toi, il meurt rempli de ton amour. Je t'aime, je le pense, je le sens encore, je le dis pour la dernière fois...

VII

Aza, tu n'as pas tout perdu ; tu règnes encore sur un cœur ; je respire. La vigilance de mes surveillants a rompu mon funeste dessein, il ne me reste que la honte d'en avoir tenté l'exécution. Je ne t'apprendrai point les circonstances d'un projet aussitôt détruit que formé. Oserais-je jamais lever les yeux jusqu'à toi, si tu avais été témoin de mon emportement ?

Ma raison, anéantie par le désespoir, ne m'était plus d'aucun secours ; ma vie ne me paraissait d'aucun prix, j'avais oublié ton amour.

Que le sang-froid est cruel après la fureur ! que les points de vue sont différents sur les mêmes objets ! Dans l'horreur du désespoir on prend la férocité pour du courage, et la crainte des souffrances pour de la fermeté. Qu'un mot, un regard, une surprise nous rappelle à nous-mêmes, nous ne trouvons que de la faiblesse pour principe de notre héroïsme, pour fruit que le repentir, et que le mépris pour récompense.

La connaissance de ma faute en est la plus sévère punition. Abandonnée à l'amertume des remords, ensevelie sous le voile de la honte, je me tiens à l'écart ; je crains que mon corps n'occupe trop de place : je voudrais le dérober à la lumière ; mes pleurs coulent en abondance, ma douleur est calme, nul son ne l'exhale ; mais je suis toute à elle. Puis-je trop expier mon crime ? Il était contre toi.

En vain depuis deux jours, ces sauvages bienfaisants voudraient me faire partager la joie qui les transporte ; je ne fais qu'en soupçonner la cause ; mais quand elle me serait plus connue, je ne me trouverais pas digne de me mêler à leurs fêtes. Leurs danses, leurs cris de joie, une liqueur rouge semblable au maïs [1], dont ils boivent abondamment, leur empressement à contempler le Soleil par tous les endroits d'où ils peuvent l'apercevoir, ne me laisseraient pas douter que cette réjouissance ne se fît en l'honneur de l'astre divin, si la conduite du *Cacique* était conforme à celle des autres.

Mais, loin de prendre part à la joie publique, depuis la faute que j'ai commise, il n'en prend qu'à ma douleur. Son zèle est plus respectueux, ses soins plus assidus, son attention plus pénétrante.

Il a deviné que la présence continuelle des sauvages de sa suite ajoutait la contrainte à mon affliction, il m'a délivrée de leurs regards importuns, je n'ai presque plus que les siens à supporter.

Le croirais-tu, mon cher Aza ? il y a des moments où je trouve de la douceur dans ces entretiens muets ; le feu de ses yeux me rappelle l'image de celui que j'ai vu dans les tiens ; j'y trouve des rapports qui séduisent mon cœur. Hélas ! que cette illusion est passagère, et que les regrets qui la suivent sont durables ! ils ne finiront qu'avec ma vie, puisque je ne vis que pour toi.

1. Le *maïs* est une plante dont les Indiens font une boisson forte et salutaire ; ils en présentent au Soleil les jours de ses fêtes, et ils en boivent jusqu'à l'ivresse après le sacrifice. Voyez l'*Hist. des Incas*, t. 2, p. 151.

VIII

Quand un seul objet réunit toutes nos pensées, mon cher Aza, les événements ne nous intéressent que par les rapports que nous y trouvons avec lui. Si tu n'étais le seul mobile de mon âme, aurais-je passé, comme je viens de faire, de l'horreur du désespoir à l'espérance la plus douce ? Le *Cacique* avait déjà essayé plusieurs fois inutilement de me faire approcher de cette fenêtre, que je ne regarde plus sans frémir. Enfin, pressée par de nouvelles instances, je me suis laissé conduire. Ah ! mon cher Aza, que j'ai été bien récompensée de ma complaisance !

Par un prodige incompréhensible, en me faisant regarder à travers une espèce de canne percée, il m'a fait voir la terre dans un éloignement où, sans le secours de cette merveilleuse machine, mes yeux n'auraient pu atteindre.

En même temps, il m'a fait entendre par des signes qui commencent à me devenir familiers que nous allons à cette terre, et que sa vue était l'unique objet des réjouissances que j'ai prises pour un sacrifice au Soleil.

J'ai senti d'abord tout l'avantage de cette découverte ; l'espérance, comme un trait de lumière, a porté sa clarté jusqu'au fond de mon cœur.

Il est certain que l'on me conduit à cette terre que l'on m'a fait voir ; il est évident qu'elle est une portion de ton empire, puisque le Soleil y répand ses rayons bienfaisants [1]. Je ne suis plus dans les fers des cruels Espagnols. Qui pourrait donc m'empêcher de rentrer sous tes lois ?

Oui, cher Aza, je vais me réunir à ce que j'aime. Mon amour, ma raison, mes désirs, tout m'en assure. Je vole dans tes bras, un torrent de joie se répand dans mon âme, le passé s'évanouit, mes malheurs sont finis, ils sont oubliés, l'avenir seul m'occupe, c'est mon unique bien.

Aza, mon cher espoir, je ne t'ai pas perdu, je verrai ton visage, tes habits, ton ombre ; je t'aimerai, je te le dirai à toi-même, est-il des tourments qu'un tel bonheur n'efface ?

1. Les Indiens ne connaissaient pas notre hémisphère et croyaient que le Soleil n'éclairait que la terre de ses enfants.

IX

Que les jours sont longs quand on les compte, mon cher Aza ! le temps ainsi que l'espace n'est connu que par ses limites. Nos idées et notre vue se perdent également par la constante uniformité de l'un et de l'autre : si les objets marquent les bornes de l'espace, il me semble que nos espérances marquent celles du temps ; et que, si elles nous abandonnent, ou qu'elles ne soient pas sensiblement marquées, nous n'apercevons pas plus la durée du temps que l'air qui remplit l'espace.

Depuis l'instant fatal de notre séparation, mon âme et mon cœur, également flétris par l'infortune, restaient ensevelis dans cet abandon total, horreur de la nature, image du néant, les jours s'écoulaient sans que j'y prisse garde ; aucun espoir ne fixait mon attention sur leur longueur : à présent que l'espérance en marque tous les instants, leur durée me paraît infinie, et je goûte le plaisir, en recouvrant la tranquillité de mon esprit, de recouvrer la facilité de penser.

Depuis que mon imagination est ouverte à la joie, une foule de pensées qui s'y présentent l'occupent jusqu'à la fatiguer. Des projets de plaisir et de bonheur s'y succèdent alternativement ; les idées nouvelles y sont reçues avec facilité, celles mêmes dont je ne m'étais point aperçue s'y retracent sans les chercher.

Depuis deux jours, j'entends plusieurs mots de la langue du *Cacique*, que je ne croyais pas savoir. Ce ne sont encore que les noms des objets : ils n'expriment point mes pensées et ne me font point entendre celles des autres ; cependant ils me fournissent déjà quelques éclaircissements qui m'étaient nécessaires.

Je sais que le nom du *Cacique* est *Déterville*, celui de notre maison flottante *vaisseau*, et celui de la terre où nous allons, *France*.

Ce dernier m'a d'abord effrayée : je ne me souviens pas d'avoir entendu nommer ainsi aucune contrée de ton royaume ; mais faisant réflexion au nombre infini de celles qui le composent, dont les noms me sont échappés, ce mouvement de crainte s'est bientôt évanoui ; pouvait-il subsister longtemps avec la solide confiance que me donne sans cesse la vue du Soleil ? Non, mon cher Aza, cet astre divin n'éclaire que ses enfants ; le seul doute me rendrait criminelle ; je vais rentrer sous ton empire, je touche au moment de te voir, je cours à mon bonheur.

Au milieu des transports de ma joie, la reconnaissance me prépare un plaisir délicieux : tu combleras d'honneurs et de richesses le *Cacique* [1] bienfaisant qui nous rendra l'un à l'autre ; il portera dans sa province le souvenir de Zilia ; la récompense de sa vertu le rendra plus vertueux encore, et son bonheur fera ta gloire.

Rien ne peut se comparer, mon cher Aza, aux bontés qu'il a pour moi : loin de me traiter en esclave, il semble être le mien ; j'éprouve à présent autant de complaisances de sa part que j'en éprouvais de contradictions durant ma maladie : occupé de moi, de mes inquiétudes, de mes amusements, il paraît n'avoir plus d'autres soins. Je les reçois avec un peu moins d'embarras depuis qu'éclairée par l'habitude et par la réflexion, je vois que j'étais dans l'erreur sur l'idolâtrie dont je le soupçonnais.

Ce n'est pas qu'il ne répète souvent à peu près les mêmes démonstrations que je prenais pour un culte ; mais le ton, l'air et la forme qu'il y emploie me persuadent que ce n'est qu'un jeu à l'usage de sa nation.

Il commence par me faire prononcer distinctement des mots de sa langue. Dès que j'ai répété après lui, *oui, je vous aime,* ou bien *je vous promets d'être à vous,* la joie se répand sur son visage, il me baise les mains avec transport, et avec un air de gaieté tout contraire au sérieux qui accompagne le culte divin.

Tranquille sur sa religion, je ne le suis pas entièrement sur le pays d'où il tire son origine. Son langage et ses habillements sont si différents des nôtres, que souvent ma confiance en est ébranlée. De fâcheuses réflexions couvrent quelquefois de nuages ma plus chère espérance : je

1. Les *Caciques* étaient des gouverneurs de province tributaires des Incas.

passe successivement de la crainte à la joie, et de la joie à l'inquiétude.

Fatiguée de la confusion de mes idées, rebutée des incertitudes qui me déchirent, j'avais résolu de ne plus penser; mais comment ralentir le mouvement d'une âme privée de toute communication, qui n'agit que sur elle-même, et que de si grands intérêts excitent à réfléchir? Je ne le puis, mon cher Aza, je cherche des lumières avec une agitation qui me dévore, et je me trouve sans cesse dans la plus profonde obscurité. Je savais que la privation d'un sens peut tromper à quelques égards, et je vois avec surprise que l'usage des miens m'entraîne d'erreurs en erreurs. L'intelligence des langues serait-elle celle de l'âme? O, cher Aza! que mes malheurs me font entrevoir de fâcheuses vérités! mais que ces tristes pensées s'éloignent de moi; nous touchons à la terre. La lumière de mes jours dissipera en un moment les ténèbres qui m'environnent.

X

Je suis enfin arrivée à cette terre, l'objet de mes désirs, mon cher Aza, mais je n'y vois encore rien qui m'annonce le bonheur que je m'en étais promis: tout ce qui s'offre à mes yeux me frappe, me surprend, m'étonne, et ne me laisse qu'une impression vague, une perplexité stupide, dont je ne cherche pas même à me délivrer; mes erreurs répriment mes jugements, je demeure incertaine, je doute presque de ce que je vois.

A peine étions-nous sortis de la maison flottante, que nous sommes entrés dans une ville bâtie sur le rivage de la mer. Le peuple qui nous suivait en foule, me paraît être de la même nation que le *Cacique*, mais les maisons n'ont aucune ressemblance avec celles des villes du Soleil: si celles-là les surpassent en beauté par la richesse de leurs ornements, celles-ci sont fort au-dessus par les prodiges dont elles sont remplies.

En entrant dans la chambre où Déterville m'a logée, mon cœur a tressailli; j'ai vu dans l'enfoncement une jeune personne habillée comme une Vierge du Soleil ; j'ai couru à elle les bras ouverts. Quelle surprise, mon cher Aza, quelle surprise extrême, de ne trouver qu'une résistance impénétrable où je voyais une figure humaine se mouvoir dans un espace fort étendu !

L'étonnement me tenait immobile, les yeux attachés sur cette ombre, quand Déterville m'a fait remarquer sa propre figure à côté de celle qui occupait toute mon attention : je le touchais, je lui parlais, et je le voyais en même temps fort près et fort loin de moi.

Ces prodiges troublent la raison, ils offusquent le jugement ; que faut-il penser des habitants de ce pays ? Faut-il les craindre, faut-il les aimer ? Je me garderai bien de rien déterminer là-dessus.

Le *Cacique* m'a fait comprendre que la figure que je voyais était la mienne ; mais de quoi cela m'instruit-il ? Le prodige en est-il moins grand ? Suis-je moins mortifiée de ne trouver dans mon esprit que des erreurs ou des ignorances ? Je le vois avec douleur, mon cher Aza : les moins habiles de cette Contrée sont plus savants que tous nos *Amautas*.

Le *Cacique* m'a donné une *China* [1] jeune et fort vive ; c'est une grande douceur pour moi que celle de revoir des femmes et d'en être servie : plusieurs autres s'empressent à me rendre des soins, et j'aimerais autant qu'elles ne le fissent pas, leur présence réveille mes craintes. A la façon dont elles me regardent, je vois bien qu'elles n'ont point été à *Cuzco* [2]. Cependant je ne puis encore juger de rien ; mon esprit flotte toujours dans une mer d'incertitudes ; mon cœur seul, inébranlable, ne désire, n'espère, et n'attend qu'un bonheur sans lequel tout ne peut être que peines.

XI

Quoique j'aie pris tous les soins qui sont en mon pouvoir pour acquérir quelque lumière sur mon sort, mon

1. Servante ou femme de chambre.
2. Capitale du Pérou.

cher Aza, je n'en suis pas mieux instruite que je l'étais il y a trois jours. Tout ce que j'ai pu remarquer, c'est que les sauvages de cette contrée paraissent aussi bons, aussi humains que le *Cacique;* ils chantent et dansent comme s'ils avaient tous les jours des terres à cultiver[1]. Si je m'en rapportais à l'opposition de leurs usages à ceux de notre nation, je n'aurais plus d'espoir; mais je me souviens que ton auguste père a soumis à son obéissance des provinces fort éloignées, et dont les peuples n'avaient pas plus de rapport avec les nôtres: pourquoi celle-ci n'en serait-elle pas une? Le Soleil paraît se plaire à l'éclairer; il est plus beau, plus pur que je ne l'ai jamais vu, et j'aime à me livrer à la confiance qu'il m'inspire: il ne me reste d'inquiétude que sur la longueur du temps qu'il faudra passer avant de pouvoir m'éclaircir tout à fait sur nos intérêts; car, mon cher Aza, je n'en puis plus douter, le seul usage de la langue du pays pourra m'apprendre la vérité et finir mes inquiétudes.

Je ne laisse échapper aucune occasion de m'en instruire, je profite de tous les moments où Déterville me laisse en liberté pour prendre des leçons de ma *China;* c'est une faible ressource, ne pouvant lui faire entendre mes pensées, je ne puis former aucun raisonnement avec elle. Les signes du *Cacique* me sont quelquefois plus utiles. L'habitude nous en a fait une espèce de langage, qui nous sert au moins à exprimer nos volontés. Il me mena hier dans une maison où, sans cette intelligence, je me serais fort mal conduite.

Nous entrâmes dans une chambre plus grande et plus ornée que celle que j'habite; beaucoup de monde y était assemblé. L'étonnement général que l'on témoigna à ma vue me déplut; les ris excessifs que plusieurs jeunes filles s'efforçaient d'étouffer et qui recommençaient lorsqu'elles levaient les yeux sur moi, excitèrent dans mon cœur un sentiment si fâcheux, que je l'aurais pris pour de la honte, si je me fusse sentie coupable de quelque faute. Mais ne me trouvant qu'une grande répugnance à de-

1. Les terres se cultivaient en commun au Pérou, et les jours de ce travail étaient des jours de réjouissances.

meurer avec elles, j'allais retourner sur mes pas, quand un signe de Déterville me retint.

Je compris que je commettais une faute si je sortais, et je me gardai bien de rien faire qui méritât le blâme que l'on me donnait sans sujet; je restai donc, et, portant toute mon attention sur ces femmes, je crus démêler que la singularité de mes habits causait seule la surprise des unes et les ris offensants des autres: j'eus pitié de leur faiblesse; je ne pensai plus qu'à leur persuader par ma contenance que mon âme ne différait pas tant de la leur que mes habillements de leurs parures.

Un homme que j'aurais pris pour un *Curacas* [1] s'il n'eût été vêtu de noir, vint me prendre par la main d'un air affable, et me conduisit auprès d'une femme qu'à son air fier je pris pour la *Pallas* [2] de la contrée. Il lui dit plusieurs paroles que je sais pour les avoir entendu prononcer mille fois à Déterville: *Qu'elle est belle! les beaux yeux!*... Un autre homme lui répondit: *Des grâces, une taille de nymphe!*... Hors les femmes, qui ne dirent rien, tous répétèrent à peu près les mêmes mots: je ne sais pas encore leur signification; mais ils expriment sûrement des idées agréables, car en les prononçant le visage est toujours riant.

Le *Cacique* paraissait extrêmement satisfait de ce que l'on disait; il se tint toujours à côté de moi; ou, s'il s'en éloignait pour parler à quelqu'un, ses yeux ne me perdaient pas de vue, et ses signes m'avertissaient de ce que je devais faire: de mon côté, j'étais fort attentive à l'observer, pour ne point blesser les usages d'une nation si peu instruite des nôtres.

Je ne sais, mon cher Aza, si je pourrai te faire comprendre combien les manières de ces sauvages m'ont paru extraordinaires.

Ils ont une vivacité si impatiente, que, les paroles ne leur suffisant pas pour s'exprimer, ils parlent autant par le mouvement de leur corps que par le son de leur voix; ce que j'ai vu de leur agitation continuelle m'a pleinement

1. Les *Curacas* étaient de petits souverains d'une contrée; ils avaient le privilège de porter le même habit que les Incas.
2. Nom générique des princesses.

persuadée du peu d'importance des démonstrations du *Cacique*, qui m'ont tant causé d'embarras, et sur lesquelles j'ai fait tant de fausses conjectures.

Il baisa hier les mains de la *Pallas*, et celles de toutes les autres femmes, il les baisa même au visage, ce que je n'avais pas encore vu, les hommes venaient l'embrasser; les uns le prenaient par une main, les autres le tiraient par son habit, et tout cela avec une promptitude dont nous n'avons point d'idée.

A juger de leur esprit par la vivacité de leurs gestes, je suis sûre que nos expressions mesurées, que les sublimes comparaisons qui expriment si naturellement nos tendres sentiments et nos pensées affectueuses, leur paraîtraient insipides; ils prendraient notre air sérieux et modeste pour de la stupidité, et la gravité de notre démarche pour un engourdissement. Le croirais-tu, mon cher Aza? malgré leurs imperfections, si tu étais ici, je me plairais avec eux. Un certain air d'affabilité répandu sur tout ce qu'ils font les rend aimables; et si mon âme était plus heureuse, je trouverais du plaisir dans la diversité des objets qui se présentent successivement à mes yeux; mais le peu de rapport qu'ils ont avec toi efface les agréments de leur nouveauté; toi seul fais mon bien et mes plaisirs.

XII

J'ai passé bien du temps, mon cher Aza, sans pouvoir donner un moment à ma plus chère occupation; j'ai cependant un grand nombre de choses extraordinaires à t'apprendre; je profite d'un peu de loisir pour essayer de t'en instruire.

Le lendemain de ma visite chez la *Pallas*, Déterville me fit apporter un fort bel habillement à l'usage du pays. Après que ma petite *China* l'eut arrangé sur moi à sa fantaisie, elle me fit approcher de cette ingénieuse machine qui double les objets : quoique je dusse être accoutumée à ses effets, je ne pus encore me garantir de la surprise en me voyant comme si j'étais vis-à-vis de moi-même.

Mon nouvel ajustement ne me déplut pas ; peut-être je regretterais davantage celui que je quitte, s'il ne m'avait fait regarder partout avec une attention incommode.

Le *Cacique* entra dans ma chambre au moment que la jeune fille ajoutait encore plusieurs bagatelles à ma parure ; il s'arrêta à l'entrée de la porte, et nous regarda longtemps sans parler : sa rêverie était si profonde, qu'il se détourna pour laisser sortir la *China*, et se remit à sa place sans s'en apercevoir. Les yeux attachés sur moi, il parcourait toute ma personne avec une attention sérieuse, dont j'étais embarrassée sans en savoir la raison.

Cependant, afin de lui marquer ma reconnaissance pour ses nouveaux bienfaits, je lui tendis la main ; et ne pouvant exprimer mes sentiments, je crus ne pouvoir lui rien dire de plus agréable que quelques-uns des mots qu'il se plaît à me faire répéter ; je tâchai même d'y mettre le ton qu'il y donne.

Je ne sais quel effet ils firent dans ce moment-là sur lui, mais ses yeux s'animèrent, son visage s'enflamma, il vint à moi d'un air agité, il parut vouloir me prendre dans ses bras ; puis, s'arrêtant tout à coup, il me serra fortement la main en prononçant d'une voix émue : *Non... le respect... sa vertu...*, et plusieurs autres mots que je n'entends pas mieux, et puis il courut se jeter sur son siège à l'autre côté de la chambre, où il demeura la tête appuyée dans ses mains avec tous les signes d'une profonde douleur.

Je fus alarmée de son état, ne doutant pas que je ne lui eusse causé quelque peine ; je m'approchai de lui pour lui en témoigner mon repentir : mais il me repoussa doucement sans me regarder, et je n'osai plus lui rien dire : j'étais dans le plus grand embarras, quand les domestiques entrèrent pour nous apporter à manger ; il se leva, nous mangeâmes ensemble à la manière accoutumée, sans qu'il parût d'autre suite à sa douleur qu'un peu de tristesse ; mais il n'en avait ni moins de bonté, ni moins de douceur ; tout cela me paraît inconcevable.

Je n'osais lever les yeux sur lui, ni me servir des signes qui ordinairement nous tenaient lieu d'entretien : cependant nous mangions dans un temps si différent de l'heure ordinaire des repas, que je ne pus m'empêcher de lui en témoigner ma surprise. Tout ce que je compris à sa réponse, fut que nous allions changer de demeure. En effet, le *Cacique,* après être sorti et rentré plusieurs fois, vint me prendre par la main; je me laissai conduire, en rêvant toujours à ce qui s'était passé, et en cherchant à démêler si le changement de lieu n'en était pas une suite.

A peine eûmes-nous passé la dernière porte de la maison, qu'il m'aida à monter un pas assez haut, et je me trouvai dans une petite chambre où l'on ne peut se tenir debout sans incommodité, où il n'y a pas assez d'espace pour marcher, mais où nous fûmes assis fort à l'aise, le *Cacique,* la *China* et moi. Ce petit endroit est agréablement meublé, une fenêtre de chaque côté l'éclaire suffisamment.

Tandis que je le considérais avec surprise, et que je tâchais de deviner pourquoi Déterville nous enfermait si étroitement, ô mon cher Aza! que les prodiges sont familiers dans ce pays! je sentis cette machine ou cabane, je ne sais comment la nommer, je la sentis se mouvoir et changer de place. Ce mouvement me fit penser à la maison flottante: la frayeur me saisit; le *Cacique,* attentif à mes moindres inquiétudes, me rassura en me faisant voir par une des fenêtres que cette machine, suspendue assez près de la terre, se mouvait par un secret que je ne comprenais pas.

Déterville me fit aussi voir que plusieurs *Hamas* [1] d'une espèce qui nous est inconnue, marchaient devant nous et nous traînaient après eux. Il faut, ô lumière de mes jours, un génie plus qu'humain pour inventer des choses si utiles et si singulières; mais il faut aussi qu'il y ait dans cette nation quelques grands défauts qui modèrent sa puissance, puisqu'elle n'est pas la maîtresse du monde entier.

Il y a quatre jours qu'enfermés dans cette merveilleuse machine, nous n'en sortons que la nuit pour reprendre du repos dans la première habitation qui se rencontre, et je n'en sors jamais sans regret. Je te l'avoue, mon cher Aza,

1. Nom générique des bêtes.

malgré mes tendres inquiétudes, j'ai goûté pendant ce voyage des plaisirs qui m'étaient inconnus. Renfermée dans le temple dès ma plus tendre enfance, je ne connaissais pas les beautés de l'univers ; quel bien j'avais perdu !

Il faut, ô l'ami de mon cœur ! que la nature ait placé dans ses ouvrages un attrait inconnu que l'art le plus adroit ne peut imiter. Ce que j'ai vu des prodiges inventés par les hommes ne m'a point causé le ravissement que j'éprouve dans l'admiration de l'univers. Les campagnes immenses, qui se changent et se renouvellent sans cesse à mes regards, emportent mon âme avec autant de rapidité que nous les traversons.

Les yeux parcourent, embrassent et se reposent tout à la fois sur une infinité d'objets aussi variés qu'agréables. On croit ne trouver de bornes à sa vue que celles du monde entier. Cette erreur nous flatte ; elle nous donne une idée satisfaisante de notre propre grandeur, et semble nous rapprocher du Créateur de tant de merveilles.

A la fin d'un beau jour, le ciel présente des images dont la pompe et la magnificence surpassent de beaucoup celles de la terre.

D'un côté, des nuées transparentes assemblées autour du soleil couchant, offrent à nos yeux des montagnes d'ombres et de lumière, dont le majestueux désordre attire notre admiration jusqu'à l'oubli de nous-mêmes ; de l'autre, un astre moins brillant s'élève, reçoit et répand une lumière moins vive sur les objets, qui, perdant leur activité par l'absence du Soleil, ne frappent plus nos sens que d'une manière douce, paisible, et parfaitement harmonique avec le silence qui règne sur la terre. Alors, revenant à nous-mêmes, un calme délicieux pénètre dans notre âme, nous jouissons de l'univers comme le possédant seuls ; nous n'y voyons rien qui ne nous appartienne : une sérénité douce nous conduit à des réflexions agréables : et si quelques regrets viennent les troubler, ils ne naissent que de la nécessité de s'arracher à cette douce rêverie pour nous renfermer dans les folles prisons que les hommes se sont faites, et que toute leur industrie ne pourra jamais rendre que méprisables, en les comparant aux ouvrages de la nature.

Le *Cacique* a eu la complaisance de me faire sortir tous les jours de la cabane roulante pour me laisser contempler à loisir ce qu'il me voyait admirer avec tant de satisfaction.

Si les beautés du ciel et de la terre ont un attrait si puissant sur notre âme, celles des forêts, plus simples et plus touchantes, ne m'ont causé ni moins de plaisir ni moins d'étonnement.

Que les bois sont délicieux, mon cher Aza! En y entrant, un charme universel se répand sur tous les sens et confond leur usage. On croit voir la fraîcheur avant de la sentir; les différentes nuances de la couleur des feuilles adoucissent la lumière qui les pénètre, et semblent frapper le sentiment aussitôt que les yeux. Une odeur agréable, mais indéterminée, laisse à peine discerner si elle affecte le goût ou l'odorat; l'air même, sans être aperçu, porte dans tout notre être une volupté pure qui semble nous donner un sens de plus, sans pouvoir en désigner l'organe.

O mon cher Aza, que ta présence embellirait des plaisirs si purs! Que j'ai désiré de les partager avec toi! Témoin de mes tendres pensées, je t'aurais fait trouver dans les sentiments de mon cœur des charmes encore plus touchants que ceux des beautés de l'univers.

XIII

Me voici, mon cher Aza, dans une ville nommée Paris, c'est le terme de notre voyage; mais, selon les apparences, ce ne sera pas celui de mes chagrins.

Depuis que je suis arrivée, plus attentive que jamais sur tout ce qui se passe, mes découvertes ne me produisent que du tourment et ne me présagent que des malheurs : je trouve ton idée dans le moindre de mes désirs curieux, et je ne la rencontre dans aucun des objets qui s'offrent à ma vue.

Autant que j'en puis juger par le temps que nous avons employé à traverser cette ville, et par le grand nombre d'habitants dont les rues sont remplies, elle contient plus de monde que n'en pourraient rassembler deux ou trois de nos contrées.

Je me rappelle les merveilles que l'on m'a racontées de *Quitu;* je cherche à trouver ici quelques traits de la peinture que l'on m'a faite de cette grande ville : mais, hélas ! quelle différence !

Celle-ci contient des ponts, des rivières, des arbres, des campagnes ; elle me paraît un univers plutôt qu'une habitation particulière. J'essayerais en vain de te donner une idée juste de la hauteur des maisons ; elles sont si prodigieusement élevées, qu'il est plus facile de croire que la nature les a produites telles qu'elles sont que de comprendre comment des hommes ont pu les construire.

C'est ici que la famille du *Cacique* fait sa résidence. La maison qu'elle habite est presque aussi magnifique que celle du Soleil ; les meubles et quelques endroits des murs sont d'or ; le reste est orné d'un tissu varié des plus belles couleurs, qui représentent assez bien les beautés de la nature.

En arrivant, Déterville me fit entendre qu'il me conduisait dans la chambre de sa mère. Nous la trouvâmes à demi couchée sur un lit à peu près de la même forme que celui des *Incas* et de même métal [1]. Après avoir présenté sa main au *Cacique*, qui la baisa en se prosternant presque jusqu'à terre, elle l'embrassa, mais avec une bonté si froide, une joie si contrainte, que, si je n'eusse été avertie, je n'aurais pas reconnu les sentiments de la nature dans les caresses de cette mère.

Après s'être entretenus un moment, le *Cacique* me fit approcher ; elle jeta sur moi un regard dédaigneux, et sans répondre à ce que son fils lui disait, elle continua d'entourer gravement ses doigts d'un cordon qui pendait à un petit morceau d'or.

Déterville nous quitta pour aller au-devant d'un grand homme de bonne mine qui avait fait quelques pas vers lui ; il l'embrassa aussi bien qu'une autre femme qui était occupée de la même manière que la *Pallas*.

Dès que le *Cacique* avait paru dans cette chambre, une

1. Les lits, les chaises, les tables des Incas étaient d'or massif.

jeune fille à peu près de mon âge était accourue ; elle le suivait avec un empressement timide qui était remarquable. La joie éclatait sur son visage, sans en bannir un fonds de tristesse intéressant. Déterville l'embrassa la dernière, mais avec une tendresse si naturelle que mon cœur s'en émut. Hélas ! mon cher Aza, quels seraient nos transports, si après tant de malheurs le sort nous réunissait !

Pendant ce temps, j'étais restée auprès de la *Pallas*, par respect [1] ; je n'osais m'en éloigner ni lever les yeux sur elle. Quelques regards sévères qu'elle jetait de temps en temps sur moi achevaient de m'intimider et me donnaient une contrainte qui gênait jusqu'à mes pensées.

Enfin, comme si la jeune fille eût deviné mon embarras, après avoir quitté Déterville, elle vint me prendre par la main et me conduisit près d'une fenêtre où nous nous assîmes. Quoique je n'entendisse rien de ce qu'elle me disait, ses yeux pleins de bonté me parlaient le langage universel des cœurs bienfaisants ; ils m'inspiraient la confiance et l'amitié : j'aurais voulu lui témoigner mes sentiments ; mais ne pouvant m'exprimer selon mes désirs, je prononçai tout ce que je savais de sa langue.

Elle en sourit plus d'une fois en regardant Déterville d'un air fin et doux. Je trouvais du plaisir dans cette espèce d'entretien, quand la *Pallas* prononça quelques paroles assez haut en regardant la jeune fille, qui baissa les yeux, repoussa ma main qu'elle tenait dans les siennes, et ne me regarda plus.

A quelque temps de là, une vieille femme d'une physionomie farouche entra, s'approcha de la *Pallas*, vint ensuite me prendre par le bras, me conduisit presque malgré moi dans une chambre au plus haut de la maison, et m'y laissa seule.

Quoique ce moment ne dût pas être le plus malheureux de ma vie, mon cher Aza, il n'a pas été un des moins fâcheux. J'attendais de la fin de mon voyage quelque soulagement à mes inquiétudes ; je comptais du moins

1. Les filles, quoique du sang royal, portaient un grand respect aux femmes mariées.

trouver dans la famille du *Cacique* les mêmes bontés qu'il m'avait témoignées. Le froid accueil de la *Pallas*, le changement subit des manières de la jeune fille, la rudesse de cette femme qui m'avait arrachée d'un lieu où j'avais intérêt de rester, l'inattention de Déterville qui ne s'était point opposé à l'espèce de violence qu'on m'avait faite ; enfin toutes les circonstances dont une âme malheureuse sait augmenter ses peines se présentèrent à la fois sous les plus tristes aspects. Je me croyais abandonnée de tout le monde, je déplorais amèrement mon affreuse destinée, quand je vis entrer ma *China*. Dans la situation où j'étais, sa vue me parut un bonheur ; je courus à elle, je l'embrassai en versant des larmes ; elle en fut touchée ; son attendrissement me fut cher. Quand on se croit réduit à la pitié de soi-même, celle des autres nous est bien précieuse. Les marques d'affection de cette jeune fille adoucirent ma peine : je lui contais mes chagrins, comme si elle eût pu m'entendre ; je lui faisais mille questions, comme si elle eût pu y répondre : ses larmes parlaient à mon cœur, les miennes continuaient à couler, mais elles avaient moins d'amertume.

J'espérais encore revoir Déterville à l'heure du repas ; mais on me servit à manger, et je ne le vis point. Depuis que je t'ai perdu, chère idole de mon cœur, ce *Cacique* est le seul humain qui ait eu pour moi de la bonté sans interruption ; l'habitude de le voir s'est tournée en besoin. Son absence redoubla ma tristesse : après l'avoir attendu vainement, je me couchai ; mais le sommeil n'avait point encore tari mes larmes quand je le vis entrer dans ma chambre, suivi de la jeune personne dont le brusque dédain m'avait été si sensible.

Elle se jeta sur mon lit, et par mille caresses elle semblait vouloir réparer le mauvais traitement qu'elle m'avait fait.

Le *Cacique* s'assit à côté du lit : il paraissait avoir autant de plaisir à me revoir que j'en sentais de n'en être point abandonnée ; ils se parlaient en me regardant, et m'accablaient des plus tendres marques d'affection.

Insensiblement leur entretien devint plus sérieux. Sans

entendre leurs discours, il m'était aisé de juger qu'ils étaient fondés sur la confiance et l'amitié : je me gardai bien de les interrompre ; mais sitôt qu'ils revinrent à moi, je tâchai de tirer du *Cacique* des éclaircissements sur ce qui m'avait paru de plus extraordinaire depuis mon arrivée.

Tout ce que je pus comprendre à ses réponses, fut que la jeune fille que je voyais se nommait Céline, qu'elle était sa sœur, que le grand homme que j'avais vu dans la chambre de la *Pallas* était son frère aîné, et l'autre jeune femme l'épouse de ce frère.

Céline me devint plus chère en apprenant qu'elle était sœur du *Cacique ;* la compagnie de l'un et de l'autre m'était si agréable, que je ne m'aperçus point qu'il était jour avant qu'ils me quittassent.

Après leur départ, j'ai passé le reste du temps destiné au repos à m'entretenir avec toi ; c'est tout mon bien, c'est toute ma joie, c'est à toi seul, chère âme de mes pensées, que je développe mon cœur, tu seras à jamais le seul dépositaire de mes secrets, de ma tendresse et de mes sentiments.

XIV

Si je ne continuais, mon cher Aza, à prendre sur mon sommeil le temps que je te donne, je ne jouirais plus de ces moments délicieux où je n'existe que pour toi. On m'a fait reprendre mes habits de Vierge, et l'on m'oblige de rester tout le jour dans une chambre remplie d'une foule de monde qui se change et se renouvelle à tout moment sans presque diminuer.

Cette dissipation involontaire m'arrache souvent malgré moi à mes tendres pensées ; mais, si je perds pour quelques instants cette attention vive qui unit sans cesse mon âme à la tienne, je te retrouve bientôt dans les comparaisons avantageuses que je fais de toi avec tout ce qui m'environne.

Dans les différentes contrées que j'ai parcourues je n'ai point vu des sauvages si orgueilleusement familiers que ceux-ci. Les femmes surtout me paraissent avoir une bonté méprisante qui révolte l'humanité, et qui m'inspirerait peut-être autant de mépris pour elles qu'elles en témoignent pour les autres, si je les connaissais mieux.

Une d'entre elles m'occasionna hier un affront, qui m'afflige encore aujourd'hui. Dans le temps que l'assemblée était la plus nombreuse, elle avait déjà parlé à plusieurs personnes sans m'apercevoir; soit que le hasard ou que quelqu'un m'ait fait remarquer, elle fit un éclat de rire en jetant les yeux sur moi, quitta précipitamment sa place, vint à moi, me fit lever, et après m'avoir tournée et retournée autant de fois que sa vivacité le lui suggéra, après avoir touché tous les morceaux de mon habit avec une attention scrupuleuse, elle fit signe à un jeune homme de s'approcher et recommença avec lui l'examen de ma figure.

Quoique je répugnasse à la liberté que l'un et l'autre se donnaient, la richesse des habits de la femme me la faisant prendre pour une *Pallas,* et la magnificence de ceux du jeune homme, tout couvert de plaques d'or, pour un *Anqui* [1], je n'osais m'opposer à leur volonté; mais ce sauvage téméraire, enhardi par la familiarité de la *Pallas,* et peut-être par ma retenue, ayant eu l'audace de porter la main sur ma gorge, je le repoussai avec une surprise et une indignation qui lui firent connaître que j'étais mieux instruite que lui des lois de l'honnêteté.

Au cri que je fis, Déterville accourut: il n'eut pas plus tôt dit quelques paroles au jeune sauvage, que celui-ci, s'appuyant d'une main sur son épaule, fit des ris si violents, que sa figure en était contrefaite.

Le *Cacique* s'en débarrassa, et lui dit, en rougissant, des mots d'un ton si froid, que la gaieté du jeune homme s'évanouit; et n'ayant apparemment plus rien à répondre, il s'éloigna sans répliquer et ne revint plus.

O mon cher Aza! que les mœurs de ces pays me rendent respectables celles des enfants du Soleil! Que la

1. Prince du sang: il fallait une permission de l'Inca pour porter de l'or sur les habits, et il ne le permettait qu'aux princes du sang royal.

témérité du jeune *Anqui* rappelle chèrement à mon souvenir ton tendre respect, ta sage retenue et les charmes de l'honnêteté qui régnaient dans nos entretiens ! Je l'ai senti au premier moment de ta vue, chères délices de mon âme, et je le sentirai toute ma vie. Toi seul réunis toutes les perfections que la nature a répandues séparément sur les humains, comme elle a rassemblé dans mon cœur tous les sentiments de tendresse et d'admiration qui m'attachent à toi jusqu'à la mort.

XV

Plus je vis avec le *Cacique* et sa sœur, mon cher Aza, plus j'ai de peine à me persuader qu'ils soient de cette nation : eux seuls connaissent et respectent la vertu.

Les manières simples, la bonté naïve, la modeste gaieté de Céline feraient volontiers penser qu'elle a été élevée parmi nos Vierges. La douceur honnête, le tendre sérieux de son frère, persuaderaient facilement qu'il est né du sang des *Incas*. L'un et l'autre me traitent avec autant d'humanité que nous en exercerions à leur égard si des malheurs les eussent conduits parmi nous. Je ne doute même plus que le *Cacique* ne soit ton tributaire [1].

Il n'entre jamais dans ma chambre sans m'offrir un présent de quelques-unes des choses merveilleuses dont cette contrée abonde : tantôt ce sont des morceaux de la machine qui double les objets, renfermés dans des petits coffres d'une matière admirable. Une autre fois ce sont des pierres légères et d'un éclat surprenant dont on orne ici presque toutes les parties du corps ; on en passe aux oreilles, on en met sur l'estomac, au col, sur la chaussure, et cela est très agréable à voir.

Mais ce que je trouve de plus amusant, ce sont de petits outils d'un métal fort dur, et d'une commodité singulière. Les uns servent à composer des ouvrages que Céline

1. Les *Caciques* et les *Curacas* étaient obligés de fournir les habits et l'entretien de l'*Inca* et de la reine. Ils ne se présentaient jamais devant l'un et l'autre sans leur offrir un tribut des curiosités que produisait la province où ils commandaient.

m'apprend à faire ; d'autres, d'une forme tranchante, servent à diviser toutes sortes d'étoffes, dont on fait tant de morceaux que l'on veut, sans effort, et d'une manière fort divertissante.

J'ai une infinité d'autres raretés plus extraordinaires encore; mais, n'étant point à notre usage, je ne trouve dans notre langue aucuns termes qui puissent t'en donner l'idée.

Je te garde soigneusement tous ces dons, mon cher Aza; outre le plaisir que j'aurai de ta surprise, lorsque tu les verras, c'est qu'assurément ils sont à toi. Si le *Cacique* n'était soumis à ton obéissance, me payerait-il un tribut qu'il sait n'être dû qu'à ton rang suprême? Les respects qu'il m'a toujours rendus m'ont fait penser que ma naissance lui était connue. Les présents dont il m'honore me persuadent sans aucun doute qu'il n'ignore pas que je dois être ton épouse, puisqu'il me traite d'avance en *Mama-Oella* [1].

Cette conviction me rassure et calme une partie de mes inquiétudes; je comprends qu'il ne me manque que la liberté de m'exprimer pour savoir du *Cacique* les raisons qui l'engagent à me retenir chez lui, et pour le déterminer à me remettre en ton pouvoir: mais jusque-là j'aurai encore bien des peines à souffrir.

Il s'en faut beaucoup que l'humeur de *Madame*, c'est le nom de la mère de Déterville, ne soit aussi aimable que celle de ses enfants. Loin de me traiter avec autant de bonté, elle me marque en toutes occasions une froideur et un dédain qui me mortifient, sans que je puisse en découvrir la cause, et, par une opposition de sentiments que je comprends encore moins, elle exige que je sois continuellement avec elle.

C'est pour moi une gêne insupportable; la contrainte règne partout où elle est: ce n'est qu'à la dérobée que Céline et son frère me font des signes d'amitié. Eux-mêmes n'osent se parler librement devant elle. Aussi continuent-ils à passer une partie des nuits dans ma chambre; c'est le seul temps où nous jouissons en paix du plaisir de

1. C'est le nom que prenaient les reines en montant sur le trône.

nous voir; et quoique je ne participe guère à leurs entretiens, leur présence m'est toujours agréable. Il ne tient pas aux soins de l'un et de l'autre que je ne sois heureuse. Hélas! mon cher Aza, ils ignorent que je ne puis l'être loin de toi, et que je ne crois vivre qu'autant que ton souvenir et ma tendresse m'occupent tout entière.

XVI

Il me reste si peu de *quipos*, mon cher Aza, qu'à peine j'ose en faire usage. Quand je veux les nouer, la crainte de les voir finir m'arrête, comme si en les épargnant je pouvais les multiplier. Je vais perdre le plaisir de mon âme, le soutien de ma vie, rien ne soulagera le poids de ton absence, j'en serai accablée.

Je goûtais une volupté délicate à conserver le souvenir des plus secrets mouvements de mon cœur pour t'en offrir l'hommage. Je voulais conserver la mémoire des principaux usages de cette nation singulière pour amuser ton loisir dans des jours plus heureux. Hélas! il me reste bien peu d'espérance de pouvoir exécuter mes projets.

Si je trouve à présent tant de difficultés à mettre de l'ordre dans mes idées, comment pourrai-je dans la suite me les rappeler sans un secours étranger? On m'en offre un, il est vrai, mais l'exécution en est si difficile, que je la crois impossible.

Le *Cacique* m'a amené un Sauvage de cette Contrée qui vient tous les jours me donner des leçons de sa langue, et de la méthode dont on se sert ici pour donner une sorte d'existence aux pensées. Cela se fait en traçant avec une plume de petites figures qu'on appelle *lettres*, sur une matière blanche et mince que l'on nomme *papier*; ces figures ont des noms; ces noms, mêlés ensemble, représentent les sons des paroles; mais ces noms et ces sons me paraissent si peu distincts les uns des autres, que si je réussis un jour à les entendre, je suis bien assurée que ce ne sera pas sans beaucoup de peines. Ce pauvre sauvage s'en donne d'incroyables pour m'instruire, je m'en donne bien davantage pour apprendre ; cependant je fais si peu de progrès que je renoncerais à l'entreprise, si je savais qu'une autre voie pût m'éclaircir de ton sort et du mien.

Il n'en est point, mon cher Aza ! Aussi ne trouverai-je plus de plaisir que dans cette nouvelle et singulière étude. Je voudrais vivre seule, afin de m'y livrer sans relâche ; et la nécessité que l'on m'impose d'être toujours dans la chambre de *Madame,* me devient un supplice.

Dans les commencements, en excitant la curiosité des autres, j'amusais la mienne ; mais quand on ne peut faire usage que des yeux, ils sont bientôt satisfaits. Toutes les femmes se peignent le visage de la même couleur : elles ont toujours les même manières, et je crois qu'elles disent toujours les même choses. Les apparences sont plus variées dans les hommes. Quelques-uns ont l'air de penser ; mais en général je soupçonne cette nation de n'être point telle qu'elle paraît ; l'affectation me paraît son caractère dominant.

Si les démonstrations de zèle et d'empressement, dont on décore ici les moindres devoirs de la société, étaient naturelles, il faudrait, mon cher Aza, que ces peuples eussent dans le cœur plus de bonté, plus d'humanité que les nôtres : cela se peut-il penser ?

S'ils avaient autant de sérénité dans l'âme que sur le visage, si le penchant à la joie, que je remarque dans toutes leurs actions, était sincère, choisiraient-ils pour leurs amusements des spectacles tels que celui que l'on m'a fait voir ?

On m'a conduite dans un endroit où l'on représente, à peu près comme dans ton palais, les actions des hommes qui ne sont plus [1] ; avec cette différence que, si nous ne rappelons que la mémoire des plus sages et des plus vertueux, je crois qu'ici on ne célèbre que les insensés et les méchants. Ceux qui les représentent crient et s'agitent comme des furieux ; j'en ai vu un pousser sa rage jusqu'à se tuer lui-même. De belles femmes, qu'apparemment ils

1. Les Incas faisaient représenter des espèces de comédies dont les sujets étaient tirés des meilleures actions de leurs prédécesseurs.

persécutent, pleurent sans cesse, et font des gestes de désespoir, qui n'ont pas besoin des paroles dont ils sont accompagnés pour faire connaître l'excès de leur douleur.

Pourrait-on croire, mon cher Aza, qu'un peuple entier, dont les dehors sont si humains, se plaise à la représentation des malheurs ou des crimes qui ont autrefois avili, ou accablé ses semblables ?

Mais peut-être a-t-on besoin ici de l'horreur du vice pour conduire à la vertu ; cette pensée me vient sans la chercher, si elle était juste, que je plaindrais cette nation ! La nôtre, plus favorisée de la nature, chérit le bien par ses propres attraits ; il ne nous faut que des modèles de vertu pour devenir vertueux, comme il ne faut que t'aimer pour devenir aimable.

XVII

Je ne sais plus que penser du génie de cette nation, mon cher Aza. Il parcourt les extrêmes avec tant de rapidité, qu'il faudrait être plus habile que je ne le suis pour asseoir un jugement sur son caractère.

On m'a fait voir un spectacle totalement opposé au premier. Celui-là cruel, effrayant, révolte la raison et humilie l'humanité. Celui-ci amusant, agréable, imite la nature et fait honneur au bon sens. Il est composé d'un bien plus grand nombre d'hommes et de femmes que le premier. On y représente aussi quelques actions de la vie humaine ; mais soit que l'on exprime la peine ou le plaisir, la joie ou la tristesse, c'est toujours par des chants et des danses.

Il faut, mon cher Aza, que l'intelligence des sons soit universelle, car il ne m'a pas été plus difficile de m'affecter des différentes passions que l'on a représentées que si elles eussent été exprimées dans notre langue, et cela me paraît bien naturel.

Le langage humain est sans doute de l'invention des hommes, puisqu'il diffère suivant les différentes nations. La nature, plus puissante et plus attentive aux besoins et aux plaisirs de ses créatures, leur a donné des moyens généraux de les exprimer, qui sont fort bien imités par les chants que j'ai entendus.

S'il est vrai que des sons aigus expriment mieux le besoin de secours dans une crainte violente ou dans une douleur vive, que des paroles entendues dans une partie du monde, et qui n'ont aucune signification dans l'autre, il n'est pas moins certain que de tendres gémissements frappent nos cœurs d'une compassion bien plus efficace que des mots dont l'arrangement bizarre fait souvent un effet contraire.

Les sons vifs et légers ne portent-ils pas inévitablement dans notre âme le plaisir gai, que le récit d'une histoire divertissante, ou une plaisanterie adroite n'y fait jamais naître qu'imparfaitement?

Est-il dans aucune langue des expressions qui puissent communiquer le plaisir ingénu avec autant de succès que le font les jeux naïfs des animaux? Il semble que les danses veulent les imiter; du moins inspirent-elles à peu près le même sentiment.

Enfin, mon cher Aza, dans ce spectacle tout est conforme à la nature et à l'humanité. Eh! quel bien peut-on faire aux hommes, qui égale celui de leur inspirer de la joie?

J'en ressentis moi-même, et j'en emportais presque malgré moi, quand elle fut troublée par un accident qui arriva à Céline.

En sortant, nous nous étions un peu écartées de la foule, et nous nous soutenions l'une l'autre de crainte de tomber. Déterville était quelques pas devant nous avec sa belle-sœur qu'il conduisait, lorsqu'un jeune sauvage d'une figure aimable aborda Céline, lui dit quelques mots fort bas, lui laissa un morceau de papier qu'à peine elle eut la force de recevoir, et s'éloigna.

Céline, qui s'était effrayée à son abord jusqu'à me faire partager le tremblement qui la saisit, tourna la tête languissamment vers lui lorsqu'il nous quitta. Elle me parut si faible, que la croyant attaquée d'un mal subit, j'allais appeler Déterville pour la secourir; mais elle m'arrêta et m'imposa silence en me mettant un de ses doigts sur la bouche ; j'aimai mieux garder mon inquiétude que de lui désobéir.

Le même soir, quand le frère et la sœur se furent rendus dans ma chambre, Céline montra au *Cacique* le papier qu'elle avait reçu ; sur le peu que je devinai de leur entretien, j'aurais pensé qu'elle aimait le jeune homme qui le lui avait donné, s'il était possible que l'on s'effrayât de la présence de ce qu'on aime.

Je pourrais encore, mon cher Aza, te faire part de bien d'autres remarques que j'ai faites ; mais, hélas ! je vois la fin de mes cordons, j'en touche les derniers fils, j'en noue les derniers nœuds ; ces nœuds, qui me semblaient être une chaîne de communication de mon cœur au tien, ne sont déjà plus que les tristes objets de mes regrets. L'illusion me quitte, l'affreuse vérité prend sa place, mes pensées errantes, égarées dans le vide immense de l'absence, s'anéantiront désormais avec la même rapidité que le temps. Cher Aza, il me semble que l'on nous sépare encore une fois, que l'on m'arrache de nouveau à ton amour. Je te perds, je te quitte, je ne te verrai plus, Aza ! cher espoir de mon cœur, que nous allons être éloignés l'un de l'autre !

XVIII

Combien de temps effacé de ma vie, mon cher Aza ! Le Soleil a fait la moitié de son cours depuis la dernière fois que j'ai joui du bonheur artificiel que je me faisais en croyant m'entretenir avec toi. Que cette double absence m'a paru longue ! Quel courage ne m'a-t-il pas fallu pour la supporter ? Je ne vivais que dans l'avenir, le présent ne me paraissait plus digne d'être compté. Toutes mes pensées n'étaient que des désirs, toutes mes réflexions que des projets, tous mes sentiments que des espérances.

A peine puis-je encore former ces figures, que je me hâte d'en faire les interprètes de ma tendresse.

Je me sens ranimer par cette tendre occupation. Rendue à moi-même, je crois recommencer à vivre. Aza, que tu m'es cher, que j'ai de joie à te le dire, à le peindre, à donner à ce sentiment toutes les sortes d'existences qu'il peut avoir! Je voudrais le tracer sur le plus dur métal, sur les murs de ma chambre, sur mes habits, sur tout ce qui m'environne, et l'exprimer dans toutes les langues.

Hélas! que la connaissance de celle dont je me sers à présent m'a été funeste, que l'espérance qui m'a portée à m'en instruire était trompeuse! A mesure que j'en ai acquis l'intelligence, un nouvel univers s'est offert à mes yeux. Les objets ont pris une autre forme, chaque éclaircissement m'a découvert un nouveau malheur.

Mon esprit, mon cœur, mes yeux, tout m'a séduit, le Soleil même m'a trompée. Il éclaire le monde entier, dont ton empire n'occupe qu'une portion, ainsi que bien d'autres royaumes qui le composent. Ne crois pas, mon cher Aza, que l'on m'ait abusée sur ces faits incroyables: on ne me les a que trop prouvés.

Loin d'être parmi des peuples soumis à ton obéissance, je suis non seulement sous une domination étrangère, mais si éloignée de ton empire, que notre nation y serait encore ignorée, si la cupidité des Espagnols ne leur avait fait surmonter des dangers affreux pour pénétrer jusqu'à nous.

L'amour ne fera-t-il pas ce que la soif des richesses a pu faire? Si tu m'aimes, si tu me désires, si tu penses encore à la malheureuse Zilia, je dois tout attendre de ta tendresse ou de ta générosité. Que l'on m'enseigne les chemins qui peuvent me conduire jusqu'à toi, les périls à surmonter, les fatigues à supporter seront des plaisirs pour mon cœur.

XIX

Je suis encore si peu habile dans l'art d'écrire, mon cher Aza, qu'il me faut un temps infini pour former très peu de lignes. Il arrive souvent qu'après avoir beaucoup écrit, je ne puis deviner moi-même ce que j'ai cru exprimer. Cet embarras brouille mes idées, me fait oublier ce que j'avais rappelé avec peine à mon souvenir; je recommence, je ne fais pas mieux, et cependant je continue.

J'y touverais plus de facilité, si je n'avais à te peindre que les expressions de ma tendresse; la vivacité de mes sentiments aplanirait toutes les difficultés. Mais je voudrais aussi te rendre compte de tout ce qui s'est passé pendant l'intervalle de mon silence. Je voudrais que tu n'ignorasses aucune de mes actions; néanmoins elles sont depuis longtemps si peu intéressantes et si uniformes, qu'il me serait impossible de les distinguer les unes des autres.

Le principal événement de ma vie a été le départ de Déterville.

Depuis un espace de temps que l'on nomme *six mois* il est allé faire la guerre pour les intérêts de son souverain. Lorsqu'il partit, j'ignorais encore l'usage de sa langue; cependant, à la vive douleur qu'il fit paraître en se séparant de sa sœur et de moi, je compris que nous le perdions pour longtemps.

J'en versai bien des larmes; mille craintes remplirent mon cœur, que les bontés de Céline ne purent effacer. Je perdais en lui la plus solide espérance de te revoir. A qui pourrais-je avoir recours, s'il m'arrivait de nouveaux malheurs? Je n'étais entendue de personne.

Je ne tardai pas à ressentir les effets de cette absence. *Madame*, dont je n'avais que trop deviné le dédain, et qui ne m'avait tant retenue dans sa chambre que par je ne sais quelle vanité qu'elle tirait, dit-on, de ma naissance et du pouvoir qu'elle a sur moi, me fit enfermer avec Céline dans une maison de Vierges, où nous sommes encore.

Cette retraite ne me déplairait pas, si au moment où je suis en état de tout entendre, elle ne me privait des instructions dont j'ai besoin sur le dessein que je forme d'aller te rejoindre. Les Vierges qui l'habitent sont d'une ignorance si profonde, qu'elles ne peuvent satisfaire à mes moindres curiosités.

Le culte qu'elles rendent à la Divinité du pays exige qu'elles renoncent à tous ses bienfaits, aux connaissances de l'esprit, aux sentiments du cœur, et je crois même à la raison, du moins leurs discours le font-ils penser.

Enfermées comme les nôtres, elles ont un avantage que l'on n'a pas dans les temples du Soleil : ici les murs ouverts en quelques endroits, et seulement fermés par des morceaux de fer croisés, assez près l'un de l'autre, pour empêcher de sortir, laissent la liberté de voir et d'entretenir les gens du dehors, c'est ce qu'on appelle des parloirs.

C'est à la faveur de cette commodité que je continue à prendre des leçons d'écriture. Je ne parle qu'au maître qui me les donne ; son ignorance à tous autres égards qu'à celui de son art ne peut me tirer de la mienne. Céline ne me paraît pas mieux instruite ; je remarque dans les réponses qu'elle fait à mes questions, un certain embarras qui ne peut partir que d'une dissimulation maladroite ou d'une ignorance honteuse. Quoi qu'il en soit, son entretien est toujours borné aux intérêts de son cœur et à ceux de sa famille.

Le jeune Français qui lui parla un jour en sortant du spectacle où l'on chante est son amant, comme j'avais cru le deviner. Mais Madame Déterville, qui ne veut pas les unir, lui défend de le voir, et pour l'en empêcher plus sûrement, elle ne veut pas même qu'elle parle à qui que ce soit.

Ce n'est pas que son choix soit indigne d'elle, c'est que cette mère glorieuse et dénaturée profite d'un usage barbare, établi parmi les grands seigneurs du pays, pour obliger Céline à prendre l'habit de Vierge, afin de rendre son fils aîné plus riche. Par le même motif, elle a déjà obligé Déterville à choisir un certain ordre, dont il ne pourra plus sortir, dès qu'il aura prononcé des paroles que l'on appelle *vœux*.

Céline résiste de tout son pouvoir au sacrifice que l'on exige d'elle ; son courage est soutenu par des lettres de son amant que je reçois de mon maître à écrire, et que je lui rends ; cependant son chagrin apporte tant d'altération dans son caractère, que loin d'avoir pour moi les mêmes bontés qu'elle avait avant que je parlasse sa langue, elle répand sur notre commerce une amertume qui aigrit mes peines.

Confidente perpétuelle des siennes, je l'écoute sans

ennui, je la plains sans effort, je la console avec amitié ; et si ma tendresse réveillée par la peinture de la sienne, me fait chercher à soulager l'oppression de mon cœur en prononçant seulement ton nom, l'impatience et le mépris se peignent sur son visage, elle me conteste ton esprit, tes vertus, et jusqu'à ton amour.

Ma *China* même, je ne lui sais point d'autre nom, celui-là a paru plaisant, on le lui a laissé, ma *China* qui semblait m'aimer, qui m'obéit en toutes autres occasions, se donne la hardiesse de m'exhorter à ne plus penser à toi, ou si je lui impose silence, elle sort : Céline arrive, il faut renfermer mon chagrin. Cette contrainte tyrannique met le comble à mes maux. Il ne me reste que la seule et pénible satisfaction de couvrir ce papier des expressions de ma tendresse, puisqu'il est le seul témoin docile des sentiments de mon cœur.

Hélas ! je prends peut-être des peines inutiles, peut-être ne sauras-tu jamais que je n'ai vécu que pour toi. Cette horrible pensée affaiblit mon courage, sans rompre le dessein que j'ai de continuer à t'écrire. Je conserve mon illusion pour te conserver ma vie, j'écarte la raison barbare qui voudrait m'éclairer : si je n'espérais te revoir, je périrais, mon cher Aza, j'en suis certaine ; sans toi la vie m'est un supplice.

XX

Jusqu'ici, mon cher Aza, tout occupée des peines de mon cœur, je ne t'ai point parlé de celles de mon esprit ; cependant elles ne sont guère moins cruelles. J'en éprouve une d'un genre inconnu parmi nous, causée par les usages généraux de cette nation, si différents des nôtres, qu'à moins de t'en donner quelques idées, tu ne pourrais compatir à mon inquiétude.

Le gouvernement de cet empire, entièrement opposé à celui du tien, ne peut manquer d'être défectueux. Au lieu que le *Capa-Inca* est obligé de pourvoir à la subsistance de ses peuples, en Europe les souverains ne tirent la leur que des travaux de leurs sujets ; aussi les crimes et les malheurs viennent-ils presque tous des besoins mal satisfaits.

Le malheur des nobles, en général, naît des difficultés qu'ils trouvent à concilier leur magnificence apparente avec leur misère réelle.

Le commun des hommes ne soutient son état que par ce qu'on appelle commerce ou industrie; la mauvaise foi est le moindre des crimes qui en résultent.

Une partie du peuple est obligée, pour vivre, de s'en rapporter à l'humanité des autres: les effets en sont si bornés, qu'à peine ces malheureux ont-ils suffisamment de quoi s'empêcher de mourir.

Sans avoir de l'or, il est impossible d'acquérir une portion de cette terre que la nature a donnée à tous les hommes. Sans posséder ce qu'on appelle du bien, il est impossible d'avoir de l'or, et par une inconséquence qui blesse les lumières naturelles, et qui impatiente la raison, cette nation orgueilleuse, suivant les lois d'un faux honneur qu'elle a inventé, attache de la honte à recevoir de tout autre que du souverain ce qui est nécessaire au soutien de sa vie et de son état: ce souverain répand ses libéralités sur un si petit nombre de ses sujets, en comparaison de la quantité des malheureux, qu'il y aurait autant de folie à prétendre y avoir part, que d'ignominie à se délivrer par la mort de l'impossibilité de vivre sans honte.

La connaissance de ces tristes vérités n'excita d'abord dans mon cœur que de la pitié pour les misérables, et de l'indignation contre les lois. Mais hélas! que la manière méprisante dont j'entendis parler de ceux qui ne sont pas riches, me fit faire de cruelles réflexions sur moi-même! Je n'ai ni or, ni terres, ni industrie, je fais nécessairement partie des citoyens de cette ville. O ciel! dans quelle classe dois-je me ranger?

Quoique tout sentiment de honte qui ne vient pas d'une faute commise me soit étranger, quoique je sente combien il est insensé d'en recevoir par des causes indépendantes de mon pouvoir ou de ma volonté, je ne puis me défendre de souffrir de l'idée que les autres ont de moi: cette peine me serait insupportable, si je n'espérais qu'un jour ta générosité me mettra en état de récompenser ceux qui m'humilient malgré moi par des bienfaits dont je me croyais honorée.

Ce n'est pas que Céline ne mette tout en œuvre pour calmer mes inquiétudes à cet égard ; mais ce que je vois, ce que j'apprends des gens de ce pays me donne en général de la défiance de leurs paroles ; leurs vertus, mon cher Aza, n'ont pas plus de réalité que leurs richesses. Les meubles que je croyais d'or n'en ont que la superficie ; leur véritable substance est de bois ; de même ce qu'ils appellent politesse cache légèrement leurs défauts sous les dehors de la vertu ; mais avec un peu d'attention on en découvre aussi aisément l'artifice que celui de leurs fausses richesses.

Je dois une partie de ces connaissances à une sorte d'écriture que l'on appelle *livres ;* quoique je trouve encore beaucoup de difficultés à comprendre ce qu'ils contiennent, ils me sont fort utiles, j'en tire des notions. Céline m'explique ce qu'elle en sait, et j'en compose des idées que je crois justes.

Quelques-uns de ces livres apprennent ce que les hommes ont fait, et d'autres ce qu'ils ont pensé. Je ne puis t'exprimer, mon cher Aza, l'excellence du plaisir que je trouverais à les lire, si je les entendais mieux, ni le désir extrême que j'ai de connaître quelques-uns des hommes divins qui les composent. Je comprends qu'ils sont à l'âme ce que le Soleil est à la terre, et que je trouverais avec eux toutes les lumières, tous les secours dont j'ai besoin, mais je ne vois nul espoir d'avoir jamais cette satisfaction. Quoique Céline lise assez souvent, elle n'est pas assez instruite pour me satisfaire ; à peine avait-elle pensé que les livres fussent faits par des hommes ; elle en ignore les noms, et même s'ils vivent encore.

Je te porterai, mon cher Aza, tout ce que je pourrai amasser de ces merveilleux ouvrages, je te les expliquerai dans notre langue, je goûterai la suprême félicité de donner un plaisir nouveau à ce que j'aime. Hélas ! le pourrai-je jamais ?

XXI

Je ne manquerai plus de matière pour t'entretenir, mon cher Aza; on m'a fait parler à un *Cusipata,* que l'on nomme ici *religieux;* instruit de tout, il m'a promis de ne me rien laisser ignorer. Poli comme un grand seigneur, savant comme un *Amauta,* il sait aussi parfaitement les usages du monde que les dogmes de sa religion. Son entretien, plus utile qu'un livre, m'a donné une satisfaction que je n'avais pas goûtée depuis que mes malheurs m'ont séparée de toi.

Il venait pour m'instruire de la religion de France, et m'exhorter à l'embrasser.

De la façon dont il m'a parlé des vertus qu'elle prescrit, elles sont tirées de la loi naturelle, et en vérité aussi pures que les nôtres; mais je n'ai pas l'esprit assez subtil pour apercevoir le rapport que devraient avoir avec elle les mœurs et les usages de la nation, j'y trouve au contraire une inconséquence si remarquable que ma raison refuse absolument de s'y prêter.

A l'égard de l'origine et des principes de cette religion, ils ne m'ont pas paru plus incroyables que l'histoire de *Mancocapa* et du marais *Tisicaca* [1], et la morale en est si belle, que j'aurais écouté le *Cusipata* avec plus de complaisance, s'il n'eût parlé avec mépris du culte sacré que nous rendons au Soleil; toute partialité détruit la confiance. J'aurais pu appliquer à ses raisonnements ce qu'il opposait aux miens: mais si les lois de l'humanité défendent de frapper son semblable, parce que c'est lui faire un mal, à plus forte raison ne doit-on pas blesser son âme par le mépris de ses opinions. Je me contentai de lui expliquer mes sentiments sans contrarier les siens.

D'ailleurs un intérêt plus cher me pressait de changer le sujet de notre entretien: je l'interrompis dès qu'il me fut possible, pour faire des questions sur l'éloignement de la ville de Paris à celle de *Cuzco,* et sur la possibilité d'en

1. Voyez l'*Histoire des Incas.*

faire le trajet. Le *Cusipata* y satisfit avec bonté, et quoiqu'il me désignât la distance de ces deux villes d'une façon désespérante, quoiqu'il me fît regarder comme insurmontable la difficulté d'en faire le voyage, il me suffit de savoir que la chose était possible pour affermir mon courage et me donner la confiance de communiquer mon dessein au bon religieux.

Il en parut étonné, il s'efforça de me détourner d'une telle entreprise avec des mots si doux, qu'il m'attendrit moi-même sur les périls auxquels je m'exposerais; cependant ma résolution n'en fut point ébranlée. Je priai le *Cusipata* avec les plus vives instances de m'enseigner les moyens de retourner dans ma patrie. Il ne voulut entrer dans aucun détail, il me dit seulement que Déterville, par sa haute naissance et par son mérite personnel, étant dans une grande considération, pourrait tout ce qu'il voudrait; et qu'ayant un oncle tout-puissant à la cour d'Espagne, il pouvait plus aisément que personne me procurer des nouvelles de nos malheureuses contrées.

Pour achever de me déterminer à attendre son retour, qu'il m'assura être prochain, il ajouta qu'après les obligations que j'avais à ce généreux ami, je ne pouvais avec honneur disposer de moi sans son consentement. J'en tombai d'accord, et j'écoutai avec plaisir l'éloge qu'il me fit des rares qualités qui distinguent Déterville des personnes de son rang. Le poids de la reconnaissance est bien léger, mon cher Aza, quand on ne le reçoit que des mains de la vertu.

Le savant homme m'apprit aussi comment le hasard avait conduit les Espagnols jusqu'à ton malheureux empire, et que la soif de l'or était la seule cause de leur cruauté. Il m'expliqua ensuite de quelle façon le droit de la guerre m'avait fait tomber entre les mains de Déterville par un combat dont il était sorti victorieux, après avoir pris plusieurs vaisseaux aux Espagnols, entre lesquels était celui qui me portait.

Enfin, mon cher Aza, s'il a confirmé mes malheurs, il m'a du moins tirée de la cruelle obscurité où je vivais sur tant d'événements funestes, et ce n'est pas un petit soulagement à mes peines. J'attends le reste du retour de

Déterville : il est humain, noble, vertueux, je dois compter sur sa générosité. S'il me rend à toi, quel bienfait ! quelle joie ! quel bonheur !

XXII

J'avais compté, mon cher Aza, me faire un ami du savant *Cusipata,* mais une seconde visite qu'il m'a faite a détruit la bonne opinion que j'avais prise de lui dans la première.

Si d'abord il m'avait paru doux et sincère, cette fois je n'ai trouvé que de la rudesse et de la fausseté dans tout ce qu'il m'a dit.

L'esprit tranquille sur les intérêts de ma tendresse, je voulus satisfaire ma curiosité sur les hommes merveilleux qui font des livres ; je commençai par m'informer du rang qu'ils tiennent dans le monde, de la vénération que l'on a pour eux, enfin des honneurs ou des triomphes qu'on leur décerne pour tant de bienfaits qu'ils répandent dans la société.

Je ne sais ce que le *Cusipata* trouva de plaisant dans mes questions, mais il sourit à chacune, et n'y répondit que par des discours si peu mesurés, qu'il ne me fut pas difficile de voir qu'il me trompait.

En effet, si je l'en crois, ces hommes, sans contredit au-dessus des autres par la noblesse et l'utilité de leur travail, restent souvent sans récompense, et sont obligés, pour l'entretien de leur vie, de vendre leurs pensées, ainsi que le peuple vend, pour subsister, les plus viles productions de la terre. Cela peut-il être !

La tromperie, mon cher Aza, ne me déplaît guère moins sous le masque transparent de la plaisanterie que sous le voile épais de la séduction : celle du religieux m'indigna, et je ne daignai pas y répondre.

Ne pouvant me satisfaire, je remis la conversation sur le projet de mon voyage, mais au lieu de m'en détourner avec la même douceur que la première fois, il m'opposa des raisonnements si forts et si convaincants, que je ne trouvai que ma tendresse pour toi qui pût les combattre, je ne balançai pas à lui en faire l'aveu.

D'abord il prit une mine gaie, et paraissant douter de la vérité de mes paroles, il ne me répondit que par des railleries, qui, tout insipides qu'elles étaient, ne laissèrent pas de m'offenser; je m'efforçai de le convaincre de la vérité; mais à mesure que les expressions de mon cœur en prouvaient les sentiments, son visage et ses paroles devinrent sévères; il osa me dire que mon amour pour toi était incompatible avec la vertu, qu'il fallait renoncer à l'un ou à l'autre, enfin que je ne pouvais t'aimer sans crime.

A ces paroles insensées, la plus vive colère s'empara de mon âme, j'oubliai la modération que je m'étais prescrite, je l'accablai de reproches, je lui appris ce que je pensais de la fausseté de ses paroles, je lui protestai mille fois de t'aimer toujours, et sans attendre ses excuses, je le quittai, et je courus m'enfermer dans ma chambre, où j'étais sûre qu'il ne pourrait me suivre.

O mon cher Aza, que la raison de ce pays est bizarre! Elle convient en général que la première des vertus est de faire du bien; d'être fidèle à ses engagements; elle défend en particulier de tenir ceux que le sentiment le plus pur a formés. Elle ordonne la reconnaissance, et semble prescrire l'ingratitude.

Je serais louable si je te rétablissais sur le trône de tes pères, je suis criminelle en te conservant un bien plus précieux que tous les empires du monde.

On m'approuverait si je récompensais tes bienfaits par les trésors du Pérou. Dépourvue de tout, dépendante de tout, je ne possède que ma tendresse, on veut que je te la ravisse, il faut être ingrate pour avoir de la vertu. Ah! mon cher Aza! je les trahirais toutes si je cessais un moment de t'aimer. Fidèle à leurs lois je le serai à mon amour; je ne vivrai que pour toi.

XXIII

Je crois, mon cher Aza, qu'il n'y a que la joie de te voir qui pourrait l'emporter sur celle que m'a causée le retour de Déterville; mais comme s'il ne m'était plus permis d'en goûter sans mélange, elle a été bientôt suivie d'une tristesse qui dure encore.

Céline était hier matin dans ma chambre, quand on vint mystérieusement l'appeler: il n'y avait pas longtemps qu'elle m'avait quittée, lorsqu'elle me fit dire de me rendre au parloir; j'y courus: quelle fut ma surprise d'y trouver son frère avec elle!

Je ne dissimulai point le plaisir que j'eus de le voir, je lui dois de l'estime et de l'amitié; ces sentiments sont presque des vertus, je les exprimai avec autant de vérité que je les sentais.

Je voyais mon libérateur, le seul appui de mes espérances; j'allais parler sans contrainte de toi, de ma tendresse, de mes desseins, ma joie allait jusqu'au transport.

Je ne parlais pas encore français lorsque Déterville partit; combien de choses n'avais-je pas à lui apprendre? combien d'éclaircissements à lui demander, combien de reconnaissance à lui témoigner? Je voulais tout dire à la fois, je disais mal, et cependant je parlais beaucoup.

Je m'aperçus pendant ce temps-là que la tristesse qu'en entrant j'avais remarquée sur le visage de Déterville se dissipait et faisait place à la joie: je m'en applaudissais; elle m'animait à l'exciter encore. Hélas! devais-je craindre d'en donner trop à un ami à qui je dois tout, et de qui j'attends tout? cependant ma sincérité le jeta dans une erreur qui me coûte à présent bien des larmes.

Céline était sortie en même temps que j'étais entrée; peut-être sa présence aurait-elle épargné une explication si cruelle.

Déterville, attentif à mes paroles, paraissait se plaire à les entendre, sans songer à m'interrompre: je ne sais quel trouble me saisit, lorsque je voulus lui demander des instructions sur mon voyage, et lui en expliquer le motif; mais les expressions me manquèrent, je les cherchais; il profita d'un moment de silence, et mettant un genou en terre devant la grille à laquelle ses deux mains étaient attachées, il me dit d'une voix émue: A quel sentiment, divine Zilia, dois-je attribuer le plaisir que je vois aussi naïvement exprimé dans vos beaux yeux que dans vos discours ? Suis-je le plus heureux des hommes au moment même où ma sœur vient de me faire entendre que j'étais le plus à plaindre ? Je ne sais, lui répondis-je, quel chagrin Céline a pu vous donner ; mais je suis bien assurée que vous n'en recevrez jamais de ma part. Cependant, répliqua-t-il, elle m'a dit que je ne devais pas espérer d'être aimé de vous. Moi ! m'écriai-je en l'interrompant, moi, je ne vous aime point !

Ah, Déterville ! comment votre sœur peut-elle me noircir d'un tel crime ? L'ingratitude me fait horreur : je me haïrais moi-même, si je croyais pouvoir cesser de vous aimer.

Pendant que je prononçais ce peu de mots, il semblait, à l'avidité de ses regards, qu'il voulait lire dans mon âme.

Vous m'aimez, Zilia, me dit-il, vous m'aimez, et vous me le dites ! Je donnerais ma vie pour entendre ce charmant aveu ; hélas ! je ne puis le croire, lors même que je l'entends. Zilia, ma chère Zilia, est-il bien vrai que vous m'aimez ? ne vous trompez-vous pas vous-même ? votre ton, vos yeux, mon cœur, tout me séduit. Peut-être n'est-ce que pour me replonger plus cruellement dans le désespoir dont je sors.

Vous m'étonnez, repris-je ; d'où naît votre défiance ? Depuis que je vous connais, si je n'ai pu me faire entendre par des paroles, toutes mes actions n'ont-elles pas dû vous prouver que je vous aime ? Non, répliqua-t-il, je ne puis encore me flatter : vous ne parlez pas assez bien le français pour détruire mes justes craintes ; vous ne cherchez point à me tromper, je le sais. Mais expliquez-moi quel sens vous attachez à ces mots adorables : *Je vous aime*. Que mon sort soit décidé, que je meure à vos pieds de douleur ou de plaisir.

Ces mots, lui dis-je un peu intimidée par la vivacité avec laquelle il prononça ces dernières paroles, ces mots doivent, je crois, vous faire entendre que vous m'êtes cher, que votre sort m'intéresse, que l'amitié et la reconnaissance m'attachent à vous ; ces sentiments plaisent à mon cœur et doivent satisfaire le vôtre.

Ah, Zilia ! me répondit-il, que vos termes s'affaiblissent ! que votre ton se refroidit ! Céline m'aurait-elle dit la vérité ? N'est-ce point pour Aza que vous sentez tout ce que vous dites ? Non, lui dis-je, le sentiment que j'ai pour Aza est tout différent de ceux que j'ai pour vous, c'est ce que vous appelez l'amour... Quelle peine cela peut-il vous faire, ajoutai-je, en le voyant pâlir, abandonner la grille, et jeter au ciel des regards remplis de douleur, j'ai de l'amour pour Aza parce qu'il en a pour moi, et que nous devions être unis. Il n'y a là-dedans nul rapport avec vous. Les mêmes, s'écria-t-il, que vous trouvez entre vous et lui, puisque j'ai mille fois plus d'amour qu'il n'en ressentit jamais.

Comment cela se pourrait-il ? repris-je. Vous n'êtes point de ma nation ; loin que vous m'ayez choisie pour votre épouse, le hasard seul nous a réunis, et ce n'est même que d'aujourd'hui que nous pouvons librement nous communiquer nos idées. Par quelle raison auriez-vous pour moi les sentiments dont vous parlez ?

En faut-il d'autres que vos charmes et mon caractère, me répliqua-t-il, pour m'attacher à vous jusqu'à la mort ? Né tendre, paresseux, ennemi de l'artifice, les peines qu'il aurait fallu me donner pour pénétrer le cœur des femmes, et la crainte de n'y pas trouver la franchise que j'y désirais, ne m'ont laissé pour elles qu'un goût vague ou passager ; j'ai vécu sans passion jusqu'au moment où je vous ai vue ; votre beauté me frappa ; mais son impression aurait peut-être été aussi légère que celle de beaucoup d'autres, si la douceur et la naïveté de votre caractère ne m'avaient présenté l'objet que mon imagination m'avait si souvent composé. Vous savez, Zilia, si je l'ai respecté cet objet de mon adoration. Que ne m'en a-t-il pas coûté pour résister aux occasions séduisantes que m'offrait la familiarité d'une longue navigation ! Combien de fois votre innocence vous aurait-elle livrée à mes transports, si je les eusse écoutés ? Mais, loin de vous offenser, j'ai poussé la discrétion jusqu'au silence ; j'ai même exigé de ma sœur qu'elle ne vous parlerait pas de mon amour ; je n'ai rien voulu devoir qu'à vous-même. Ah, Zilia ! si vous n'êtes point touchée d'un respect si tendre, je vous fuirai ; mais je le sens, ma mort sera le prix du sacrifice.

Votre mort ! m'écriai-je, pénétrée de la douleur sincère dont je le voyais accablé : hélas ! quel sacrifice ! je ne sais si celui de ma vie ne me serait pas moins affreux.

Eh bien, Zilia, me dit-il, si ma vie vous est chère, ordonnez donc que je vive ? Que faut-il faire ? lui dis-je. M'aimer, répondit-il, comme vous aimiez Aza. Je l'aime toujours de même, lui répliquai-je, et je l'aimerai jusqu'à la mort : je ne sais, ajoutai-je, si vos lois vous permettent d'aimer deux objets de la même manière, mais nos usages et mon cœur me le défendent. Contentez-vous des sentiments que je vous promets, je ne puis en avoir d'autres ; la vérité m'est chère, je vous la dis sans détour.

De quel sang-froid vous m'assassinez ! s'écria-t-il. Ah, Zilia ! que je vous aime, puisque j'adore jusqu'à votre cruelle franchise. Eh bien, continua-t-il après avoir gardé quelques moments le silence, mon amour surpassera votre cruauté. Votre bonheur m'est plus cher que le mien. Parlez-moi avec cette sincérité qui me déchire sans ménagement. Quelle est votre espérance sur l'amour que vous conservez pour Aza ?

Hélas ! lui dis-je, je n'en ai qu'en vous seul ! Je lui expliquai ensuite comment j'avais appris que la communication aux Indes n'était pas impossible ; je lui dis que je m'étais flattée qu'il me procurerait les moyens d'y retourner, ou tout au moins qu'il aurait assez de bonté pour faire passer jusqu'à toi des nœuds qui t'instruiraient de mon sort, et pour m'en faire avoir les réponses, afin qu'instruite de ta destinée, elle serve de règle à la mienne.

Je vais prendre, me dit-il avec un sang-froid affecté, les mesures nécessaires pour découvrir le sort de votre amant, vous serez satisfaite à cet égard. Cependant vous vous flatteriez en vain de revoir l'heureux Aza, des obstacles invincibles vous séparent.

Ces mots, mon cher Aza, furent un coup mortel pour mon cœur, mes larmes coulèrent en abondance, elles m'empêchèrent longtemps de répondre à Déterville, qui de son côté gardait un morne silence. Eh bien, lui dis-je enfin, je ne le verrai plus, mais je n'en vivrai pas moins pour lui : si votre amitié est assez généreuse pour nous procurer quelque correspondance, cette satisfaction suffira pour me rendre la vie moins insupportable, et je mourrai contente, pourvu que vous me promettiez de lui faire savoir que je suis morte en l'aimant.

Ah! c'en est trop, s'écria-t-il en se levant brusquement : oui, s'il est possible, je serai le seul malheureux. Vous connaîtrez ce cœur que vous dédaignez ; vous verrez de quels efforts est capable un amour tel que le mien, et je vous forcerai au moins à me plaindre. En disant ces mots il sortit et me laissa dans un état que je ne comprends pas encore ; j'étais demeurée debout, les yeux attachés sur la porte par où Déterville venait de sortir, abîmée dans une confusion de pensées que je ne cherchais pas même à démêler : j'y serais restée longtemps, si Céline ne fût entrée dans le parloir.

Elle me demanda vivement pourquoi Déterville était sorti si tôt. Je ne lui cachai pas ce qui s'était passé entre nous. D'abord elle s'affligea de ce qu'elle appelait le malheur de son frère. Ensuite, tournant sa douleur en colère, elle m'accabla des plus durs reproches, sans que j'osasse y opposer un seul mot. Qu'aurais-je pu lui dire ? mon trouble me laissait à peine la liberté de penser ; je sortis, elle ne me suivit point. Retirée dans ma chambre, j'y suis restée un jour sans oser paraître, sans avoir eu de nouvelles de personne, et dans un désordre d'esprit qui ne me permettait pas même de t'écrire.

La colère de Céline, le désespoir de son frère, ses dernières paroles, auxquelles je voudrais et je n'ose donner un sens favorable, livrèrent mon âme tour à tour aux plus cruelles inquiétudes.

J'ai cru enfin que le seul moyen de les adoucir était de te les peindre, de t'en faire part, de chercher dans ta tendresse les conseils dont j'ai besoin ; cette erreur m'a soutenue pendant que j'écrivais ; mais qu'elle a peu duré ! Ma lettre est finie, et les caractères n'en sont tracés que pour moi.

Tu ignores ce que je souffre ; tu ne sais pas même si j'existe, si je t'aime. Aza, mon cher Aza, ne le sauras-tu jamais ?

XXIV

Je pourrais encore appeler une absence le temps qui s'est écoulé, mon cher Aza, depuis la dernière fois que je t'ai écrit.

Quelques jours après l'entretien que j'eus avec Déterville, je tombai dans une maladie que l'on nomme la *fièvre*. Si, comme je le crois, elle a été causée par les passions douloureuses qui m'agitèrent alors, je ne doute pas qu'elle n'ait été prolongée par les tristes réflexions dont je suis occupée, et par le regret d'avoir perdu l'amitié de Céline.

Quoiqu'elle ait paru s'intéresser à ma maladie, qu'elle m'ait rendu tous les soins qui dépendaient d'elle, c'était d'un air si froid, elle a eu si peu de ménagement pour mon âme, que je ne puis douter de l'altération de ses sentiments. L'extrême amitié qu'elle a pour son frère l'indispose contre moi, elle me reproche sans cesse de le rendre malheureux : la honte de paraître ingrate m'intimide, les bontés affectées de Céline me gênent, mon embarras la contraint, la douceur et l'agrément sont bannis de notre commerce.

Malgré tant de contrariété et de peine de la part du frère et de la sœur, je ne suis pas insensible aux événements qui changent leurs destinées.

La mère de Déterville est morte. Cette mère dénaturée n'a point démenti son caractère, elle a donné tout son bien à son fils aîné. On espère que les gens de loi empêcheront l'effet de cette injustice. Déterville, désintéressé par lui-même, se donne des peines infinies pour tirer Céline de l'oppression. Il semble que son malheur redouble son amitié pour elle ; outre qu'il vient la voir tous les jours, il lui écrit soir et matin. Ses lettres sont remplies de plaintes si tendres contre moi, d'inquiétudes si vives sur ma santé, que quoique Céline affecte, en me les lisant, de ne vouloir que m'instruire du progrès de leurs affaires, je démêle aisément son véritable motif.

Je ne doute pas que Déterville ne les écrive afin qu'elles me soient lues ; néanmoins je suis persuadée qu'il s'en abstiendrait, s'il était instruit des reproches dont cette lecture est suivie. Ils font leur impression sur mon cœur. La tristesse me consume.

Jusqu'ici, au milieu des orages, je jouissais de la faible satisfaction de vivre en paix avec moi-même : aucune tache ne souillait la pureté de mon âme, aucun remords ne la troublait ; à présent je ne puis penser sans une sorte de mépris pour moi-même que je rends malheureuses deux personnes auxquelles je dois la vie ; que je trouble le repos dont elles jouiraient sans moi, que je leur fais tout le mal qui est en mon pouvoir, et cependant je ne puis ni ne veux cesser d'être criminelle. Ma tendresse pour toi triomphe de mes remords, Aza, que je t'aime !

XXV

Que la prudence est quelquefois nuisible, mon cher Aza ! J'ai résisté longtemps aux pressantes instances que Déterville m'a fait faire de lui accorder un moment d'entretien. Hélas ! je fuyais mon bonheur. Enfin, moins par complaisance que par lassitude de disputer avec Céline, je me suis laissé conduire au parloir. A la vue du changement affreux qui rend Déterville presque méconnaissable, je suis restée interdite ; je me repentais déjà de ma démarche, j'attendais en tremblant les reproches qu'il me paraissait en droit de me faire. Pouvais-je deviner qu'il allait combler mon âme de plaisir ?

Pardonnez-moi, Zilia, m'a-t-il dit, la violence que je vous fais ; je ne vous aurais pas obligée à me voir, si je ne vous apportais autant de joie que vous me causez de douleur. Est-ce trop exiger qu'un moment de votre vue, pour récompense du cruel sacrifice que je vous fais ? Et sans me donner le temps de répondre : Voici, continua-t-il, une lettre de ce parent dont on vous a parlé : en vous apprenant le sort d'Aza, elle vous prouvera mieux que tous mes serments quel est l'excès de mon amour ; et tout de suite il me fit la lecture de cette lettre. Ah ! mon cher Aza, ai-je pu l'entendre sans mourir de joie ? Elle m'apprend que tes jours sont conservés, que tu es libre, que tu vis sans péril à la cour d'Espagne. Quel bonheur inespéré !

Cette admirable lettre est écrite par un homme qui te connaît, qui te voit, qui te parle; peut-être tes regards ont-ils été attachés un moment sur ce précieux papier? Je ne pouvais en arracher les miens; je n'ai retenu qu'à peine des cris de joie prêts à m'échapper; les larmes de l'amour inondaient mon visage.

Si j'avais suivi les mouvements de mon cœur, cent fois j'aurais interrompu Déterville pour lui dire tout ce que la reconnaissance m'inspirait; mais je n'oubliais point que mon bonheur devait augmenter ses peines; je lui cachai mes transports, il ne vit que mes larmes.

Eh bien, Zilia, me dit-il après avoir cessé de lire, j'ai tenu ma parole, vous êtes instruite du sort d'Aza; si ce n'est point assez, que faut-il faire de plus? Ordonnez sans contrainte, il n'est rien que vous ne soyez en droit d'exiger de mon amour, pourvu qu'il contribue à votre bonheur.

Quoique je dusse m'attendre à cet excès de bonté, elle me surprit et me toucha.

Je fus quelques moments embarrassée de ma réponse, je craignais d'irriter la douleur d'un homme si généreux. Je cherchais des termes qui exprimassent la vérité de mon cœur sans offenser la sensibilité du sien, je ne les trouvais pas, il fallait parler.

Mon bonheur, lui dis-je, ne sera jamais sans mélange, puisque je ne puis concilier les devoirs de l'amour avec ceux de l'amitié; je voudrais regagner la vôtre et celle de Céline, je voudrais ne vous point quitter, admirer sans cesse vos vertus, payer tous les jours de ma vie le tribut de reconnaissance que je dois à vos bontés. Je sens qu'en m'éloignant de deux personnes si chères j'emporterai des regrets éternels. Mais... Quoi! Zilia, s'écria-t-il, vous voulez nous quitter! Ah! je n'étais point préparé à cette funeste résolution; je manque de courage pour la soutenir. J'en avais assez pour vous voir ici dans les bras de mon rival. L'effort de ma raison, la délicatesse de mon amour m'avaient affermi contre ce coup mortel; je l'aurais préparé moi-même, mais je ne puis me séparer de vous, je ne puis renoncer à vous voir; non, vous ne partirez point, continua-t-il avec emportement, n'y comptez pas, vous abusez de ma tendresse, vous déchirez sans pitié un cœur perdu d'amour. Zilia, cruelle Zilia, voyez mon désespoir, c'est votre ouvrage. Hélas ! de quel prix payez-vous l'amour le plus pur !

C'est vous, lui dis-je, effrayée de sa résolution, c'est vous que je devrais accuser. Vous flétrissez mon âme en la forçant d'être ingrate ; vous désolez mon cœur par une sensibilité infructueuse. Au nom de l'amitié, ne ternissez pas une générosité sans exemple par un désespoir qui ferait l'amertume de ma vie sans vous rendre heureux. Ne condamnez point en moi le même sentiment que vous ne pouvez surmonter, ne me forcez pas à me plaindre de vous, laissez-moi chérir votre nom, le porter au bout du monde, et le faire révérer à des peuples adorateurs de la vertu.

Je ne sais comment je prononçai ces paroles ; mais Déterville, fixant ses yeux sur moi, semblait ne me point regarder ; renfermé en lui-même, il demeura longtemps dans une profonde méditation ; de mon côté, je n'osais l'interrompre : nous observions un égal silence, quand il reprit la parole et me dit avec une espèce de tranquillité : Oui, Zilia, je reconnais, je sens toute mon injustice ; mais renonce-t-on de sang-froid à la vue de tant de charmes ! Vous le voulez, vous serez obéie. Quel sacrifice, ô ciel ! Mes tristes jours s'écouleront, finiront sans vous voir ! Au moins si la mort... N'en parlons plus, ajouta-t-il en s'interrompant ; ma faiblesse me trahirait, donnez-moi deux jours pour m'assurer de moi-même, je reviendrai vous voir, il est nécessaire que nous prenions ensemble des mesures pour votre voyage. Adieu, Zilia. Puisse l'heureux Aza sentir tout son bonheur ! En même temps il sortit.

Je te l'avoue, mon cher Aza, quoique Déterville me soit cher, quoique je fusse pénétrée de sa douleur, j'avais trop d'impatience de jouir en paix de ma félicité pour n'être pas bien aise qu'il se retirât.

Qu'il est doux, après tant de peines, de s'abandonner à la joie ! Je passai le reste de la journée dans les plus tendres ravissements. Je ne t'écrivis point, une lettre était trop peu pour mon cœur, elle m'aurait rappelé ton absence. Je te voyais, je te parlais, cher Aza ! Que manquerait-il à mon bonheur, si tu avais joint à la précieuse lettre que j'ai reçue quelques gages de ta tendresse ! Pourquoi ne l'as-tu pas fait ? On t'a parlé de moi, tu es instruit de mon sort, et rien ne me parle de ton amour. Mais puis-je douter de ton cœur ? Le mien m'en répond. Tu m'aimes, ta joie est égale à la mienne, tu brûles des mêmes feux, la même impatience te dévore ; que la crainte s'éloigne de mon âme, que la joie y domine sans mélange. Cependant tu as embrassé la religion de ce peuple féroce. Quelle est-elle ? Exige-t-elle que tu renonces à ma tendresse, comme celle de France voudrait que je renonçasse à la tienne ? non, tu l'aurais rejetée.

Quoi qu'il en soit, mon cœur est sous tes lois ; soumise à tes lumières, j'adopterai aveuglément tout ce qui pourra nous rendre inséparables. Que puis-je craindre ? bientôt réunie à mon bien, à mon être, à mon tout, je ne penserai plus que par toi, je ne vivrai que pour t'aimer.

XXVI

C'est ici, mon cher Aza, que je te reverrai ; mon bonheur s'accroît chaque jour par ses propres circonstances. Je sors de l'entrevue que Déterville m'avait assignée ; quelque plaisir que je me sois fait de surmonter les difficultés du voyage, de te prévenir, de courir au-devant de tes pas, je le sacrifie sans regret au bonheur de te voir plus tôt.

Déterville m'a prouvé avec tant d'évidence que tu peux être ici en moins de temps qu'il ne m'en faudrait pour aller en Espagne, que, quoiqu'il m'ait laissé généreusement le choix, je n'ai pas balancé à t'attendre, le temps est trop cher pour le prodiguer sans nécessité.

Peut-être avant de me déterminer, aurais-je examiné cet avantage avec plus de soin, si je n'eusse tiré des éclaircissements sur mon voyage qui m'ont décidée en secret sur le parti que je prends, et ce secret je ne puis le confier qu'à toi.

Je me suis souvenue que pendant la longue route qui m'a conduite à Paris, Déterville donnait des pièces d'argent et quelquefois d'or dans tous les endroits où nous nous arrêtions. J'ai voulu savoir si c'était par obligation ou par simple libéralité. J'ai appris qu'en France, non seulement on fait payer la nourriture aux voyageurs, mais encore le repos [1]. Hélas ! je n'ai pas la moindre partie de ce qui serait nécessaire pour contenter l'avidité de ce peuple intéressé ; il faudrait le recevoir des mains de Déterville. Mais pourrais-je me résoudre à contracter volontairement un genre d'obligation, dont la honte va presque jusqu'à l'ignominie ! Je ne le puis, mon cher Aza ; cette raison seule m'aurait déterminée à demeurer ici ; le plaisir de te voir plus promptement n'a fait que confirmer ma résolution.

Déterville a écrit devant moi au ministre d'Espagne. Il le presse de te faire partir avec une générosité qui me pénètre de reconnaissance et d'admiration.

Quels doux moments j'ai passés pendant que Déterville écrivait ! Quel plaisir d'être occupée des arrangements de ton voyage, de voir les apprêts de mon bonheur, de n'en plus douter !

Si d'abord il m'en a coûté pour renoncer au dessein que j'avais de te prévenir, je l'avoue, mon cher Aza, j'y trouve à présent mille sources de plaisir que je n'y avais pas aperçues.

Plusieurs circonstances, qui ne me paraissaient d'aucune valeur pour avancer ou retarder mon départ, me deviennent intéressantes et agréables. Je suivais aveuglément le penchant de mon cœur ; j'oubliais que j'allais te chercher au milieu de ces barbares Espagnols dont la seule idée me saisit d'horreur ; je trouve une satisfaction infinie dans la certitude de ne les revoir jamais. La voix de l'amour éteignait celle de l'amitié ; je goûte sans remords la douceur de les réunir. D'un autre côté, Déter-

1. Les Incas avaient établi sur les chemins de grandes maisons où l'on recevait les voyageurs sans aucuns frais.

ville m'a assuré qu'il nous était à jamais impossible de revoir la ville du Soleil. Après le séjour de notre patrie, en est-il un plus agréable que celui de France ? Il te plaira, mon cher Aza : quoique la sincérité en soit bannie, on y trouve tant d'agréments, qu'ils font oublier les dangers de la société.

Après ce que je t'ai dit de l'or, il n'est pas nécessaire de t'avertir d'en apporter, tu n'as que faire d'autre mérite; la moindre partie de tes trésors suffit pour te faire admirer et confondre l'orgueil des magnifiques indigents de ce royaume; tes vertus et tes sentiments ne seront estimés que de Déterville et de moi. Il m'a promis de te faire rendre mes nœuds et mes lettres; il m'a assuré que tu trouverais des interprètes pour t'expliquer les dernières. On vient me demander le paquet, il faut que je te quitte; adieu, cher espoir de ma vie : je continuerai à t'écrire : si je ne puis te faire passer mes lettres, je te les garderai.

Comment supporterais-je la longueur de ton voyage, si je me privais du seul moyen que j'ai de m'entretenir de ma joie, de mes transports, de mon bonheur ?

XXVII

Depuis que je sais mes lettres en chemin, mon cher Aza, je jouis d'une tranquillité que je ne connaissais plus. Je pense sans cesse au plaisir que tu auras à les recevoir, je vois tes transports, je les partage ; mon âme ne reçoit de toutes parts que des idées agréables, et pour comble de joie, la paix est rétablie dans notre petite société.

Les juges ont rendu à Céline les biens dont sa mère l'avait privée. Elle voit son amant tous les jours, son mariage n'est retardé que par les apprêts qui y sont nécessaires. Au comble de ses vœux, elle ne pense plus à me quereller, et je lui en ai autant d'obligation que si je devais à son amitié les bontés qu'elle recommence à me témoigner. Quel qu'en soit le motif, nous sommes toujours redevables à ceux qui nous font éprouver un sentiment doux.

Ce matin elle m'en a fait sentir tout le prix par une

complaisance qui m'a fait passer d'un trouble fâcheux à une tranquillité agréable.

On lui a apporté une quantité prodigieuse d'étoffes, d'habits, de bijoux de toutes espèces ; elle est accourue dans ma chambre, m'a emmenée dans la sienne ; et après m'avoir consultée sur les différentes beautés de tant d'ajustements, elle a fait elle-même un tas de ce qui avait le plus attiré mon attention, et d'un air empressé elle commandait déjà à nos *Chinas* de le porter chez moi, quand je m'y suis opposée de toutes mes forces. Mes instances n'ont d'abord servi qu'à la divertir ; mais voyant que son obstination augmentait avec mes refus, je n'ai pu dissimuler davantage mon ressentiment.

Pourquoi, lui ai-je dit les yeux baignés de larmes, pourquoi voulez-vous m'humilier plus que je ne le suis ? Je vous dois la vie, et tout ce que j'ai ; c'est plus qu'il n'en faut pour ne point oublier mes malheurs. Je sais que, selon vos lois, quand les bienfaits ne sont d'aucune utilité à ceux qui les reçoivent, la honte en est effacée. Attendez donc que je n'en aie plus aucun besoin pour exercer votre générosité. Ce n'est pas sans répugnance, ajoutai-je d'un ton plus modéré, que je me conforme à des sentiments si peu naturels. Nos usages sont plus humains ; celui qui reçoit s'honore autant que celui qui donne, vous m'avez appris à penser autrement, n'était-ce donc que pour me faire des outrages ?

Cette aimable amie, plus touchée de mes larmes qu'irritée de mes reproches, m'a répondu d'un ton d'amitié : nous sommes bien éloignés, mon frère et moi, ma chère Zilia, de vouloir blesser votre délicatesse, il nous siérait mal de faire les magnifiques avec vous, vous le connaîtrez dans peu ; je voulais seulement que vous partageassiez avec moi les présents d'un frère généreux ; c'était le plus sûr moyen de lui en marquer ma reconnaissance ; l'usage, dans le cas où je suis, m'autorisait à vous les offrir ; mais puisque vous en êtes offensée, je ne vous en parlerai plus. Vous me le promettez donc ? lui ai-je dit. Oui, m'a-t-elle répondu en souriant ; mais permettez-moi d'écrire un mot à Déterville.

Je l'ai laissée faire, et la gaieté s'est rétablie entre nous ; nous avons recommencé à examiner ses parures plus en détail, jusqu'au temps où on l'a demandée au parloir : elle voulait m'y mener ; mais, mon cher Aza, est-il pour moi quelques amusements comparables à celui de t'écrire ! Loin d'en chercher d'autres, j'appréhende ceux que le mariage de Céline me prépare.

Elle prétend que je quitte la maison religieuse pour demeurer dans la sienne quand elle sera mariée ; mais, si j'en suis crue...

Aza, mon cher Aza, par quelle agréable surprise ma lettre fut-elle hier interrompue ! hélas ! je croyais avoir perdu pour jamais ces précieux monuments de notre ancienne splendeur, je n'y comptais plus, je n'y pensais même pas, j'en suis environnée, je les vois, je les touche, et j'en crois à peine mes yeux et mes mains.

Au moment où je t'écrivais, je vis entrer Céline, suivie de quatre hommes accablés sous le poids de gros coffres qu'ils portaient ; ils les posèrent à terre et se retirèrent ; je pensai que ce pouvait être de nouveaux dons de Déterville. Je murmurais déjà en secret, lorsque Céline me dit en me présentant les clefs : ouvrez, Zilia, ouvrez sans vous effaroucher, c'est de la part d'Aza. Je le crus. A ton nom est-il rien qui puisse arrêter mon empressement ? J'ouvris avec précipitation, et ma surprise confirma mon erreur en reconnaissant tout ce qui s'offrit à ma vue pour des ornements du temple du Soleil.

Un sentiment confus, mêlé de tristesse et de joie, de plaisir et de regret, remplit tout mon cœur. Je me prosternai devant ces restes sacrés de notre culte et de nos Autels ; je les couvris de respectueux baisers, je les arrosai de mes larmes ; je ne pouvais m'en arracher, j'avais oublié jusqu'à la présence de Céline ; elle me tira de mon ivresse, en me donnant une lettre qu'elle me pria de lire.

Toujours remplie de mon erreur, je la crus de toi ; mes transports redoublèrent ; mais quoique je la déchiffrasse avec peine, je connus bientôt qu'elle était de Déterville.

Il me sera plus aisé, mon cher Aza, de te la copier que de t'en expliquer le sens.

BILLET DE DÉTERVILLE

« Ces trésors sont à vous, belle Zilia, puisque je les ai trouvés sur le vaisseau qui vous portait. Quelques discussions arrivées entre les gens de l'équipage m'ont empêché jusqu'ici d'en disposer librement. Je voulais vous les présenter moi-même ; mais les inquiétudes que vous avez témoignées ce matin à ma sœur ne me laissent plus le choix du moment. Je ne saurais trop tôt dissiper vos craintes ; je préférerai toute ma vie votre satisfaction à la mienne. »

Je l'avoue en rougissant, mon cher Aza, je sentis moins alors la générosité de Déterville que le plaisir de lui donner des preuves de la mienne.

Je mis promptement à part un vase, que le hasard plus que la cupidité a fait tomber dans les mains des Espagnols. C'est le même, mon cœur l'a reconnu, que tes lèvres touchèrent le jour où tu voulus bien goûter du *aca* [1] préparé de ma main. Plus riche de ce trésor que de tous ceux qu'on me rendait, j'appelai les gens qui les avaient apportés : je voulais les leur faire reprendre pour les renvoyer à Déterville ; mais Céline s'opposa à mon dessein.

Que vous êtes injuste, Zilia, me dit-elle. Quoi ! vous voulez faire accepter des richesses immenses à mon frère, vous que l'offre d'une bagatelle offense ; rappelez votre équité, si vous voulez en inspirer aux autres.

Ces paroles me frappèrent. Je craignis qu'il n'y eût dans mon action plus d'orgueil et de vengeance que de générosité. Que les vices sont près des vertus ! J'avouai ma faute ; j'en demandai pardon à Céline ; mais je souffrais trop de la contrainte qu'elle voulait m'imposer pour n'y pas chercher de l'adoucissement. Ne me punissez pas autant que je le mérite, lui dis-je d'un air timide ; ne dédaignez pas quelques modèles du travail de nos malheureuses contrées ; vous n'en avez aucun besoin, ma prière ne doit point vous offenser.

1. Boisson des Indiens.

Tandis que je parlais, je remarquai que Céline regardait attentivement deux arbustes d'or chargés d'oiseaux et d'insectes d'un travail excellent : je me hâtai de les lui présenter avec une petite corbeille d'argent que je remplis de coquillages, de poissons et de fleurs les mieux imitées : elle les accepta avec une bonté qui me ravit.

Je choisis ensuite plusieurs idoles des nations vaincues [1] par tes ancêtres, et une petite statue [2] qui représentait une Vierge du Soleil ; j'y joignis un tigre, un lion et d'autres animaux courageux, et je la priai de les envoyer à Déterville. Écrivez-lui donc, me dit-elle en souriant ; sans une lettre de votre part, les présents seraient mal reçus.

J'étais trop satisfaite pour rien refuser, j'écrivis tout ce que me dicta ma reconnaissance, et lorsque Céline fut sortie, je distribuai de petits présents à sa *China* et à la mienne : j'en mis à part pour mon maître à écrire. Je goûtai enfin le délicieux plaisir de donner.

Ce n'a pas été sans choix, mon cher Aza ; tout ce qui vient de toi, tout ce qui a des rapports intimes avec ton souvenir, n'est point sorti de mes mains.

La chaise d'or [3] que l'on conservait dans le temple pour le jour des visites du *Capa-Inca* ton auguste père, placée d'un côté de ma chambre en forme de trône, me représente ta grandeur et la majesté de ton rang. La grande figure du Soleil, que je vis moi-même arracher du temple par les perfides Espagnols, suspendue au-dessus, excite ma vénération, je me prosterne devant elle, mon esprit l'adore, et mon cœur est tout à toi. Les deux palmiers que tu donnas au Soleil pour offrande et pour gage de la foi que tu m'avais jurée, placés aux deux côtés du trône, me rappellent sans cesse tes tendres serments.

1. Les Incas faisaient déposer dans le temple du Soleil les idoles des peuples qu'ils soumettaient, après leur avoir fait accepter le culte du Soleil. Ils en avaient eux-mêmes, puisque l'Inca *Huayna* consulta l'idole de Rimace. *Histoire des Incas*, t. I, p. 350.

2. Les Incas ornaient leurs maisons de statues d'or de toute grandeur, et même de gigantesques.

3. Les Incas ne s'asseyaient que sur des sièges d'or massif.

Des fleurs[1], des oiseaux répandus avec symétrie dans tous les coins de ma chambre, forment en raccourci l'image de ces magnifiques jardins où je me suis si souvent entretenue de ton idée. Mes yeux satisfaits ne s'arrêtent nulle part sans me rappeler ton amour, ma joie, mon bonheur, enfin tout ce qui fera jamais la vie de ma vie.

XXVIII

Je n'ai pu résister, mon cher Aza, aux instances de Céline; il a fallu la suivre, et nous sommes depuis deux jours à sa maison de campagne, où son mariage fut célébré en arrivant.

Avec quelle violence et quels regrets ne me suis-je pas arrachée à ma solitude! A peine ai-je eu le temps de jouir de la vue des ornements précieux qui me la rendaient si chère, que j'ai été forcée de les abandonner; et pour combien de temps? Je l'ignore.

La joie et les plaisirs dont tout le monde paraît être enivré me rappellent avec plus de regret les jours paisibles que je passais à t'écrire, ou du moins à penser à toi: cependant je ne vis jamais des objets si nouveaux pour moi, si merveilleux, et si propres à me distraire; et avec l'usage passable que j'ai à présent de la langue du pays, je pourrais tirer des éclaircissements aussi amusants qu'utiles sur tout ce qui se passe sous mes yeux, si le bruit et le tumulte laissaient à quelqu'un assez de sang-froid pour répondre à mes questions: mais jusqu'ici je n'ai trouvé personne qui en eût la complaisance; et je ne suis guère moins embarrassée que je ne l'étais en arrivant en France.

La parure des hommes et des femmes est si brillante, si chargée d'ornements inutiles, les uns et les autres prononcent si rapidement ce qu'ils disent, que mon attention à les écouter m'empêche de les voir, et celle que j'em-

1. On a déjà dit que les jardins du temple et ceux des maisons royales étaient remplis de toutes sortes d'imitations en or et en argent. Les Péruviens imitaient jusqu'à l'herbe appelée *maïs*, dont ils faisaient des champs tout entiers.

ploie à les regarder m'empêche de les entendre. Je reste dans une espèce de stupidité qui fournirait sans doute beaucoup à leur plaisanterie, s'ils avaient le loisir de s'en apercevoir; mais ils sont si occupés d'eux-mêmes, que mon étonnement leur échappe. Il n'est que trop fondé, mon cher Aza, je vois ici des prodiges dont les ressorts sont impénétrables à mon imagination.

Je ne te parlerai pas de la beauté de cette maison, presque aussi grande qu'une ville, ornée comme un temple, et remplie d'un grand nombre de bagatelles agréables, dont je vois faire si peu d'usage que je ne puis me défendre de penser que les Français ont choisi le superflu pour l'objet de leur culte : on lui consacre les arts, qui sont ici tant au-dessus de la nature : ils semblent ne vouloir que l'imiter, ils la surpassent ; et la manière dont ils font usage de ses productions paraît souvent supérieure à la sienne. Ils rassemblent dans les jardins, et presque dans un point de vue, les beautés qu'elle distribue avec économie sur la surface de la terre, et les éléments soumis semblent n'apporter d'obstacles à leurs entreprises que pour rendre leurs triomphes plus éclatants.

On voit la terre étonnée nourrir et élever dans son sein les plantes des climats les plus éloignés, sans besoin, sans nécessités apparentes que celles d'obéir aux arts et d'orner l'idole du superflu. L'eau, si facile à diviser, qui semble n'avoir de consistance que par les vaisseaux qui la contiennent, et dont la direction naturelle est de suivre toutes sortes de pentes, se trouve forcée ici à s'élancer rapidement dans les airs, sans guide, sans soutien, par sa propre force, et sans autre utilité que le plaisir des yeux.

Le feu, mon cher Aza, le feu, ce terrible élément, je l'ai vu, renonçant à son pouvoir destructeur, dirigé docilement par une puissance supérieure, prendre toutes les formes qu'on lui prescrit; tantôt dessinant un vaste tableau de lumière sur un ciel obscurci par l'absence du soleil, et tantôt nous montrant cet astre divin descendu sur la terre avec ses feux, son activité, sa lumière éblouissante, enfin dans un éclat qui trompe les yeux et le jugement. Quel art, mon cher Aza ! Quels hommes ! Quel génie ! J'oublie tout ce que j'ai entendu, tout ce que j'ai vu de leur petitesse ; je retombe malgré moi dans mon ancienne admiration.

XXIX

Ce n'est pas sans un véritable regret, mon cher Aza, que je passe de l'admiration du génie des Français au mépris de l'usage qu'ils en font. Je me plaisais de bonne foi à estimer cette nation charmante ; mais je ne puis me refuser à l'évidence de ses défauts.

Le tumulte s'est enfin apaisé, j'ai pu faire des questions ; on m'a répondu ; il n'en faut pas davantage ici pour être instruite au-delà même de ce qu'on veut savoir. C'est avec une bonne foi et une légèreté hors de toute croyance que les Français dévoilent les secrets de la perversité de leurs mœurs. Pour peu qu'on les interroge, il ne faut ni finesse ni pénétration pour démêler que leur goût effréné pour le superflu a corrompu leur raison, leur cœur et leur esprit ; qu'il a établi des richesses chimériques sur les ruines du nécessaire ; qu'il a substitué une politesse superficielle aux bonnes mœurs, et qu'il remplace le bon sens et la raison par le faux brillant de l'esprit.

La vanité dominante des Français est celle de paraître opulents. Le génie, les arts, et peut-être les sciences, tout se rapporte au faste, tout concourt à la ruine des fortunes ; et comme si la fécondité de leur génie ne suffisait pas pour en multiplier les objets, je sais d'eux-mêmes qu'au mépris des biens solides et agréables que la France produit en abondance, ils tirent à grands frais de toutes les parties du monde les meubles fragiles et sans usage qui font l'ornement de leurs maisons, les parures éblouissantes dont ils sont couverts, jusqu'aux mets et aux liqueurs qui composent leurs repas.

Peut-être, mon cher Aza, ne trouverais-je rien de condamnable dans l'excès de ces superfluités, si les Français avaient des trésors pour y satisfaire, ou qu'ils n'employassent à contenter leur goût que ce qui leur resterait après avoir établi leurs maisons sur une aisance honnête.

Nos lois, les plus sages qui aient été données aux hommes, permettent certaines décorations dans chaque état, qui caractérisent la naissance ou les richesses, et qu'à la rigueur on pourrait nommer du superflu; aussi n'est-ce que celui qui naît du dérèglement de l'imagination, celui qu'on ne peut soutenir sans manquer à l'humanité et à la justice, qui me paraît un crime; en un mot, c'est celui dont les Français sont idolâtres, et auquel ils sacrifient leur repos et leur honneur.

Il n'y a parmi eux qu'une classe de citoyens en état de porter le culte de l'idole à son plus haut degré de splendeur, sans manquer au devoir du nécessaire. Les grands ont voulu les imiter; mais ils ne sont que les martyrs de cette religion. Quelle peine! Quel embarras! Quel travail pour soutenir leur dépense au-delà de leurs revenus! Il y a peu de seigneurs qui ne mettent en usage plus d'industrie, de finesse et de supercherie pour se distinguer par de frivoles somptuosités, que leurs ancêtres n'ont employé de prudence, de valeur et de talents utiles à l'État pour illustrer leur propre nom. Et ne crois pas que je t'en impose, mon cher Aza, j'entends tous les jours avec indignation des jeunes gens se disputer entre eux la gloire d'avoir mis le plus de subtilité et d'adresse dans les manœuvres qu'ils emploient pour tirer les superfluités dont ils se parent des mains de ceux qui ne travaillent que pour ne pas manquer du nécessaire.

Quel mépris de tels hommes ne m'inspireraient-ils pas pour toute la nation, si je ne savais d'ailleurs que les Français pèchent plus communément faute d'avoir une idée juste des choses, que faute de droiture: leur légèreté exclut presque toujours le raisonnement. Parmi eux rien n'est grave, rien n'a de poids; peut-être aucun n'a jamais réfléchi sur les conséquences déshonorantes de sa conduite. Il faut paraître riche, c'est une mode, une habitude, on la suit; un inconvénient se présente, on le surmonte par une injustice; on ne croit que triompher d'une difficulté; mais l'illusion va plus loin.

Dans la plupart des maisons, l'indigence et le superflu ne sont séparés que par un appartement. L'un et l'autre partagent les occupations de la journée, mais d'une manière bien différente. Le matin, dans l'intérieur du cabinet, la voix de la pauvreté se fait entendre par la bouche d'un homme payé pour trouver les moyens de les concilier avec la fausse opulence. Le chagrin et l'humeur président à ces entretiens, qui finissent ordinairement par le sacrifice du nécessaire, que l'on immole au superflu. Le reste du jour, après avoir pris un autre habit, un autre appartement, et presque un autre être, ébloui de sa propre magnificence, on est gai, on se dit heureux : on va même jusqu'à se croire riche.

J'ai cependant remarqué que quelques-uns de ceux qui étalent leur faste avec le plus d'affectation n'osent pas toujours croire qu'ils en imposent. Alors ils se plaisantent eux-mêmes sur leur propre indigence ; ils insultent gaiement à la mémoire de leurs ancêtres, dont la sage économie se contentait de vêtements commodes, de parures et d'ameublements proportionnés à leurs revenus plus qu'à leur naissance. Leur famille, dit-on, et leurs domestiques jouissaient d'une abondance frugale et honnête. Ils dotaient leurs filles et ils établissaient sur des fondements solides la fortune du successeur de leur nom, et tenaient en réserve de quoi réparer l'infortune d'un ami, ou d'un malheureux.

Te le dirai-je, mon cher Aza, malgré l'aspect ridicule sous lequel on me présentait les mœurs de ces temps reculés, elles me plaisaient tellement, j'y trouvais tant de rapport avec la naïveté des nôtres, que me laissant entraîner à l'illusion, mon cœur tressaillait à chaque circonstance, comme si j'eusse dû, à la fin du récit, me trouver au milieu de nos chers citoyens. Mais, aux premiers applaudissements que j'ai donnés à ces coutumes si sages, les éclats de rire que je me suis attirés ont dissipé mon erreur, et je n'ai trouvé autour de moi que les Français insensés de ce temps-ci, qui font gloire du dérèglement de leur imagination.

La même dépravation qui a transformé les biens solides des Français en bagatelles inutiles n'a pas rendu moins superficiels les liens de leur société. Les plus sensés d'entre eux, qui gémissent de cette dépravation, m'ont assuré qu'autrefois, ainsi que parmi nous, l'honnêteté était dans l'âme, et l'humanité dans le cœur : cela peut être. Mais à présent, ce qu'ils appellent politesse leur tient lieu de sentiment : elle consiste dans une infinité de paroles sans signification, d'égards sans estime, et de soins sans affection.

Dans les grandes maisons, un domestique est chargé de remplir les devoirs de la société. Il fait chaque jour un chemin considérable pour aller dire à l'un que l'on est en peine de sa santé, à l'autre que l'on s'afflige de son chagrin, ou que l'on se réjouit de son plaisir. A son retour, on n'écoute point les réponses qu'il rapporte. On est convenu réciproquement de s'en tenir à la forme, de n'y mettre aucun intérêt ; et ces attentions tiennent lieu d'amitié.

Les égards se rendent personnellement ; on les pousse jusqu'à la puérilité : j'aurais honte de t'en parler, s'il ne fallait tout connaître d'une nation si singulière. On manquerait d'égards pour ses supérieurs, et même pour ses égaux, si après l'heure du repas que l'on vient de prendre familièrement avec eux, on satisfaisait aux besoins d'une soif pressante sans avoir demandé autant d'excuses que de permissions. On ne doit pas non plus laisser toucher son habit à celui d'une personne considérable, et ce serait lui manquer que de la regarder attentivement ; mais ce serait bien pis si on manquait à la voir. Il me faudrait plus d'intelligence et plus de mémoire que je n'en ai pour te rapporter toutes les frivolités que l'on donne et que l'on reçoit pour des marques de considération, qui veut presque dire de l'estime.

A l'égard de l'abondance des paroles, tu entendras un jour, mon cher Aza, que l'exagération aussitôt désavouée que prononcée, est le fonds inépuisable de la conversation des Français. Ils manquent rarement d'ajouter un compliment superflu à celui qui l'était déjà, dans l'intention de persuader qu'ils n'en font point. C'est avec des flatteries outrées qu'ils protestent de la sincérité des louanges qu'ils prodiguent ; et ils appuient leurs protestations d'amour et d'amitié de tant de termes inutiles, que l'on n'y reconnaît point le sentiment.

O mon cher Aza, que mon peu d'empressement à

parler, que la simplicité de mes expressions doivent leur paraître insipides! Je ne crois pas que mon esprit leur inspire plus d'estime. Pour mériter quelque réputation à cet égard, il faut avoir fait preuve d'une grande sagacité à saisir les différentes significations des mots et à déplacer leur usage. Il faut exercer l'attention de ceux qui écoutent par la subtilité de pensées souvent impénétrables, ou bien en dérober l'obscurité, sous l'abondance des expressions frivoles. J'ai lu dans un de leurs meilleurs livres: *Que l'esprit du beau monde consiste à dire agréablement des riens, à ne se pas permettre le moindre propos sensé, si on ne le fait excuser par les grâces du discours; à voiler enfin la raison quand on est obligé de la produire.*

Que pourrais-je te dire qui pût te prouver mieux que le bon sens et la raison, qui sont regardés comme le nécessaire de l'esprit, sont méprisés ici, comme tout ce qui est utile? Enfin, mon cher Aza, sois assuré que le superflu domine si souverainement en France, que qui n'a qu'une fortune honnête est pauvre, qui n'a que des vertus est plat, et qui n'a que du bon sens est sot.

XXX

Le penchant des Français les porte si naturellement aux extrêmes, mon cher Aza, que Déterville, quoique exempt de la plus grande partie des défauts de sa nation, participe néanmoins à celui-là. Non content de tenir la promesse qu'il m'a faite de ne plus me parler de ses sentiments, il évite avec une attention marquée de se rencontrer auprès de moi. Obligés de nous voir sans cesse, je n'ai pas encore trouvé l'occasion de lui parler.

Quoique la compagnie soit toujours fort nombreuse et fort gaie, la tristesse règne sur son visage. Il est aisé de deviner que ce n'est pas sans violence qu'il subit la loi qu'il s'est imposée. Je devrais peut-être lui en tenir compte; mais j'ai tant de questions à lui faire sur les intérêts de mon cœur, que je ne puis lui pardonner son affectation à me fuir.

Je voudrais l'interroger sur la lettre qu'il a écrite en Espagne, et savoir si elle peut être arrivée à présent. Je voudrais avoir une idée juste du temps de ton départ, de celui que tu emploieras à faire ton voyage, afin de fixer celui de mon bonheur. Une espérance fondée est un bien réel, mais, mon cher Aza, elle est bien plus chère quand on en voit le terme.

Aucun des plaisirs qui occupent la compagnie ne m'affecte ; ils sont trop bruyants pour mon âme ; je ne jouis plus de l'entretien de Céline. Toute occupée de son nouvel époux, à peine puis-je trouver quelques moments pour lui rendre des devoirs d'amitié. Le reste de la compagnie ne m'est agréable qu'autant que je puis en tirer des lumières sur les différents objets de ma curiosité. Et je n'en trouve pas toujours l'occasion. Ainsi, souvent seule au milieu du monde, je n'ai d'amusements que mes pensées : elles sont toutes à toi, cher ami de mon cœur, tu seras à jamais le seul confident de mon âme, de mes plaisirs, et de mes peines.

XXXI

J'avais grand tort, mon cher Aza, de désirer si vivement un entretien avec Déterville. Hélas ! il ne m'a que trop parlé ; quoique je désavoue le trouble qu'il a excité dans mon âme, il n'est point encore effacé.

Je ne sais quelle sorte d'impatience se joignit hier à l'ennui que j'éprouve souvent. Le monde et le bruit me devinrent plus importuns qu'à l'ordinaire ; jusqu'à la tendre satisfaction de Céline et de son époux, tout ce que je voyais m'inspirait une indignation approchant du mépris. Honteuse de trouver des sentiments si injustes dans mon cœur, j'allai cacher l'embarras qu'ils me causaient dans l'endroit le plus reculé du jardin.

A peine m'étais-je assise au pied d'un arbre, que des larmes involontaires coulèrent de mes yeux. Le visage caché dans mes mains, j'étais ensevelie dans une rêverie si profonde, que Déterville était à genoux à côté de moi avant que je l'eusse aperçu.

Ne vous offensez pas, Zilia, me dit-il; c'est le hasard qui m'a conduit à vos pieds, je ne vous cherchais pas. Importuné du tumulte, je venais jouir en paix de ma douleur. Je vous ai aperçue, j'ai combattu avec moi-même pour m'éloigner de vous, mais je suis trop malheureux pour l'être sans relâche, par pitié pour moi je me suis approché, j'ai vu couler vos larmes, je n'ai plus été le maître de mon cœur, cependant si vous m'ordonnez de vous fuir, je vous obéirai. Le pourrez-vous, Zilia? vous suis-je odieux? Non, lui dis-je, au contraire, asseyez-vous, je suis bien aise de trouver une occasion de m'expliquer. Depuis vos derniers bienfaits... N'en parlons point, interrompit-il vivement. Attendez, repris-je en l'interrompant à mon tour, pour être tout à fait généreux, il faut se prêter à la reconnaissance; je ne vous ai point parlé depuis que vous m'avez rendu les précieux ornements du temple où j'ai été enlevée. Peut-être en vous écrivant ai-je mal exprimé les sentiments qu'un tel excès de bonté m'inspirait; je veux... Hélas! interrompit-il encore, que la reconnaissance est peu flatteuse pour un cœur malheureux! Compagne de l'indifférence, elle ne s'allie que trop souvent avec la haine.

Qu'osez-vous penser? m'écriai-je: ah! Déterville, combien j'aurais de reproches à vous faire, si vous n'étiez pas tant à plaindre! bien loin de vous haïr, dès le premier moment où je vous ai vu, j'ai senti moins de répugnance à dépendre de vous que des Espagnols. Votre douceur et votre bonté me firent désirer dès lors de gagner votre amitié, à mesure que j'ai démêlé votre caractère. Je me suis confirmée dans l'idée que vous méritiez toute la mienne, et, sans parler des extrêmes obligations que je vous ai, puisque ma reconnaissance vous blesse, comment aurais-je pu me défendre des sentiments qui vous sont dus?

Je n'ai trouvé que vos vertus dignes de la simplicité des nôtres. Un fils du Soleil s'honorerait de vos sentiments; votre raison est presque celle de la nature; combien de motifs pour vous chérir! jusqu'à la noblesse de votre figure, tout me plaît en vous; l'amitié a des yeux aussi bien que l'amour. Autrefois, après un moment d'absence, je ne vous voyais pas revenir sans qu'une sorte de sérénité ne se répandît dans mon cœur; pourquoi avez-vous changé ces innocents plaisirs en peines et en contraintes ?

Votre raison ne paraît plus qu'avec effort. J'en crains sans cesse les écarts. Les sentiments dont vous m'entretenez gênent l'expression des miens; ils me privent du plaisir de vous peindre sans détour les charmes que je goûterais dans votre amitié, si vous n'en troubliez la douceur. Vous m'ôtez jusqu'à la volupté délicate de regarder mon bienfaiteur, vos yeux embarrassent les miens, je n'y remarque plus cette agréable tranquillité qui passait quelquefois jusqu'à mon âme : je n'y trouve plus qu'une morne douleur qui me reproche sans cesse d'en être la cause. Ah ! Déterville, que vous êtes injuste, si vous croyez souffrir seul !

Ma chère Zilia, s'écria-t-il en me baisant la main avec ardeur, que vos bontés et votre franchise redoublent mes regrets ! Quel trésor que la possession d'un cœur tel que le vôtre ! Mais avec quel désespoir vous m'en faites sentir la perte ! Puissante Zilia, continua-t-il, quel pouvoir est le vôtre ! N'était-ce point assez de me faire passer de la profonde indifférence à l'amour excessif, de l'indolence à la fureur, faut-il encore vaincre des sentiments que vous avez fait naître ? Le pourrai-je ? Oui, lui dis-je, cet effort est digne de vous, de votre cœur. Cette action juste vous élève au-dessus des mortels. Mais pourrai-je y survivre ? reprit-il douloureusement : n'espérez pas au moins que je serve de victime au triomphe de votre amant; j'irai loin de vous, adorer votre idée; elle sera la nourriture amère de mon cœur : je vous aimerai, et je ne vous verrai plus ! Ah ! du moins n'oubliez pas...

Les sanglots étouffèrent sa voix ; il se hâta de cacher les larmes qui couvraient son visage; j'en répandais moi-même; aussi touchée de sa générosité que de sa douleur, je pris une de ses mains que je serrai dans les miennes; non, lui dis-je, vous ne partirez point. Laissez-moi, mon ami, contentez-vous des sentiments que j'aurai toute ma vie pour vous; je vous aime presque autant que j'aime Aza, mais je ne puis jamais vous aimer comme lui.

Cruelle Zilia ! s'écria-t-il avec transport, accompagnerez-vous toujours vos bontés des coups les plus sensibles ? Un mortel poison détruira-t-il sans cesse le charme que vous répandez sur vos paroles ? Que je suis insensé de me livrer à leur douceur ! Dans quel honteux abaissement je me plonge ! C'en est fait, je me rends à moi-même, ajouta-t-il d'un ton ferme ; adieu, vous verrez bientôt Aza. Puisse-t-il ne pas vous faire éprouver les tourments qui me dévorent, puisse-t-il être tel que vous le désirez et digne de votre cœur.

Quelles alarmes, mon cher Aza, l'air dont il prononça ces dernières paroles ne jeta-t-il pas dans mon âme ! Je ne pus me défendre des soupçons qui se présentèrent en foule à mon esprit. Je ne doutai pas que Déterville ne fût mieux instruit qu'il ne voulait le paraître ; qu'il ne m'eût caché quelques lettres qu'il pouvait avoir reçues d'Espagne ; enfin, oserai-je le prononcer, que tu ne fusses infidèle.

Je lui demandai la vérité avec les dernières instances, tout ce que je pus tirer de lui ne fut que des conjectures vagues, aussi propres à confirmer qu'à détruire mes craintes. Cependant les réflexions qu'il fit sur l'inconstance des hommes, sur les dangers de l'absence, et sur la légèreté avec laquelle tu avais changé de religion, jetèrent quelque trouble dans mon âme.

Pour la première fois ma tendresse me devint un sentiment pénible, pour la première fois je craignis de perdre ton cœur. Aza, s'il était vrai ! si tu ne m'aimais plus, ah, que jamais un tel soupçon ne souille la pureté de mon cœur ! Non, je serais seule coupable, si je m'arrêtais un moment à cette pensée, indigne de ma candeur, de ta vertu, de ta constance. Non, c'est le désespoir qui a suggéré à Déterville ces affreuses idées. Son trouble et son égarement ne devaient-ils pas me rassurer ? L'intérêt qui le faisait parler ne devait-il pas m'être suspect ? Il me le fut, mon cher Aza : mon chagrin se tourna tout entier contre lui ; je le traitai durement, il me quitta désespéré. Aza ! je t'aime si tendrement ! Non, jamais tu ne pourras m'oublier.

XXXII

Que ton voyage est long, mon cher Aza ! Que je désire ardemment ton arrivée ! Le terme m'en paraît plus vague que je ne l'avais encore envisagé ; et je me garde bien de faire là-dessus aucune question à Déterville. Je ne puis lui pardonner la mauvaise opinion qu'il a de ton cœur. Celle que je prends du sien diminue beaucoup la pitié que j'avais de ses peines, et le regret d'être en quelque façon séparée de lui.

Nous sommes à Paris depuis quinze jours ; je demeure avec Céline dans la maison de son mari, assez éloignée de celle de son frère pour n'être point obligée à le voir à toute heure. Il vient souvent y manger ; mais, nous menons une vie si agitée, Céline et moi, qu'il n'a pas le loisir de me parler en particulier.

Depuis notre retour nous employons une partie de la journée au travail pénible de notre ajustement, et le reste à ce qu'on appelle rendre des devoirs.

Ces deux occupations me paraîtraient aussi infructueuses qu'elles sont fatigantes, si la dernière ne me procurait les moyens de m'instruire encore plus particulièrement des mœurs du pays. A mon arrivée en France, n'ayant aucune connaissance de la langue, je ne jugeais que sur les apparences. Lorsque je commençai à en faire usage, j'étais dans la maison religieuse : tu sais que j'y trouvais peu de secours pour mon instruction ; je n'ai vu à la campagne qu'une espèce de société particulière : c'est à présent que répandue dans ce qu'on appelle le grand monde, je vois la nation entière, et que je puis l'examiner sans obstacles.

Les devoirs que nous rendons consistent à entrer en un jour dans le plus grand nombre de maisons qu'il est possible pour y rendre et y recevoir un tribut de louanges réciproques sur la beauté du visage et de la taille, sur l'excellence du goût et du choix des parures, et jamais sur les qualités de l'âme.

Je n'ai pas été longtemps sans m'apercevoir de la raison, qui fait prendre tant de peines, pour acquérir cet hommage frivole ; c'est qu'il faut nécessairement le recevoir en personne, encore n'est-il que bien momentané. Dès que l'on disparaît, il prend une autre forme. Les agréments que l'on trouvait à celle qui sort ne servent plus que de comparaison méprisante pour établir les perfections de celle qui arrive.

La censure est le goût dominant des Français, comme l'inconséquence est le caractère de la nation. Leurs livres sont la critique générale des mœurs, et leur conversation celle de chaque particulier, pourvu néanmoins qu'ils soient absents : alors on dit librement tout le mal que l'on en pense, et quelquefois celui que l'on ne pense pas. Les plus gens de bien suivent la coutume ; on les distingue seulement à une certaine formule d'apologie de leur franchise et de leur amour pour la vérité, au moyen de laquelle ils révèlent sans scrupule les défauts, les ridicules, et jusqu'aux vices de leurs amis.

Si la sincérité dont les Français font usage les uns envers les autres n'a point d'exception, de même leur confiance réciproque est sans bornes. Il ne faut ni éloquence pour se faire écouter, ni probité pour se faire croire. Tout est dit, tout est reçu avec la même légèreté.

Ne crois pas pour cela, mon cher Aza, qu'en général les Français soient nés méchants, je serais plus injuste qu'eux, si je te laissais dans l'erreur.

Naturellement sensibles, touchés de la vertu, je n'en ai point vu qui écoutât sans attendrissement le récit que l'on m'oblige souvent de faire de la droiture de nos cœurs, de la candeur de nos sentiments et de la simplicité de nos mœurs ; s'ils vivaient parmi nous, ils deviendraient vertueux : l'exemple et la coutume sont les tyrans de leur conduite.

Tel qui pense bien d'un absent, en médit pour n'être pas méprisé de ceux qui l'écoutent : tel autre serait bon, humain, sans orgueil, s'il ne craignait d'être ridicule, et tel est ridicule par état, qui serait un modèle de perfections, s'il osait hautement avoir du mérite.

Enfin, mon cher Aza, chez la plupart d'entre eux les vices sont artificiels comme les vertus, et la frivolité de leur caractère ne leur permet d'être qu'imparfaitement ce qu'ils sont. Tels à peu près que certains jouets de leur enfance, imitation informe des êtres pensants, ils ont du poids aux yeux, de la légèreté au tact, la surface coloriée, un intérieur informe, un prix apparent, aucune valeur réelle. Aussi ne sont-ils guère estimés par les autres nations que comme les jolies bagatelles le sont dans la société. Le bon sens sourit à leurs gentillesses, et les remet froidement à leur place.

Heureuse la nation qui n'a que la nature pour guide, la vérité pour principe, et la vertu pour mobile.

XXXIII

Il n'est pas surprenant, mon cher Aza, que l'inconséquence soit une suite du caractère léger des Français; mais je ne puis assez m'étonner de ce qu'avec autant et plus de lumière qu'aucune autre nation, ils semblent ne pas apercevoir les contradictions choquantes que les étrangers remarquent en eux dès la première vue.

Parmi le grand nombre de celles qui me frappent tous les jours je n'en vois point de plus déshonorante pour leur esprit que leur façon de penser sur les femmes. Ils les respectent, mon cher Aza, et en même temps ils les méprisent avec un égal excès.

La première loi de leur politesse, ou, si tu veux, de leur vertu (car jusqu'ici je ne leur en ai guère découvert d'autres), regarde les femmes. L'homme du plus haut rang doit des égards à celle de la plus vile condition, il se couvrirait de honte et de ce qu'on appelle ridicule, s'il lui faisait quelque insulte personnelle. Et cependant l'homme le moins considérable, le moins estimé, peut tromper, trahir une femme de mérite, noircir sa réputation par des calomnies, sans craindre ni blâme ni punition.

Si je n'étais assurée que bientôt tu pourras en juger par toi-même, oserais-je te peindre des contrastes que la simplicité de nos esprits peut à peine concevoir? Docile aux notions de la nature, notre génie ne va pas au-delà; nous avons trouvé que la force et le courage dans un sexe indiquaient qu'il devait être le soutien et le défenseur de l'autre, nos lois y sont conformes [1]. Ici, loin de compatir à la faiblesse des femmes, celles du peuple, accablées de travail, n'en sont soulagées ni par les lois ni par leurs maris ; celles d'un rang plus élevé, jouets de la séduction ou de la méchanceté des hommes, n'ont pour se dédommager de leurs perfidies, que les dehors d'un respect purement imaginaire, toujours suivi de la plus mordante satire.

Je m'étais bien aperçue en entrant dans le monde que la censure habituelle de la nation tombait principalement sur les femmes, et que les hommes entre eux ne se méprisaient qu'avec ménagement : j'en cherchais la cause dans leurs bonnes qualités, lorsqu'un accident me l'a fait découvrir parmi leurs défauts.

Dans toutes les maisons où nous sommes entrées depuis deux jours on a raconté la mort d'un jeune homme tué par un de ses amis, et l'on approuvait cette action barbare, par la seule raison que le mort avait parlé au désavantage du vivant ; cette nouvelle extravagance me parut d'un caractère assez sérieux pour être approfondie. Je m'informai, et j'appris, mon cher Aza, qu'un homme est obligé d'exposer sa vie pour la ravir à un autre, s'il apprend que cet autre a tenu quelques discours contre lui ; ou à se bannir de la société, s'il refuse de prendre une vengeance si cruelle. Il n'en fallut pas davantage pour m'ouvrir les yeux sur ce que je cherchais. Il est clair que les hommes naturellement lâches, sans honte et sans remords, ne craignent que les punitions corporelles, et que si les femmes étaient autorisées à punir les outrages qu'on leur fait de la même manière dont ils sont obligés de se venger de la plus légère insulte, tel que l'on voit reçu et accueilli dans la société, ne serait plus ; ou retiré dans un désert, il y cacherait sa honte et sa mauvaise foi. L'impudence et l'effronterie dominent entièrement les jeunes hommes, surtout quand ils ne risquent rien. Le motif de leur conduite avec les femmes n'a pas besoin d'autre éclaircissement : mais je ne vois pas encore le fondement du mépris intérieur que je remarque pour elles

1. Les lois dispensaient les femmes de tout travail pénible.

presque dans tous les esprits ; je ferai mes efforts pour le découvrir ; mon propre intérêt m'y engage. O mon cher Aza ! quelle serait ma douleur, si à ton arrivée on te parlait de moi comme j'entends parler des autres.

XXXIV

Il m'a fallu beaucoup de temps, mon cher Aza, pour approfondir la cause du mépris que l'on a presque généralement ici pour les femmes. Enfin je crois l'avoir découverte dans le peu de rapport qu'il y a entre ce qu'elles sont et ce que l'on s'imagine qu'elles devraient être. On voudrait, comme ailleurs, qu'elles eussent du mérite et de la vertu. Mais il faudrait que la nature les fît ainsi ; car l'éducation qu'on leur donne est si opposée à la fin qu'on se propose, qu'elle me paraît être le chef-d'œuvre de l'inconséquence française.

On sait au Pérou, mon cher Aza, que pour préparer les humains à la pratique des vertus, il faut leur inspirer dès l'enfance un courage et une certaine fermeté d'âme qui leur forment un caractère décidé ; on l'ignore en France. Dans le premier âge, les enfants ne paraissent destinés qu'au divertissement des parents et de ceux qui les gouvernent. Il semble que l'on veuille tirer un honteux avantage de leur incapacité à découvrir la vérité. On les trompe sur ce qu'ils ne voient pas. On leur donne des idées fausses de ce qui se présente à leurs sens, et l'on rit inhumainement de leurs erreurs ; on augmente leur sensibilité et leur faiblesse naturelle par une puérile compassion pour les petits accidents qui leur arrivent : on oublie qu'ils doivent être des hommes.

Je ne sais quelles sont les suites de l'éducation qu'un père donne à son fils : je ne m'en suis pas informée. Mais je sais que, du moment que les filles commencent à être capables de recevoir des instructions, on les enferme dans une maison religieuse, pour leur apprendre à vivre dans le monde. Que l'on confie le soin d'éclairer leur esprit à des personnes auxquelles on ferait peut-être un crime d'en avoir, et qui sont incapables de leur former le cœur, qu'elles ne connaissent pas.

Les principes de religion, si propres à servir de germe à toutes les vertus, ne sont appris que superficiellement et par mémoire. Les devoirs à l'égard de la divinité ne sont pas inspirés avec plus de méthode. Ils consistent dans de petites cérémonies d'un culte extérieur, exigées avec tant de sévérité, pratiquées avec tant d'ennui, que c'est le premier joug dont on se défait en entrant dans le monde : et si l'on en conserve encore quelques usages, à la manière dont on s'en acquitte, on croirait volontiers que ce n'est qu'une espèce de politesse que l'on rend par habitude à la divinité.

D'ailleurs rien ne remplace les premiers fondements d'une éducation mal dirigée. On ne connaît presque point en France le respect pour soi-même, dont on prend tant de soin de remplir le cœur de nos jeunes Vierges. Ce sentiment généreux qui nous rend les juges les plus sévères de nos actions et de nos pensées, qui devient un principe sûr quand il est bien senti, n'est ici d'aucune ressource pour les femmes. Au peu de soin que l'on prend de leur âme, on serait tenté de croire que les Français sont dans l'erreur de certains peuples barbares qui leur en refusent une.

Régler les mouvements du corps, arranger ceux du visage, composer l'extérieur, sont les points essentiels de l'éducation. C'est sur les attitudes plus ou moins gênantes de leurs filles que les parents se glorifient de les avoir bien élevées. Ils leur recommandent de se pénétrer de confusion pour une faute commise contre la bonne grâce : ils ne leur disent pas que la contenance honnête n'est qu'une hypocrisie, si elle n'est l'effet de l'honnêteté de l'âme. On excite sans cesse en elles ce méprisable amour-propre, qui n'a d'effet que sur les agréments extérieurs. On ne leur fait pas connaître celui qui forme le mérite, et qui n'est satisfait que par l'estime. On borne la seule idée qu'on leur donne de l'honneur à n'avoir point d'amants, en leur présentant sans cesse la certitude de plaire pour récompense de la gêne et de la contrainte qu'on leur impose. Et le temps le plus précieux pour former l'esprit est employé à acquérir des talents imparfaits, dont on fait peu d'usage dans la jeunesse, et qui deviennent des ridicules dans un âge plus avancé.

Mais ce n'est pas tout, mon cher Aza, l'inconséquence des Français n'a point de bornes. Avec de tels principes ils attendent de leurs femmes la pratique des vertus qu'ils ne leur font pas connaître, ils ne leur donnent pas même une idée juste des termes qui les désignent. Je tire tous les jours plus d'éclaircissement qu'il ne m'en faut là-dessus, dans les entretiens que j'ai avec de jeunes personnes, dont l'ignorance ne me cause pas moins d'étonnement que tout ce que j'ai vu jusqu'ici.

Si je leur parle de sentiments, elles se défendent d'en avoir, parce qu'elles ne connaissent que celui de l'amour. Elles n'entendent par le mot de bonté que la compassion naturelle que l'on éprouve à la vue d'un être souffrant; et j'ai même remarqué qu'elles en sont plus affectées pour des animaux que pour des humains; mais cette bonté tendre, réfléchie, qui fait faire le bien avec noblesse et discernement, qui porte à l'indulgence et à l'humanité, leur est totalement inconnue. Elles croient avoir rempli toute l'étendue des devoirs de la discrétion en ne révélant qu'à quelques amies les secrets frivoles qu'elles ont surpris ou qu'on leur a confiés. Mais elles n'ont aucune idée de cette discrétion circonspecte, délicate et nécessaire pour n'être point à charge, pour ne blesser personne, et pour maintenir la paix dans la société.

Si j'essaye de leur expliquer ce que j'entends par la modération, sans laquelle les vertus mêmes sont presque des vices; si je parle de l'honnêteté des mœurs, de l'équité à l'égard des inférieurs, si peu pratiquée en France, et de la fermeté à mépriser et à fuir les vicieux de qualité, je remarque à leur embarras qu'elles me soupçonnent de parler la langue péruvienne, et que la seule politesse les engage à feindre de m'entendre.

Elles ne sont pas mieux instruites sur la connaissance du monde, des hommes et de la société. Elles ignorent jusqu'à l'usage de leur langue naturelle; il est rare qu'elles la parlent correctement, et je ne m'aperçois pas sans une extrême surprise que je suis à présent plus savante qu'elles à cet égard.

C'est dans cette ignorance que l'on marie les filles, à peine sorties de l'enfance. Dès lors il semble, au peu d'intérêt que les parents prennent à leur conduite, qu'elles ne leur appartiennent plus. La plupart des maris ne s'en occupent pas davantage. Il serait encore temps de réparer les défauts de la première éducation ; on n'en prend pas la peine.

Une jeune femme libre dans son appartement, y reçoit sans contrainte les compagnies qui lui plaisent. Ses occupations sont ordinairement puériles, toujours inutiles, et peut-être au-dessous de l'oisiveté. On entretient son esprit tout au moins de frivolités malignes ou insipides, plus propres à la rendre méprisable que la stupidité même. Sans confiance en elle, son mari ne cherche point à la former au soin de ses affaires, de sa famille et de sa maison. Elle ne participe au tout de ce petit univers que par la représentation. C'est une figure d'ornement pour amuser les curieux ; aussi, pour peu que l'humeur impérieuse se joigne au goût de la dissipation, elle donne dans tous les travers, passe rapidement de l'indépendance à la licence, et bientôt elle arrache le mépris et l'indignation des hommes malgré leur penchant et leur intérêt à tolérer les vices de la jeunesse en faveur de ses agréments.

Quoique je te dise la vérité avec toute la sincérité de mon cœur, mon cher Aza, garde-toi bien de croire qu'il n'y ait point ici de femmes de mérite. Il en est d'assez heureusement nées pour se donner à elles-mêmes ce que l'éducation leur refuse. L'attachement à leurs devoirs, la décence de leurs mœurs et les agréments honnêtes de leur esprit attirent sur elles l'estime de tout le monde. Mais le nombre de celles-là est si borné en comparaison de la multitude, qu'elles sont connues et révérées par leur propre nom. Ne crois pas non plus que le dérangement de la conduite des autres vienne de leur mauvais naturel. En général il me semble que les femmes naissent ici bien plus communément que chez nous, avec toutes les dispositions nécessaires pour égaler les hommes en mérite et en vertus. Mais comme s'ils en convenaient au fond de leur cœur, et que leur orgueil ne pût supporter cette égalité, ils contribuent en toute manière à les rendre méprisables, soit en manquant de considération pour les leurs, soit en séduisant celles des autres.

Quand tu sauras qu'ici l'autorité est entièrement du côté des hommes, tu ne douteras pas, mon cher Aza, qu'ils ne soient responsables de tous les désordres de la société. Ceux qui par une lâche indifférence laissent suivre à leurs femmes le goût qui les perd, sans être les plus coupables, ne sont pas les moins dignes d'être méprisés; mais on ne fait pas assez d'attention à ceux qui par l'exemple d'une conduite vicieuse et indécente, entraînent leurs femmes dans le dérèglement, ou par dépit, ou par vengeance.

Et en effet, mon cher Aza, comment ne seraient-elles pas révoltées contre l'injustice des lois qui tolèrent l'impunité des hommes, poussée au même excès que leur autorité? Un mari, sans craindre aucune punition, peut avoir pour sa femme les manières les plus rebutantes, il peut dissiper en prodigalités aussi criminelles qu'excessives non seulement son bien, celui de ses enfants, mais même celui de la victime qu'il fait gémir presque dans l'indigence par une avarice pour les dépenses honnêtes, qui s'allie très communément ici avec la prodigalité. Il est autorisé à punir rigoureusement l'apparence d'une légère infidélité en se livrant sans honte à toutes celles que le libertinage lui suggère. Enfin, mon cher Aza, il semble qu'en France les liens du mariage ne soient réciproques qu'au moment de la célébration, et que dans la suite les femmes seules y doivent être assujetties.

Je pense et je sens que ce serait les honorer beaucoup que de les croire capables de conserver de l'amour pour leur mari malgré l'indifférence et les dégoûts dont la plupart sont accablées. Mais qui peut résister au mépris!

Le premier sentiment que la nature a mis en nous est le plaisir d'être, et nous le sentons plus vivement et par degrés à mesure que nous nous apercevons du cas que l'on fait de nous.

Le bonheur machinal du premier âge est d'être aimé de ses parents, et accueilli des étrangers. Celui du reste de la vie est de sentir l'importance de notre être à proportion qu'il devient nécessaire au bonheur d'un autre. C'est toi, mon cher Aza, c'est ton amour extrême, c'est la franchise de nos cœurs, la sincérité de nos sentiments qui m'ont dévoilé les secrets de la nature et ceux de l'amour. L'amitié, ce sage et doux lien, devrait peut-être remplir tous nos vœux ; mais elle partage sans crime et sans scrupule son affection entre plusieurs objets ; l'amour qui donne et qui exige une préférence exclusive, nous présente une idée si haute, si satisfaisante de notre être, qu'elle seule peut contenter l'avide ambition de primauté qui naît avec nous, qui se manifeste dans tous les âges, dans tous les temps, dans tous les états, et le goût naturel pour la propriété achève de déterminer notre penchant à l'amour.

Si la possession d'un meuble, d'un bijou, d'une terre, est un des sentiments les plus agréables que nous éprouvions, quel doit être celui qui nous assure la possession d'un cœur, d'une âme, d'un être libre, indépendant, et qui se donne volontairement en échange du plaisir de posséder en nous les mêmes avantages !

S'il est donc vrai, mon cher Aza, que le désir dominant de nos cœurs soit celui d'être honoré en général et chéri de quelqu'un en particulier, conçois-tu par quelle inconséquence les Français peuvent espérer qu'une jeune femme accablée de l'indifférence offensante de son mari ne cherche pas à se soustraire à l'espèce d'anéantissement qu'on lui présente sous toutes sortes de formes ? Imagines-tu qu'on puisse lui proposer de ne tenir à rien dans l'âge où les prétentions vont toujours au-delà du mérite ? Pourrais-tu comprendre sur quel fondement on exige d'elle la pratique des vertus, dont les hommes se dispensent en lui refusant les lumières et les principes nécessaires pour les pratiquer ? Mais ce qui se conçoit encore moins, c'est que les parents et les maris se plaignent réciproquement du mépris que l'on a pour leurs femmes et leurs filles, et qu'ils en perpétuent la cause de race en race avec l'ignorance, l'incapacité et la mauvaise éducation.

O mon cher Aza ! que les vices brillants d'une nation d'ailleurs si séduisante ne nous dégoûtent point de la naïve simplicité de nos mœurs ! N'oublions jamais, toi l'obligation où tu es d'être mon exemple, mon guide et mon soutien dans le chemin de la vertu ; et moi, celle où je suis de conserver ton estime et ton amour en imitant mon modèle.

XXXV

Nos visites et nos fatigues, mon cher Aza, ne pouvaient se terminer plus agréablement. Quelle journée délicieuse j'ai passée hier ! Combien les nouvelles obligations que j'ai à Déterville et à sa sœur me sont agréables ! Mais combien elles me seront chères quand je pourrai les partager avec toi !

Après deux jours de repos, nous partîmes hier matin de Paris, Céline, son frère, son mari et moi, pour aller, disait-elle, rendre une visite à la meilleure de ses amies. Le voyage ne fut pas long, nous arrivâmes de très bonne heure à une maison de campagne dont la situation et les approches me parurent admirables ; mais ce qui m'étonna en y entrant, fut d'en trouver toutes les portes ouvertes, et de n'y rencontrer personne.

Cette maison, trop belle pour être abandonnée, trop petite pour cacher le monde qui aurait dû l'habiter, me paraissait un enchantement. Cette pensée me divertit ; je demandai à Céline si nous étions chez une de ces fées dont elle m'avait fait lire les histoires, où la maîtresse du logis était invisible ainsi que les domestiques.

Vous la verrez, me répondit-elle, mais comme des affaires importantes l'appellent ailleurs pour toute la journée, elle m'a chargée de vous engager à faire les honneurs de chez elle pendant son absence. Mais avant toutes choses, ajouta-t-elle, il faut que vous signiez le consentement que vous donnez, sans doute, à cette proposition ; ah ! volontiers, lui dis-je en me prêtant à la plaisanterie.

Je n'eus pas plus tôt prononcé ces paroles, que je vis entrer un homme vêtu de noir, qui tenait une écritoire et du papier déjà écrit ; il me le présenta, et j'y plaçai mon nom où l'on voulut.

Dans l'instant même, parut un autre homme d'assez bonne mine, qui nous invita selon la coutume de passer avec lui dans l'endroit où l'on mange. Nous y trouvâmes une table servie avec autant de propreté que de magnificence; à peine étions-nous assis, qu'une musique charmante se fit entendre dans la chambre voisine; rien ne manquait de tout ce qui peut rendre un repas agréable. Déterville même semblait avoir oublié son chagrin pour nous exciter à la joie: il me parlait en mille manières de ses sentiments pour moi, mais toujours d'un ton flatteur, sans plainte ni reproche.

Le jour était serein; d'un commun accord nous résolûmes de nous promener en sortant de table. Nous trouvâmes les jardins beaucoup plus étendus que la maison ne semblait le promettre. L'art et la symétrie ne s'y faisaient admirer que pour rendre plus touchants les charmes de la simple nature.

Nous bornâmes notre course dans un bois qui termine ce beau jardin: assis tous quatre sur un gazon délicieux, nous vîmes venir à nous d'un côté une troupe de paysans vêtus proprement à leur manière, précédés de quelques instruments de musique, et de l'autre, une troupe de jeunes filles vêtues de blanc, la tête ornée de fleurs champêtres, qui chantaient d'une façon rustique, mais mélodieuse, des chansons où j'entendis avec surprise que mon nom était souvent répété.

Mon étonnement fut bien plus fort lorsque, les deux troupes nous ayant joints, je vis l'homme le plus apparent quitter la sienne, mettre un genou en terre, et me présenter dans un grand bassin plusieurs clefs avec un compliment que mon trouble m'empêcha de bien entendre; je compris seulement qu'étant le chef des villageois de la contrée, il venait me rendre hommage en qualité de leur souveraine, et me présenter les clefs de la maison, dont j'étais aussi la maîtresse.

Dès qu'il eut fini sa harangue, il se leva pour faire place à la plus jolie d'entre les jeunes filles. Elle vint me présenter une gerbe de fleurs, ornée de rubans, qu'elle accompagna aussi d'un petit discours à ma louange, dont elle s'acquitta de bonne grâce.

J'étais trop confuse, mon cher Aza, pour répondre à des éloges que je méritais si peu ; d'ailleurs tout ce qui se passait avait un ton si approchant de celui de la vérité, que dans bien des moments je ne pouvais me défendre de croire ce que, néanmoins, je trouvais incroyable. Cette pensée en produisit une infinité d'autres : mon esprit était tellement occupé, qu'il me fut impossible de proférer une parole : si ma confusion était divertissante pour la compagnie, elle était si embarrassante pour moi, que Déterville en fut touché. Il fit un signe à sa sœur, elle se leva après avoir donné quelques pièces d'or aux paysans et aux jeunes filles, en leur disant que c'étaient les prémices de mes bontés pour eux, elle me proposa de faire un tour de promenade dans le bois, je la suivis avec plaisir, comptant bien lui faire des reproches de l'embarras où elle m'avait mise ; mais je n'en eus pas le temps. A peine avions-nous fait quelques pas qu'elle s'arrêta, et me regardant avec une mine riante : Avouez, Zilia, me dit-elle, que vous êtes bien fâchée contre nous, et que vous le serez bien davantage si je vous dis qu'il est très vrai que cette terre et cette maison vous appartiennent.

A moi, m'écriai-je ! ah ! Céline ! Est-ce là ce que vous m'aviez promis ? Vous poussez trop loin l'outrage, ou la plaisanterie. Attendez, me dit-elle plus sérieusement, si mon frère avait disposé de quelque partie de vos trésors pour en faire l'acquisition, et qu'au lieu des ennuyeuses formalités dont il s'est chargé, il ne vous eût réservé que la surprise, nous haïriez-vous bien fort ? Ne pourriez-vous nous pardonner de vous avoir procuré, à tout événement, une demeure telle que vous avez paru l'aimer, et de vous avoir assuré une vie indépendante ? Vous avez signé ce matin l'acte authentique qui vous met en possession de l'une et l'autre. Grondez-nous à présent tant qu'il vous plaira, ajouta-t-elle en riant, si rien de tout cela ne vous est agréable.

Ah ! mon aimable amie ! m'écriai-je en me jetant dans ses bras, je sens trop vivement des soins si généreux pour vous exprimer ma reconnaissance. Il ne me fut possible de prononcer que ce peu de mots ; j'avais senti d'abord l'importance d'un tel service. Touchée, attendrie, transportée de joie en pensant au plaisir que j'aurais à te consacrer cette charmante demeure, la multitude de mes sentiments en étouffait l'expression. Je faisais à Céline des caresses qu'elle me rendait avec la même tendresse; et après m'avoir donné le temps de me remettre, nous allâmes retrouver son frère et son mari.

Un nouveau trouble me saisit en abordant Déterville, et jeta un nouvel embarras dans mes expressions; je lui tendis la main; il la baisa sans proférer une parole, et se détourna pour cacher des larmes qu'il ne put retenir, et que je pris pour des signes de la satisfaction qu'il avait de me voir si contente; j'en fus attendrie jusqu'à en verser aussi quelques-unes. Le mari de Céline, moins intéressé que nous à ce qui se passait, remit bientôt la conversation sur le ton de plaisanterie; il me fit des compliments sur ma nouvelle dignité, et nous engagea à retourner à la maison, pour en examiner, disait-il, les défauts, et faire voir à Déterville que son goût n'était pas aussi sûr qu'il s'en flattait.

Te l'avouerai-je, mon cher Aza, tout ce qui s'offrit à mon passage me parut prendre une nouvelle forme; les fleurs me semblaient plus belles, les arbres plus verts, la symétrie des jardins mieux ordonnée. Je trouvai la maison plus riante, les meubles plus riches, les moindres bagatelles m'étaient devenues intéressantes.

Je parcourus les appartements dans une ivresse de joie qui ne me permettait pas de rien examiner. Le seul endroit où je m'arrêtai fut une assez grande chambre entourée d'un grillage d'or, légèrement travaillé, qui renfermait une infinité de livres de toutes couleurs, de toutes formes, et d'une propreté admirable; j'étais dans un tel enchantement, que je croyais ne pouvoir les quitter sans les avoir tous lus. Céline m'en arracha, en me faisant souvenir d'une clef d'or que Déterville m'avait remise. Je m'en servis pour ouvrir précipitamment une porte que l'on me montra; et je restai immobile à la vue des magnificences qu'elle renfermait.

C'était un cabinet tout brillant de glaces et de peintures : les lambris à fond vert ornés de figures extrêmement bien dessinées, imitaient une partie des jeux et des cérémonies de la ville du Soleil, tels à peu près que je les avais dépeintes à Déterville.

On y voyait nos Vierges représentées en mille endroits avec le même habillement que je portais en arrivant en France; on disait même qu'elles me ressemblaient.

Les ornements du temple que j'avais laissés dans la maison religieuse, soutenus par des pyramides dorées, ornaient tous les coins de ce magnifique cabinet. La figure du Soleil, suspendue au milieu d'un plafond peint des plus belles couleurs du ciel, achevait par son éclat d'embellir cette charmante solitude: et des meubles commodes assortis aux peintures la rendaient délicieuse.

Déterville, profitant du silence où me retenaient ma surprise, ma joie et mon admiration, me dit en s'approchant de moi: Vous pourrez vous apercevoir, belle Zilia, que la chaise d'or ne se trouve point dans ce nouveau temple du Soleil; un pouvoir magique l'a transformée en maison, en jardin, en terres. Si je n'ai pas employé ma propre science à cette métamorphose, ce n'a pas été sans regret; mais il a fallu respecter votre délicatesse. Voici, me dit-il en ouvrant une petite armoire pratiquée adroitement dans le mur, voici les débris de l'opération magique. En même temps il me fit voir une cassette remplie de pièces d'or à l'usage de France. Ceci, vous le savez, continua-t-il, n'est pas ce qui est le moins nécessaire parmi nous, j'ai cru devoir vous en conserver une petite provision.

Je commençais à lui témoigner ma vive reconnaissance, et l'admiration que me causaient des soins si prévenants, quand Céline m'interrompit, et m'entraîna dans une chambre à côté du merveilleux cabinet. Je veux aussi, me dit-elle, vous faire voir la puissance de mon art. On ouvrit de grandes armoires remplies d'étoffes admirables, de linge, d'ajustements, enfin de tout ce qui est à l'usage des femmes, avec une telle abondance, que je ne pus m'empêcher d'en rire et de demander à Céline combien d'années elle voulait que je vécusse pour employer tant de belles choses. Autant que nous en vivrons mon frère et moi, me répondit-elle: et moi, repris-je, je désire que vous viviez l'un et l'autre autant que je vous aimerai, et vous ne mourrez pas les premiers.

En achevant ces mots nous retournâmes dans le temple du Soleil, c'est ainsi qu'ils nommèrent le merveilleux cabinet. J'eus enfin la liberté de parler; j'exprimai comme je le sentais les sentiments dont j'étais pénétrée. Quelle bonté ! que de vertus dans les procédés du frère et de la sœur !

Nous passâmes le reste du jour dans les délices de la confiance et de l'amitié ; je leur fis les honneurs du souper encore plus gaiement que je n'avais fait ceux du dîner. J'ordonnais librement à des domestiques que je savais être à moi ; je badinais sur mon autorité et mon opulence ; je fis tout ce qui dépendait de moi pour rendre agréables à mes bienfaiteurs leurs propres bienfaits.

Je crus cependant m'apercevoir qu'à mesure que le temps s'écoulait Déterville retombait dans sa mélancolie, et même qu'il échappait de temps en temps des larmes à Céline; mais l'un et l'autre reprenaient si promptement un air serein, que je crus m'être trompée.

Je fis mes efforts pour les engager à jouir quelques jours avec moi du bonheur qu'ils me procuraient. Je ne pus l'obtenir; nous sommes revenus cette nuit, en nous promettant de retourner incessamment dans mon palais enchanté.

O mon cher Aza! quelle sera ma félicité quand je pourrai l'habiter avec toi!

XXXVI

La tristesse de Déterville et de sa sœur, mon cher Aza, n'a fait qu'augmenter depuis notre retour de mon palais enchanté : ils me sont trop chers l'un et l'autre pour ne m'être pas empressée à leur en demander le motif; mais voyant qu'ils s'obstinaient à me le taire, je n'ai plus douté que quelque nouveau malheur n'ait traversé ton voyage, et bientôt mon inquiétude a surpassé leur chagrin. Je n'en ai pas dissimulé la cause, et mes amis ne l'ont pas laissée durer longtemps.

Déterville m'a avoué qu'il avait résolu de me cacher le jour de ton arrivée, afin de me surprendre, mais que mon inquiétude lui faisait abandonner son dessein. En effet, il m'a montré une lettre du guide qu'il t'a fait donner, et par le calcul du temps et du lieu où elle a été écrite, il m'a fait comprendre que tu peux être ici aujourd'hui, demain, dans ce moment même, enfin qu'il n'y a plus de temps à mesurer jusqu'à celui qui comblera tous mes vœux.

Cette première confidence faite, Déterville n'a plus hésité de me dire tout le reste de ses arrangements. Il m'a fait voir l'appartement qu'il te destine : tu logeras ici jusqu'à ce qu'unis ensemble, la décence nous permette d'habiter mon délicieux château. Je ne te perdrai plus de vue, rien ne nous séparera ; Déterville a pourvu à tout, et m'a convaincue plus que jamais de l'excès de sa générosité.

Après cet éclaircissement, je ne cherche plus d'autre cause à la tristesse qui le dévore que ta prochaine arrivée. Je le plains : je compatis à sa douleur, je lui souhaite un bonheur qui ne dépende point de mes sentiments, et qui soit une digne récompense de sa vertu.

Je dissimule même une partie des transports de ma joie pour ne pas irriter sa peine. C'est tout ce que je puis faire ; mais je suis trop occupée de mon bonheur pour le renfermer entièrement : ainsi, quoique je te croie fort près de moi, que je tressaille au moindre bruit, que j'interrompe ma lettre presque à chaque mot pour courir à la fenêtre, je ne laisse pas de continuer à t'écrire, il faut ce soulagement au transport de mon cœur. Tu es plus près de moi, il est vrai ; mais ton absence en est-elle moins réelle que si les mers nous séparaient encore ? Je ne te vois point, tu ne peux m'entendre, pourquoi cesserais-je de m'entretenir avec toi de la seule façon dont je puis le faire ? Encore un moment, et je te verrai ; mais ce moment n'existe point. Eh ! puis-je mieux employer ce qui me reste de ton absence qu'en te peignant la vivacité de ma tendresse ? Hélas ! tu l'as vue toujours gémissante. Que ce temps est loin de moi ! avec quel transport il sera effacé de mon souvenir ! Aza, cher Aza ! que ce nom est doux ! Bientôt je ne t'appellerai plus en vain, tu m'entendras, tu voleras à ma voix : les plus tendres expressions de mon cœur seront la récompense de ton empressement...

XXXVII

AU CHEVALIER DÉTERVILLE

A Malte

Avez-vous pu, Monsieur, prévoir sans remords le chagrin mortel que vous deviez joindre au bonheur que vous me prépariez ? Comment avez-vous eu la cruauté de faire précéder votre départ par des circonstances si agréables, par des motifs de reconnaissance si pressants, à moins que ce ne fût pour me rendre plus sensible à votre désespoir et à votre absence ? Comblée il y a deux jours des douceurs de l'amitié, j'en éprouve aujourd'hui les peines les plus amères.

Céline, tout affligée qu'elle est, n'a que trop bien exécuté vos ordres. Elle m'a présenté Aza d'une main, et de l'autre votre cruelle lettre. Au comble de mes vœux, la douleur s'est fait sentir dans mon âme ; en retrouvant l'objet de ma tendresse, je n'ai point oublié que je perdais celui de tous mes autres sentiments. Ah ! Déterville, que pour cette fois votre bonté est inhumaine ! Mais n'espérez pas exécuter jusqu'à la fin vos injustes résolutions ; non, la mer ne vous séparera pas à jamais de tout ce qui vous est cher ; vous entendrez prononcer mon nom, vous recevrez mes lettres, vous écouterez mes prières ; le sang et l'amitié reprendront leurs droits sur votre cœur ; vous vous rendrez à une famille à laquelle je suis responsable de votre perte.

Quoi ! pour récompense de tant de bienfaits, j'empoisonnerais vos jours et ceux de votre sœur ! je romprais une si tendre union ! je porterais le désespoir dans vos cœurs, même en jouissant encore des effets de vos bontés ! non, ne le croyez pas, je ne me vois qu'avec horreur dans une maison que je remplis de deuil ; je reconnais vos soins au bon traitement que je reçois de Céline au moment même où je lui pardonnerais de me haïr ; mais quels qu'ils soient, j'y renonce, et je m'éloigne pour jamais des lieux que je ne puis souffrir, si vous n'y revenez. Mais que vous êtes aveugle, Déterville ! Quelle erreur vous entraîne dans un dessein si contraire à vos vues ? Vous vouliez me rendre heureuse, vous ne me rendez que coupable ; vous vouliez sécher mes larmes, vous les faites couler, et vous perdez par votre éloignement le fruit de votre sacrifice.

Hélas ! peut-être n'auriez-vous trouvé que trop de douceur dans cette entrevue que vous avez crue si redoutable pour vous ! Cet Aza, l'objet de tant d'amour, n'est plus le même Aza que je vous ai peint avec des couleurs si tendres. Le froid de son abord, l'éloge des Espagnols, dont cent fois il a interrompu les doux épanchements de mon âme, l'indifférence offensante avec laquelle il se propose de ne faire en France qu'un séjour de peu de durée, la curiosité qui l'entraîne loin de moi à ce moment même : tout me fait craindre des maux dont mon cœur frémit. Ah, Déterville ! peut-être ne serez-vous pas longtemps le plus malheureux.

Si la pitié de vous-même ne peut rien sur vous, que les devoirs de l'amitié vous ramènent ; elle est le seul asile de l'amour infortuné. Si les maux que je redoute allaient m'accabler, quels reproches n'auriez-vous pas à vous faire ? Si vous m'abandonnez, où trouverai-je des cœurs sensibles à mes peines ? La générosité, jusqu'ici la plus forte de vos passions, céderait-elle enfin à l'amour mécontent ? Non, je ne puis le croire ; cette faiblesse serait indigne de vous ; vous êtes incapable de vous y livrer ; mais venez m'en convaincre, si vous aimez votre gloire et mon repos.

XXXVIII

AU CHEVALIER DÉTERVILLE

A Malte

Si vous n'étiez pas la plus noble des créatures, Monsieur, je serais la plus humiliée; si vous n'aviez l'âme la plus humaine, le cœur le plus compatissant, serait-ce à vous que je ferais l'aveu de ma honte et de mon désespoir ? Mais hélas ! que me reste-t-il à craindre ? qu'ai-je à ménager ? tout est perdu pour moi.

Ce n'est plus la perte de ma liberté, de mon rang, de ma patrie que je regrette; ce ne sont plus les inquiétudes d'une tendresse innocente qui m'arrachent des pleurs; c'est la bonne foi violée, c'est l'amour méprisé, qui déchirent mon âme. Aza est infidèle !

Aza infidèle ! Que ces funestes mots ont de pouvoir sur mon âme... mon sang se glace... un torrent de larmes...

J'appris des Espagnols à connaître les malheurs; mais le dernier de leurs coups est le plus sensible : ce sont eux qui m'enlèvent le cœur d'Aza; c'est leur cruelle religion qui autorise le crime qu'il commet; elle approuve, elle ordonne l'infidélité, la perfidie, l'ingratitude; mais elle défend l'amour de ses proches. Si j'étais étrangère, inconnue, Aza pourrait m'aimer : unis par les liens du sang, il doit m'abandonner, m'ôter la vie sans honte, sans regret, sans remords.

Hélas ! toute bizarre qu'est cette religion, s'il n'avait fallu que l'embrasser pour retrouver le bien qu'elle m'arrache, j'aurais soumis mon esprit à ses illusions. Dans l'amertume de mon âme, j'ai demandé d'être instruite; mes pleurs n'ont point été écoutés. Je ne puis être admise dans une société si pure sans abandonner le motif qui me détermine, sans renoncer à ma tendresse, c'est-à-dire, sans changer mon existence.

Je l'avoue, cette extrême sévérité me frappe autant qu'elle me révolte, je ne puis refuser une sorte de vénération à des lois qui dans toute autre chose me paraissent si pures et si sages; mais est-il en mon pouvoir de les adopter? et quand je les adopterais, quel avantage m'en reviendrait-il? Aza ne m'aime plus; ah! malheureuse...

Le cruel Aza n'a conservé de la candeur de nos mœurs que le respect pour la vérité, dont il fait un si funeste usage. Séduit par les charmes d'une jeune Espagnole, prêt à s'unir à elle, il n'a consenti à venir en France que pour se dégager de la foi qu'il m'avait jurée; que pour ne me laisser aucun doute sur ses sentiments; que pour me rendre une liberté que je déteste; que pour m'ôter la vie.

Oui, c'est en vain qu'il me rend à moi-même; mon cœur est à lui, il y sera jusqu'à la mort.

Ma vie lui appartient: qu'il me la ravisse, et qu'il m'aime...

Vous saviez mon malheur, pourquoi ne me l'avez-vous éclairci qu'à demi? Pourquoi ne me laissâtes-vous entrevoir que des soupçons qui me rendirent injuste à votre égard? Eh, pourquoi vous en fais-je un crime? Je ne vous aurais pas cru: aveugle, prévenue, j'aurais été moi-même au-devant de ma funeste destinée, j'aurais conduit sa victime à ma rivale, je serais à présent... O dieux! sauvez-moi cette horrible image!...

Déterville, trop généreux ami! suis-je digne d'être écoutée? Oubliez mon injustice; plaignez une malheureuse dont l'estime pour vous est encore au-dessus de sa faiblesse pour un ingrat.

XXXIX

AU CHEVALIER DÉTERVILLE

A Malte

Puisque vous vous plaignez de moi, Monsieur, vous ignorez l'état dont les cruels soins de Céline viennent de me tirer. Comment vous aurais-je écrit? Je ne pensais plus. S'il m'était resté quelque sentiment, sans doute la confiance en vous en eût été un; mais environnée des ombres de la mort, le sang glacé dans les veines, j'ai longtemps ignoré ma propre existence; j'avais oublié jusqu'à mon malheur. Ah, Dieux! pourquoi en me rappelant à la vie, m'a-t-on rappelée à ce funeste souvenir!

Il est parti! je ne le verrai plus! il me fuit, il ne m'aime plus, il me l'a dit: tout est fini pour moi. Il prend une autre épouse, il m'abandonne, l'honneur l'y condamne; eh bien, cruel Aza, puisque le fantastique honneur de l'Europe a des charmes pour toi, que n'imitais-tu aussi l'art qui l'accompagne!

Heureuses Françaises, on vous trahit; mais vous jouissez longtemps d'une erreur qui ferait à présent tout mon bien. La dissimulation vous prépare au coup mortel qui me tue. Funeste sincérité de ma nation, vous pouvez donc cesser d'être une vertu? Courage, fermeté, vous êtes donc des crimes quand l'occasion le veut?

Tu m'as vue à tes pieds, barbare Aza, tu les as vus baignés de mes larmes, et ta fuite... Moment horrible! pourquoi ton souvenir ne m'arrache-t-il pas la vie?

Si mon corps n'eût succombé sous l'effort de la douleur, Aza ne triompherait pas de ma faiblesse... Tu ne serais pas parti seul. Je te suivrais, ingrat; je te verrais, je mourrais du moins à tes yeux.

Déterville, quelle faiblesse fatale vous a éloigné de moi? Vous m'eussiez secourue; ce que n'a pu faire le désordre de mon désespoir, votre raison, capable de persuader, l'aurait obtenu; peut-être Aza serait encore ici. Mais, déjà arrivé en Espagne au comble de ses vœux... Regrets inutiles! désespoir infructueux!... Douleur, accable-moi.

Ne cherchez point, Monsieur, à surmonter les obstacles qui vous retiennent à Malte pour revenir ici. Qu'y feriez-vous? Fuyez une malheureuse qui ne sent plus les bontés que l'on a pour elle, qui s'en fait un supplice, qui ne veut que mourir.

XL

Rassurez-vous, trop généreux ami, je n'ai pas voulu vous écrire que mes jours ne fussent en sûreté, et que moins agitée je ne puisse calmer vos inquiétudes. Je vis; le destin le veut, je me soumets à ses lois.

Les soins de votre aimable sœur m'ont rendu la santé, quelques retours de raison l'ont soutenue. La certitude que mon malheur est sans remède a fait le reste. Je sais qu'Aza est arrivé en Espagne, que son crime est consommé; ma douleur n'est pas éteinte, mais la cause n'est plus digne de mes regrets; s'il en reste dans mon cœur, ils ne sont dus qu'aux peines que je vous ai causées, qu'à mes erreurs, qu'à l'égarement de ma raison.

Hélas! à mesure qu'elle m'éclaire je découvre son impuissance, que peut-elle sur une âme désolée? L'excès de la douleur nous rend la faiblesse de notre premier âge. Ainsi que dans l'enfance, les objets seuls ont du pouvoir sur nous, il semble que la vue soit le seul de nos sens qui ait une communication intime avec notre âme. J'en ai fait une cruelle expérience.

En sortant de la longue et accablante léthargie où me plongea le départ d'Aza, le premier désir que m'inspira la nature fut de me retirer dans la solitude que je dois à votre prévoyante bonté : ce ne fut pas sans peine que j'obtins de Céline la permission de m'y faire conduire; j'y trouve des secours contre le désespoir que le monde et l'amitié même ne m'auraient jamais fournis. Dans la maison de votre sœur, ses discours consolants ne pouvaient prévaloir sur les objets qui me retraçaient sans cesse la perfidie d'Aza.

La porte par laquelle Céline l'amena dans ma chambre le jour de votre départ et de son arrivée; le siège sur lequel il s'assit; la place où il m'annonça mon malheur, où il me rendit mes lettres, jusqu'à son ombre effacée d'un lambris où je l'avais vue se former, tout faisait chaque jour de nouvelles plaies à mon cœur.

Ici je ne vois rien qui ne me rappelle les idées agréables

que j'y reçus à la première vue; je n'y retrouve que l'image de votre amitié et de celle de votre aimable sœur.

Si le souvenir d'Aza se présente à mon esprit, c'est sous le même aspect où je le voyais alors. Je crois y attendre son arrivée. Je me prête à cette illusion autant qu'elle m'est agréable; si elle me quitte, je prends des livres. Je lis d'abord avec effort, insensiblement de nouvelles idées enveloppent l'affreuse vérité renfermée au fond de mon cœur, et donnent à la fin quelque relâche à ma tristesse.

L'avouerai-je? les douceurs de la liberté se présentent quelquefois à mon imagination, je les écoute; environnée d'objets agréables, leur propriété a des charmes que je m'efforce de goûter; de bonne foi avec moi-même, je compte peu sur ma raison. Je me prête à mes faiblesses, je ne combats celles de mon cœur qu'en cédant à celles de mon esprit. Les maladies de l'âme ne souffrent pas les remèdes violents.

Peut-être la fastueuse décence de votre nation ne permet-elle pas à mon âge l'indépendance et la solitude où je vis; du moins, toutes les fois que Céline me vient voir, veut-elle me le persuader; mais elle ne m'a pas encore donné d'assez fortes raisons pour m'en convaincre: la véritable décence est dans mon cœur. Ce n'est point au simulacre de la vertu que je rends hommage, c'est à la vertu même. Je la prendrai toujours pour juge et pour guide de mes actions. Je lui consacre ma vie, et mon cœur à l'amitié. Hélas! quand y régnera-t-elle sans partage et sans retour?

XLI

AU CHEVALIER DÉTERVILLE

A Paris

Je reçois presque en même temps, Monsieur, la nouvelle de votre départ de Malte et celle de votre arrivée à

Paris. Quelque plaisir que je me fasse de vous revoir, il ne peut surmonter le chagrin que me cause le billet que vous m'écrivez en arrivant.

Quoi, Déterville ! après avoir pris sur vous de dissimuler vos sentiments dans toutes vos lettres, après m'avoir donné lieu d'espérer que je n'aurais plus à combattre une passion qui m'afflige, vous vous livrez plus que jamais à sa violence !

A quoi bon affecter une déférence que vous démentez au même instant ? Vous me demandez la permission de me voir, vous m'assurez d'une soumission aveugle à mes volontés, et vous vous efforcez de me convaincre des sentiments qui y sont le plus opposés, qui m'offensent ; enfin que je n'approuverai jamais.

Mais puisqu'un faux espoir vous séduit, puisque vous abusez de ma confiance et de l'état de mon âme, il faut donc vous dire quelles sont mes résolutions plus inébranlables que les vôtres.

C'est en vain que vous vous flatteriez de faire prendre à mon cœur de nouvelles chaînes. Ma bonne foi trahie ne dégage pas mes serments ; plût au ciel qu'elle me fît oublier l'ingrat ! Mais quand je l'oublierais, fidèle à moi-même, je ne serai point parjure. Le cruel Aza abandonne un bien qui lui fut cher ; ses droits sur moi n'en sont pas moins sacrés : je puis guérir de ma passion, mais je n'en aurai jamais que pour lui : tout ce que l'amitié inspire de sentiments est à vous, vous ne les partagerez avec personne, je vous les dois. Je vous les promets ; j'y serai fidèle : vous jouirez au même degré de ma confiance et de ma sincérité ; l'une et l'autre seront sans bornes. Tout ce que l'amour a développé dans mon cœur de sentiments vifs et délicats tournera au profit de l'amitié. Je vous laisserai voir avec une égale franchise le regret de n'être point née en France, et mon penchant invincible pour Aza ; le désir que j'aurais de vous devoir l'avantage de penser, et mon éternelle reconnaissance pour celui qui me l'a procuré. Nous lirons dans nos âmes : la confiance sait aussi bien que l'amour donner de la rapidité au temps. Il est mille moyens de rendre l'amitié intéressante et d'en chasser l'ennui.

Vous me donnerez quelque connaissance de vos sciences et de vos arts ; vous goûterez le plaisir de la supériorité ; je la reprendrai en développant dans votre cœur des vertus que vous n'y connaissez pas. Vous ornerez mon esprit de ce qui peut le rendre amusant, vous jouirez de votre ouvrage ; je tâcherai de vous rendre agréables les charmes naïfs de la simple amitié, et je me trouverai heureuse d'y réussir.

Céline, en nous partageant sa tendresse, répandra dans nos entretiens la gaieté qui pourrait y manquer : que nous restera-t-il à désirer ?

Vous craignez en vain que la solitude n'altère ma santé. Croyez-moi, Déterville, elle ne devient jamais dangereuse que par l'oisiveté. Toujours occupée, je saurai me faire des plaisirs nouveaux de tout ce que l'habitude rend insipide.

Sans approfondir les secrets de la nature, le simple examen de ses merveilles n'est-il pas suffisant pour varier et renouveler sans cesse des occupations toujours agréables ? La vie suffit-elle pour acquérir une connaissance légère, mais intéressante, de l'univers, de ce qui m'environne, de ma propre existence ?

Le plaisir d'être ; ce plaisir oublié, ignoré même de tant d'aveugles humains ; cette pensée si douce, ce bonheur si pur, *je suis, je vis, j'existe,* pourrait seul rendre heureux, si l'on s'en souvenait, si l'on en jouissait, si l'on en connaissait le prix.

Venez, Déterville, venez apprendre de moi à économiser les ressources de notre âme, et les bienfaits de la nature. Renoncez aux sentiments tumultueux, destructeurs imperceptibles de notre être ; venez apprendre à connaître les plaisirs innocents et durables, venez en jouir avec moi, vous trouverez dans mon cœur, dans mon amitié, dans mes sentiments tout ce qui peut vous dédommager de l'amour.

NOTE BIBLIOGRAPHIQUE

Texte :

Madame de Grafigny, *Lettres d'une Péruvienne*, a cura di Gianni Nicoletti, Bari, Adriatica Editrice, 1967.

Études :

DAINARD, J. A., SHOWALTER, E. et un collectif, « La correspondance de Madame de Graffigny », *Dix-huitième siècle*, 10, 1978, pp. 379-394.

ÉTIENNE, Louis, « Un roman socialiste d'autrefois », *Revue des Deux Mondes*, 15 juillet 1871, nº 4, pp. 454-464, reproduit dans l'édition de Gianni Nicoletti.

NICOLETTI, Gianni, Introduction, bibliographie, documents reproduits, appendice (les trois « suites » françaises) et compléments, dans l'édition citée ci-dessus.

NOËL, Georges, *Une « primitive » oubliée de l'école des « cœurs sensibles », Madame de Grafigny (1695-1758)*, Paris, Plon, 1913.

STACKELBERG, Jürgen von, « Die *Peruanischen Briefe* und ihre Ergänzung », in : J.v.S., *Literarische Rezeptionsformen : Übersetzung, Supplement, Parodie*, Frankfurt/Main, Athenäum, 1972, pp. 132-145.

STACKELBERG, Jürgen von, « Die Kritik an der Zivilisationsgesellschaft aus der Sicht einer "guten Wilden" : Mme de Grafigny und ihre *Lettres d'une Péruvienne* », in : Renate Baader und Dietmar Fricke (éd.), *Die Französische Autorin, vom Mittelalter bis zur Gegenwart*, Wiesbaden, Athenaion, 1979, pp. 131-145.

VADÉ

LETTRES DE LA GRENOUILLÈRE

entre

M. Jérôme Dubois

Pêcheux du Gros-Caillou

et

Mlle Nanette Dubut

Blanchisseuse de linge fin

NOTICE

Historiquement, les *Lettres de la Grenouillère* nous apparaissent comme une œuvre née au point de rencontre des courbes de développement de deux genres : le roman d'amour par lettres, bien sûr, sous la forme concentrée dont nous présentons dans ce volume quelques exemples, forme qui au milieu du XVIIIe siècle a beaucoup perdu de son originalité, et se voit donc volontiers enrichir d'apports idéologiques ou d'attraits formels inédits — et d'autre part l'opéra-comique (on dirait maintenant l'opérette), malicieuse forme dramatique inventée par les professionnels du théâtre afin de satisfaire le goût prononcé du public pour les spectacles gais et accompagnés de musique, sans porter atteinte, à l'origine, aux privilèges ni de la Comédie-Française ni de l'Opéra.

A la fin de sa brève carrière, Vadé fut un pourvoyeur attitré du théâtre de l'Opéra-Comique, sur la scène duquel il fit jouer une vingtaine de spectacles, dont beaucoup sont des parodies d'opéras. Cette inspiration moqueuse et légère se fait jour à vrai dire dès ses premières œuvres. Né à Ham en Picardie le 17 janvier 1719, Jean-Joseph Vadé est le fils d'un cabaretier. Il trouva un emploi dans les bureaux de l'administration fiscale, au contrôle du vingtième, à Soissons, Laon, puis Rouen. De retour à Paris, on le trouve, comme Guilleragues, comme Boursault, secrétaire d'un haut personnage : il s'agit en ce qui le concerne du duc d'Agenois, de la famille de Richelieu. Il put alors se consacrer aux lettres, et débuta par une production assez insignifiante : poésies légères, fables, chansons, « bouquets », galanteries diverses. En 1749 il s'essaya à la Comédie-Française, sans succès. C'est à partir de 1752 seulement qu'il trouva sa voie à l'Opéra-Comique. Il mourut prématurément, en juillet 1757, des suites d'une opération.

Il est difficile d'évaluer séparément chez Vadé ce qui, à travers les amusantes conventions du langage poissard, relève du procédé de la parodie (voir sur cette question l'Introduction, pages 40-42), et ce qui pourrait constituer une description authentique de la vie professionnelle de petits artisans parisiens. Bien que les histoires littéraires insistent volontiers sur le « réalisme » des évocations du quartier des Halles, ou, ici, du Gros-Caillou, on doit reconnaître que le tableau n'est en réalité qu'une bien légère esquisse : Jérôme et Nanette, tout compte fait, n'ont de « vie » que littéraire ; et la Babet de Boursault paraît davantage enracinée dans un contexte topographique et social authentique. Peut-être voudra-t-on cependant voir en la blanchisseuse et en son amoureux d'intéressants témoins historiques par leur mentalité franche et gaie, par les principes moraux assez stricts auxquels ils s'assujettissent : mais là encore l'intention de Vadé n'est-elle pas surtout de souligner le contraste avec les mœurs plus ou moins dépravées de la haute société, pour le divertissement de laquelle a été conçue cette œuvrette caricaturale ? L'ensemble de l'œuvre de Jean-Joseph Vadé montre assez que cet écrivain n'est pas tant un observateur lucide de sa ville et de ses contemporains, ni un créateur imaginatif, qu'un « transformateur » de thèmes et de modes d'expression, habile à satisfaire les goûts d'un public vite blasé.

La langue des *Lettres de la Grenouillère*

Comme les autres manifestations de la langue « ignoble », la langue paysanne et patoisante des environs de Paris, telle que la pratique Vadé dans ses œuvres « poissardes [1] » vers 1750, reçoit ses lettres de noblesse litté-

1. Rappelons que le terme (venu de la « poix » des cordonniers et

raire un siècle plus tôt, au moment où un sentiment linguistique suffisamment net permet au public de percevoir ce qu'elle est, c'est-à-dire une réplique inversée du « beau langage » de l'aristocratie, riche d'effets comiques encore inexploités par les écrivains. Il est significatif que la grande vogue du burlesque, qui emprunte si souvent au langage paysan, coïncide avec la codification officielle de la langue et des styles proposée par Vaugelas en 1647, comme la mode « poissarde » coïncide avec la troisième édition du *Dictionnaire de l'Académie* (1740) qui fixe à peu près définitivement la morphologie tant orale qu'écrite de notre langue : toute parodie suppose, pour être saisie, la référence à une norme qu'elle feint d'ignorer pour la défier.

Tandis que les lexicographes de l'époque classique proscrivent impitoyablement tous les « méchants » mots qui « sentent le village », le « vieux », ou le « bas », la comédie, mais aussi l'anti-littérature (l'*anti-roman* date de Sorel !) recueille avec prédilection les termes frappés d'ostracisme. Ainsi s'introduit sur la scène française le patois des paysans de la banlieue parisienne qui va subsister sans grand changement depuis *Le Pédant joué* de Cyrano, écrit vers 1646 (ou même les notations encore timides de Sorel) jusqu'à la Révolution, en passant par Richer (auteur des *Agréables Conférences de deux paysans de Saint-Ouen et de Montmorency*, ainsi que de l'*Ovide Bouffon*), Molière, Brécourt, Dancourt, Dufresny, Marivaux, Collé et Vadé. Mais le patois ayant rapidement régressé en un siècle, il n'est pas étonnant que les *Lettres de la Grenouillère* offrent par comparaison avec les *Agréables Conférences* un nombre bien moindre d'étrangetés lexicales qui, trop fréquentes, auraient risqué de rendre le texte opaque et donc incompréhensible. Hormis quelques pittoresques apparitions argotiques et quelques termes relevant pour la plupart de l'ancienne langue et qu'on retrouve aussi bien chez Richer que chez

contaminé par « poisson ») désignait à l'origine un voleur ; au féminin, il est « un terme de mépris qui se dit des femmes de la lie du peuple et de la halle » (*Dictionnaire de l'Académie*, 1762), avant de désigner et de caractériser différents genres.

La Fontaine, il s'agit surtout de déformations morphologiques ou phonétiques traditionnelles (je n'avons, alle m'dit, queuquchose), de tours syntaxiques populaires (relatifs, interrogations, exclamations) encore employés dans le français moderne « avancé », de formules pléonastiques (« pour à celle seule fin que » que l'on trouve également dans *La Voiture embourbée* de Marivaux) ou proverbiales.

Les *Lettres de la Grenouillère* furent imprimées pour la première fois en 1749. Nous avons établi notre texte sur l'édition de 1758, en opérant les vérifications nécessaires d'après celles de 1756 et 1777. La fin de la dernière lettre a été reproduite dans la version de 1756 (voir la note 1, page 396), qui supprime un long développement disparate à la fin duquel Vadé, entrant en quelque sorte dans le roman, fait allusion à son célèbre *Déjeuner de la Rapée*. Aucune modernisation ne pouvant ici être tentée sans porter atteinte au sens même de l'œuvre, malgré de nombreuses incohérences et irrégularités nous avons respecté l'orthographe (et la ponctuation), qui ne varie que sur d'infimes points de détail à travers les quatre éditions considérées : elle semble en effet refléter assez fidèlement certaines tendances de la prononciation (not', ste, li), à une époque où la systématisation de l'orthographe n'a pas encore imposé la conformation de l'oral à l'écrit.

AVERTISSEMENT

Il y a toute apparence qu'après leur mariage, les deux amants auteurs de ces Lettres en ont fait dépositaire Madame Dubut la mère, puisqu'après sa mort, en faisant l'inventaire de ses meubles, on trouva lesdites Lettres dans un tiroir; une seule, dont on fit lecture, annonçant que les autres pouvaient être dans le même genre, on s'en empara furtivement, on les fit transcrire sans y rien changer, et on les donne aujourd'hui au Public, autant pour son amusement que pour la gloire de Monsieur Jérôme Dubois et de Mademoiselle Nanette Dubut.

I

Maneselle,

Quand d'abord qu'on n'a plus son cœur à soi, c'est signe qu'une autre personne l'a, et pour afin qu'vous n'trouviez pas ça mauvais, c'est que j'vous diray qu'vous avez l'mien. J'ay eû la valissance[1] et l'honneur d'vous voir dans un endroit de danse au Gros-Caillou par plusieures différentes fois, et qui pis est, j'ai dansé aveuc vous trois m'nuets, et puis le passepied, en payant dont je ne r'grette pas la dépense, parce que ça n'est pas suivant ce qu'vous vallez. Pour revenir donc à ce que j'disions, j'm'apelle Jérôme Dubois, et en tout cas qu'vous ne remettiez pas mon nom, j'suis ce grand garçon qui a ses cheveux en cadenette[2], et puis une canne, les Dimanches, de geay[3], et qui a aussi un habit jeaune couleur de ma culotte neuve, et des bas à l'avenant. J'ameneray Dimanche ma mere au même lieu qu'vous avez venu la derniere fois, pour qu'alle fasse connoissance aveuc vous, et ça sera fort ben fait à moi que je puisse vous faire séparteger l'amiquié que j'goûte pour vous, dont j'suis avec du plaisir,

Maneselle,

Vote petit sarviteur de tout mon cœur JÉRÔME DUBOIS, Pêcheux d'la Guernouyere[4], là où que j'deumeure pour attendre vote réponse.

1. *Valissance :* avantage, honneur (Brunot ; voir aussi Godefroy).
2. *Cadenette :* longue tresse.
3. *De geay :* noir comme du jais (?).
4. *Grenouillère :* lieu où il y a des grenouilles ; Sébastien Mercier dans son *Tableau de Paris* parle du Gros-Caillou comme d'un faubourg dont les *marais* ont été « ornés de maisons ».

II

Monsieux,

J'ay reçu vote Lettre là où ce que j'ay lû l'écriture qu'étoit dedans ; j'nay pas un brin la r'souvenance d'vous connoître, et ça ma fait plaisir d'apprendre de vos nouvelles. Pour à l'égard d'vote politesse, j'ay trouvé du contraire dans la vérité que j'aye vote cœur, à cause qu'on n'a pas le bien d'autruy sans qu'on le donne ; ça fait connoître qu'une fille d'honneur ne prend rien, par ainsi j'nay pas vote cœur ; et puis tous les ceux qui disont ça pour rire n'allont pas le dire à Rome [1], car les garçons du jour d'aujourd'huy savont si bien emboiser [2] les filles, que je devrions en être soule ; c'est pourquoy j'vous prie d'brûler ste lettre, dont j'suis aveuc respect,

Monsieux,

Votre très-humble servante
NANETTE DUBUT.

III

Maneselle,

En verté d'Dieu, vote doutance fait tort à un garçon comme moi, dont la façon que je pense naïbelment est aussi ben du vray comme vous avez d'lhonneur ; si j'navois pas d'lamiquié envers vous, est-ce que j'songerois tant seulement à vote parsonne ? Allez, Maneselle, quoique je n'soyons qu'un Guernouyeux [3], j'ons peut-être plus d'inspériance dans la vérité qu'non pas un habile homme ; vote darniere lettre est gentille à manger, par où je m'doute qu'vous avez encore plus d'esprit que de

1. *Aller le dire à Rome :* « c'est une espèce de défi » (Leroux).

2. *Emboiser :* « amuser par d'obligeantes paroles [...] qui engagent aisément les personnes qui sont dupes » (Leroux).

3. *Guernouyeux*, ou grenouilleux : pêcheur (voir la n. 4, p. 373). Mais tous les dictionnaires signalent pour *grenouiller* le sens d'« ivrogner en buvotant dans de méchants cabarets » (Furetière, Leroux).

mérite; marque de ça c'est que j'vous envoye une paire d'anguilles, aveuc trois brochets que j'ons pêchés à ce matin, comme par exprès pour vous, j'voudrois qu'ils fussiont d'argent massif, ça sautroit encore ben plus aux yeux, et ça vous froit mieux voir que j'vous ai donné mon cœur; car on ne fait pas d'offrande si honnête à un queuqu'un qu'on n'aime pas d'la manière que je suis,

Votre, etc.

IV

Monsieux,

Le jeune garçon dont vous m'avez envoyé pour qu'il me présente vote offrande, j'ly ai dit d'ma part qu'il n'avoit qu'à l'porter à la Halle. A nous des présens! Eh pourquoi donc faire? Eh mais vrament, Monsieux, pour qui nous prenez-vous? Si j'aimions un queuque-zun, je n'voudrions rien pour ça; eh mais j'vous dis! ne vla-t'y pas comme Charlot Colin a fait à l'endroit d'ma sœur Madelon? Le chien qu'il est ly a comme ça usé d'pricaution à l'endroit d'elle? Alle a reçû tout ce qu'il ly a donné, et puis après l'vivant d'abord qu'il a eu l'plus beau et le meyeur de son amour, il vous l'a plantée là, qu'elle a eu une fatigue de trouver à se marier. Excusez si j'nen fais pas tout de d'même et si j'prend la liberté de ne pas être,

Votre, etc.

V

Maneselle,

Dieu m'présarve plutôt d'vote malédiction, qu'du rheume où je suis à force de me chagriner; j'suis fâché d'vous avoir fait une manque de bienveuillance; ça m'apprendra à vivre, j'voudrois avoir les chiens de poissons dans l'ventre; parguié, j'ai ben du guignon! Ah,

Maneselle Nanette, ne me jouez pas l'tour de ne plus avoir affaire à moi, car j'aimerois quasi me voir à la mort de mes jours que d'voir de mes yeux vos bonnes grâces pour moi à l'extermité de leur fin, et que de ne pas augmenter l'amour dont le bon motif est en verté comme,

Votre, etc.

VI

Maneselle,

V'la deux jours que je n'dors pas, dont le chagrin me rend triste de plus en plus, sans qu'vous répondiez à ma lettre stella d'avant stelle-ci. Queu malheur! foi d'honnête garçon ça m'désole; j'ai faim et j'nai pas l'courage d'manger; ma mère croit que j'vais d'venir enragé; tout le monde rit, et moi j'pleure comme un S. Pierre; il fait beau temps, j'prens ça pour d'la pluye, tout m'semble à l'arbour, et tout ça à cause de vous. Tenez, Maneselle Nanette, je vous le dis, si par hazard je ne touche pas de vos nouvelles après qu'vous aurez lû ce qu'vous allez lire, j'fais une vente de tout mon vaillant, et je m'en vas trouver un Prêtre d'note Parroisse, j'ly donne tout mon argent à celle fin qu'il prie Dieu qu'il vous consarve, et puis j'men reviens sur la gueule de mon bachot, et craque dans l'eau la tête devant; les poissons qui seront la cause de ma mort, mangeront pour leur peine,

Votre, etc.

VII

Monsieux,

J'n'avons pas le cœur aussi dur que du machefer; je n'demandons pas la mort d'un vivant comme vous; ben du contraire; si je ne vous ai pas écrit une réponse à l'autre lettre d'avant advanzhier, c'est qu'mon frere Jean-Louis qui s'est brûlé une de ses mains droite, il a usé toute l'encre pour metre dessus sa brûlure ; ça n'empêche pas qu'une autre fois ne m'envoyez plus de présent toujours, car y gn'auroit plus à dire un sacage [1] de regrets dont vous auriez été mortifié, une fille de la vertu a de la pensée dans l'cœur, dont alle peut se vanter que sa conscience n'a pas une épingle à redire [2], tout d'même qu'ma mère qu'est une femme d'honneur, comme j'suis,

Votre, etc.

Ma mère ira demain Dimanche aveuc moi au Gros-Caillou comme y avoit Dimanche huit jours ; si vous venez ytout [3] aveuc la vote, mettez un peu d'poudre à vos cheveux sans que ça paroisse.

VIII

Maneselle,

C'est ben domage que ce n'est pas tous les jours Dimanche comme le jour d'hier, car j'aurions la consolance d'nous voir tant qu'assez. Jarny ! que j'étois aise d'être content en mangeant ste salade aveuc vous, Maneselle, de chicorée sauvage, il me semblit que je grugeois [4] du sellery, tant vos yeux me donnont des échauffaisons ; j'ai dansé nous deux vote mère ; mais alle n'danse pas si ben qu'vous. Alle vouloit pourtant dire que si, moi j'nay pas voulu ly dire qu'non, parce qu'alle n'est pas une étrange, mais vous qu'avez une téribe grâce quand vous dansez l'allemande. Le violon n'peut pas vous suivre. Et puis aveu ça vous chantez comme un soleil : en verté plus je vous r'gardois, et plus j'trouvois qu'vous aviez l'air d'un miracle. J'vous ai embrassé aveuc la permission d'la Compagnie, j'étois à moi seul plus ravi qu'tous les bien-

1. *Sacage :* sac.
2. *N'avoir pas une épingle à redire :* n'avoir pas la plus petite chose à reprocher.
3. *Y tout,* pour *itou :* également.
4. *Gruger :* écraser, puis : manger, mastiquer.

hureux qui gna eu depuis que l'monde est dans l'monde. Vous serez toujours dans l'idée de ma mémoire; j'vous dis ça hier, ça m'vient encore dans la pensée, parce que c'est une espèce d'amiquié d'ardeur qui fait que j'vous dis ce que j'vous dis, comme si je pouvois être encore plus chenument [1],

Votre, etc.

IX

Monsieux,

Vous m'dites aveuc d'l'écriture comme par paroles, qu'vous m'aimez ben; j'crois ben en Dieu. J'voudrois ben savoir par queulle occasion vous m'dites ça; c'est p'têtre d'la gouaille qu'vous me r'poussez; tenez, c'est qu'y a des garçons qui avont tant d'amour! tant d'amour! qu'ils le sépartageont à toutes les filles qui voyont; c'est Dieu me pardonne, comme des parpillons qui faisont politesse à une fleur, et puis qui faisont par ensuite comparaison aveuc une autre; si en cas vous n'êtes pas tout d'même, Dieu soit béni. Ça m'fra figurer dans mon esprit qu'vous avez ben d'l'égard pour ma considération; je n'veux plus vous écrire comme ça, car ça mange mon tems, ça recule mon ouvrage, et vote honnêteté avance dans mon intérieur plus que d'coutume; j'suis en attendant,

Votre, etc.

X

Maneselle,

Vous avez dans vote tête des escrupules pour moi dont j'voudrois faire invanoüir la doutance; l'desir d'mon es-

1. *Chenument*, terme d'argot: d'excellente qualité. Un vin *chenu* est un vin excellent car vieux (Leroux, Littré).

pérance touchant vote sujet, n'veut-y pas dire que je serai vote sarviteur tout au mieux ? Premièrement, vous êtes beaucoup belle, et pis moi j'suis parsévereux ; oui, Maneselle, j'voudrois qu'ma vie en soit quatre, et puis les mettre au bout l'une de l'autre, ça seroit pour vous sarvir plus long-tems, l'témoignage de ça n'a pas besoin d'signifiance, car l'article d'la mort me fra tout comme d'un clou à soufflet[1], et pis quand même j'mourrois, je n'changerois pas pour ça. Les autres filles n'me convenont pas comme vous ; qu'alles viennent pour voir auprès d'moi, comme sarpeguié j'vous les accueilleront ! alles auront beau dire : Monsieur Jérôme, comment ça vati ? Eh hu ! j'te réponds, par-dessur l'épaule ; mais tiens, vois dont, s'diront-elles, il est ben fier ! comme y fait ! Allez, Maneselle, que j'dirai, ça est énutile, vla tout, charchez des farauds[2] ayeurs. Adieu, Maneselle Nanette, j'prenrons la vanité d'vous aller voir demain avant l'après dîner pour vous dire que j'suis tout en plein,

Votre, etc.

XI

Monsieux,

N'venez pas comme ça d'si de bonne heure, comme c'est qu'vous avez venu hier ; ma mère vient de m'dire qu'notre linge étoit mal repassé, et qu'ça venoit de ce que vous veniez pas assez tard ; faut venir le soir, voyez-vous, car je ne sçaurois vous voir et puis travailler, ça fait deux tasches tout en un coup. En revenant nous revoir demain, n'manquez pas d'amener aveuc vous ste chanson qu'vous avez chanté d'votre voix avanz-hier ; ma mère m'a dit qu'alle étoit gentille à manger, c'est une vivante qui s'y connoît, sa Commère, qu'est marchande de ça, l'y en donne une infinité horibe ; gna ytout un jeune garçon qui y sera, qui en sait par cœur tout fin plein ; tâchez qu'vote

1. *Clou à soufflet :* se dit d'une chose qu'on estime peu.
2. *Faraud :* beau monsieur (terme argotique : Brunot).

cousin en revenant de Sève[1] tumbe cheux nous, ça fra qu'plus on est de fous et plus on rit; ma maraine Marie-Barbe et puis sa fille alles vianront exprès. Je leur ai fait envoyer dire par hazard qu'alles n'auriont qu'à venir, à moins qu'alles n'ayont pas le tems, comme de raison queuquefois. Pas moins j'suis,

Votre, etc.

XII

Maneselle,

Je nous avons bien divarti hier; jarnonce[2] q'vote maraine devise ben! c'est aussi pire qu'vous! cependant pourtant s'il y avoit une pariure à faire de laqueulle de tous les deux qui a plus de chose dans le gazouillage, j'mettrois ma tête à couper qu'vous r'gouleriez[3] vote maraine sur toutes sortes. Pour au sujet de Cadet Hustache[4] qui a donc chanté l'plus fort (pendant deux heures) de la Compagnie, c'est un fignoleux[5], mais y fait trop l'fendant[6]; à cause qu'il a du bec[7], et qui sait la rusmétique[8] comme un Abbé, y veut fringuer[9] par d'ssus nous : Y n'a qu'faire de tant faire; je l'connais ben,

1. *Sève :* Sèvres.
2. *Jarnonce :* sans doute juron dérivé de *jarni* (d'après « je renie Dieu »).
3. *Regouler :* repousser durement, d'où : être supérieur à.
4. *Cadet :* « se dit d'une personne qui est toujours prête à bien faire, à manger, à boire et à se divertir, qui ne refuse jamais de chamailler des dents, qui a l'appétit ouvert à quelque heure qu'on le prenne, et qui a sans cesse quelque aune de boyaux vides au service de ses amis » (Leroux). Bien que le personnage de Vadé ne retienne spécialement aucun de ces traits, son nom présente sans doute une vague connotation burlesque.
5. *Fignoleux :* dérivé de « fin », à sens péjoratif (Trévoux).
6. *Faire le fendant :* faire le fanfaron.
7. *Avoir du bec :* avoir de la voix.
8. *La rusmétique :* l'arithmétique.
9. *Fringuer :* se faire valoir (fringant : qui a de l'éclat).

c'est un petit chien de casseux [1] qui a des sucrés nazis [2] un peu trop de rechef : qu'il n'y r'vienne pas davantage à mon occasion, toujours, car je le r'muerois d'un fier goût ; et sans l'honnêteté que j'vous dois, j'y aurions fait voir qu'javons des bras qui valont ben sa langue ; ai-je ty affaire d'avoir besoin de ça, moi ? il m'a fait tout d'vant vous une dérision sur la chanson que j'avons chanté en vote honneur. Ça fait-y plaisir à un queuqu'un comme je pourrois être ? J'voudrois ben voir, pour voir comment y froit pour en faire, lui qui fait tant l'olimberius [3]. Ste chanson, alle est belle et bonne ; alle devient d'un d'mes amis que je connois qu'est cheux un Bureau d'la Barriere des Invalides, qui a d'l'esprit, dame ! faut voir ! et qu'en mangeroit quatre comme cadet Hustache ; j'y avons payé du vin pour ça et j'vous l'envoyons, comme vote volonté l'désire.

Air : *En passant sur le Pont-Neuf.*

Je suis amoureux très fort
(En v'la pour jusqu'à ma mort)
De la plus belle parsonne
Qui gn'aye dedans Paris,
Et c'est squifait que j'ly donne
Mon cœur qu'alle m'avait pris.

Je ly jure sur ma foi
Que je l'aime autant que moi ;
Son nom s'appelle Nanette,
Si je peux ly plaire un jour,
Ma fortune sera faite,
Ma richesse est son amour.

La vla comme alle est, Maneselle, ça n'sra pas la darnière, car j'en aurons p'têtre encore. J'men irai de-

1. *Casseux,* ou *casseur :* hâbleur, qui se vante de choses qu'il ne peut faire.
2. *Sucrés nazis :* injure visant peut-être le nez (narines) mielleux, hypocrite, doucereux, affecté de Cadet Hustache (?).
3. *Faire l'olimberius,* ou *faire l'olybrius :* faire le brutal.

main à Saint-Clou environ la valissance[1] d'huit jours, dont vla mon adresse, à Monsieur Jérôme Dubois, à l'Image Saint-Glaude. J'noze pas vous aller dire mes aguieux, car ça m'froit une peine de chien; ça n'empêche pas que je n'vous quitte avec la même quantité d'amiquié, comme si je n'vous quittois pas pour vous signifier que j'suis volontiers,

Votre, etc.

XIII

Monsieux,

J'vous souhaite un bon voyage et une parfaite santé, accompagnée de plusieurs autres; vla donc huit jours qu'je n'vous voirai pas qu'dans ma pensée, enfin faut prendre patience; mais j'vous dirai queuque chose touchant l'discours de vote lettre d'hier. Ça n'est pas permis qu'on soye d'mauvaise himeur dans l'plein cœur d'la joye, vous avez roulé vote corps dans la politesse et vous manquez dans la civilité, par la magnère qu'vous avez agi sur la conversation de Monsieur Cadet Hustache; ce garçon il est drôle comme tout, et y n'mérite pas la fâcherie qu'vous ly faites; queu mal y a ty d'rire l'un aveuc l'aute! J'vous dirai qu'dans le monde faut vivre aveuc les vivans, j'sais ben qu'il a fait une moqrie sur vote intention, mais alors qu'on gouaye pour badiner, ça n'est pas pour tout d'bon; un joli garçon prend ça d'la part qu'ça vient; j'naurois donc eu qu'à m'fâcher aussi comme ça drès qu'ma tante m'a dit queuques railles sur la raison du nom que je m'nomme, quand alle a dit: ma nièce Nanette a de l'esprit comme un dragon, c'est dommage qu'alle porte l'nom d'âne pour sa fête; et moi j'vous ly ai répondu, dame! comme on répond quand on sçait répondre: allez, si j'suis âne, ma tante, j'n'en ai pas moins la crainte d'Dieu d'vant les yeux; là-dessus alle s'est tait ben vite comme vous savez, et puis alle a changé d'discours sur

1. *Valissance:* valeur (voir la n. 1, p. 373).

un aute langage ben plus moins gausseux. Ça vous montre-ty pas que j'devons être pas tant d'une himeur qui s'offense, comme si c'étoit ben gracieux d'être comme ça. C'est pourquoi faut mieux du caractère aisié qu'du rude; moi j'aime mieux un mouton qu'un loup, parquoi j'voudrois qu'vous ayez un peu d'douceur pour que j'vous r'gardît comme un mouton, comme j'y serai toujours,

Votre, etc.

XIV

Maneselle,

C'est ben vrai ce qu'vous dites-là, faut pas s'arrêter à la langue d'un moqueux, et puis queuque ça m'fait tout ça ? Pourvû qu'j'ayons une branche d'vote amiquié, j'faisons plus d'contenance d'un filet d'vote paroly [1] que d'un tas d'jazeux qui se faisont gros comme des bœufs, à cause qu'ils avont pour deux yards [2] d'inloquence. Vous n'avez qu'à dire moi j'serai doux morguié comme d'l'eau d'any pour marque d'obéissance. A propos, je sommes arrivés à bon port, hormis qu'j'ons pensé périr roide comme une barre [3]. Faut que j'vous conte ça. Tenez, Maneselle Nanette, émaginez-vous que je sommes dans un grand bachot qui voyage à Val-Pont, j'équions à vingt pas d'la grande arche du pont d'Saint-Clou; j'dis à Jean-Louis, à Moyau ! Hé ! à Moyau [4] ! vla mon chien qu'étoit soul come un trente mil gueux, qui force l'gouvernail d'une rude force, ça fait faire au bachot l'coude. Sarpeguié j'dis, nous vla ben! j'veux ravirer à mont tout d'même, c'est énutile, et puis tout d'suite la gueule du bachot pan ! s'écalvantre [5] contre la pile, j'croyois,

1. *Paroly :* parole, mais sans doute confusion avec *paroli,* terme de jeu.
2. *Yards :* liards.
3. *Roide comme une barre :* prestement (Furetière, Leroux).
4. *A Moyau :* au milieu (?).
5. *S'écalvantre :* s'éventre terme d'argot.

l'guiabe m'enlève, que j'équions logés[1]; mais par bonheur j'neûmes pas d'malheur; j'en fûmes quites pour un pot d'rogome[2] que j'bûmes à la santé d'la providence pour sa peine qu'alle nous avoit présarvés d'aller tertous à la morgue. Je n'craignois de surmarger qu'dans la peur de n'plus être,

Votre, etc.

XV

Monsieux,

Y a du grabuge à note maison par rapport à moi et ma mère à cause d'vous; j'étois après à lire vote lettre dont j'nai pas pû achever la fin comme vous allez voir, si bien donc qu'vla qu'est ben, ma mère entrit sur le champ, alle m'dit bonnement: quoi qu'c'est qu'çà qu't'as là? Moi, j'dis, rien. Ah, dit-elle, c'est queuque chose. Ce n'est rien j'vous dis. J'parie, dit-elle, qu'c'est queuqu'chose? Pardy ma mère j'dis ce n'est rien, eh puis quand ça seroit queuqu'chose j'dis, ça n'vous froit rien; là-dessus alle m'arrachit vote lettre et puis alle lisit l'écriture tout du long. Ah! Ah! se mit-elle à dire, c'est donc comme ça qu'vous y allez aveuc votre Jérôme Dubois? Ah le chenapan il l'attrapra, c'est pour ly, on ly garde, et toy, chienne, vla pour toi. Quoi vous vous écrivez d'zécritures en d'sous main? Malhureuse que t'es! vla donc s'que t'as appris au catéchisse? Encore si s'garçon la pouvoit faire un bon assortissage j'dirois. Mais ma mère j'dis, c'est un bon travayeux, je n'sommes pas plus q'ly, une blanchisseuse n'est pas une grosse Dame; oui da, dit-elle, y a blanchisseuse et blanchisseuse; toy, t'es blanchisseuse en menu, et quand même tu n'blanchirois qu'du gros, drès qu'on za de l'inducation, gueuse! fille de paille vaut garçon d'or. Eh ben j'dis ma mère, quoiqu'je n'soyons pas d'paille, je n'voulons point d'homme d'or ny d'ar-

1. *Etre logé :* être dans un état fâcheux.
2. *Rogome :* eau-de-vie ou autre liqueur forte.

gent, nous en faut un tout comme Monsieux Jérôme Dubois ; j'suis fille d'honneur, il est honnête garçon, oüy ma mère, j'nous aimons à cause d'ça, et j'nous aimerons tant que l'corps nous battra dans l'âme ; là-dessus alle m'a encore apliqué une baffe d'sus l'visage, et puis alle a dit que j'ly payerois, mais ça n'empêchera pas l'continuage d'lamiquié dont j'suis,

Votre, etc.

XVI

Maneselle,

C'est pour vous r'marcier d'la magnère qu'vote mère a été r'bouissée [1] par la soutenance d'vote farmeté à mon sujet ; et c'est fort mal fait à elle d'avoir dit ça, si j'n'avons pas des richesses, j'ons un savoir faire. Q'alle ne fasse pas tant la Bourgeoise ; si alle a d'la valeur c'est qu'alle a fait une brave et genti-fille comme vous, sans ça j'n'en donnerois pas la moiquié de rien. Pour à l'égard de s'qui est d'moi, j'vous aime tant, qu'au lieur de n'partir qu'lundy, j'décampe demain. Vla quate jours que je n'vous vois pas, m'est avis qu'c'est comme si j'avois été quate mois au Fort-l'Evêcre [2]. Queu diante d'train qu'l'amour, on est comme des je n'sçais pas quoi ! j'crois moi que j'suis malade ; quand j'traye les bras m'tumbont, j'suis triste ; et puis j'pense à vous comme si j'navois qu'ça à faire, et puis quand j'suis couché j'vous lâche d'grosses respirations, comme si on m'avoit fiché l'tour ; j'ai beau me r'tourner sur un côté et puis sur l'autre, je n'suis pas pus avancé à quate heures du matin que j'l'étois drès en m'couchant, et puis à la fin j'm'endors gros comme un rien, j'crois que j'vous vois en rêvant, et tout d'suite je m'réveille pour vous saluer, craque, j'ten casse [3] ! j'trouve que mon rêve s'est moqué d'moi ; je

1. *Rebouiser :* filouter (Leroux) ; ici : votre mère a été bien attrapée.
2. *For-l'Evêque :* prison située rue Saint-Germain-l'Auxerrois à Paris.
3. *Je t'en casse :* ce n'est pas pour toi.

n'sais pas s'que ça veut dire; j'diray à ma mère qu'alle m'fasse saigner, car c'est comme une fiéve; p't'être qu'd'abord que j'vous voiray ça ira mieux, car j'sens ben que j'sens ça. J'ai dit à mon cousin qu'je l'priois d'donner ste lettre ci à vote maraine pour afin qu'vote maraine vous la donne du meyeur plaisir qu'jaye en vous estimant, sans oublier la parfection, dont j'suis,

Votre, etc.

XVII

Monsieux,

Du d'puis qu'vous vla r'venu de r'tour, vous n'avez entré cheux nous qu'deux fois; ma mère, quoi qu'alle y étoit, n'a pas empêché qu'vous ly d'mandiez comment ça va-ty; pour à propos de ce qu'vous y avez parlé touchant sa volonté d'nous voir ensembe, alle vous a donné la parmission de ça pour tous les soirs et vous n'venez seulement pas : ça m'fait d'la peine, parce que j'pense en moi-même qu'vous avez p't-être du sentiment pour une autre parsonne, s'qui froit voir que j'suis comme la moindre au vis-à-vis d'vote cœur. J'avons ben ri hier après note ouvrage. Y avoit cheux nous la même compagnie qu'il y avoit l'jour d'la dergnère fois qu'vous y étiez. L'p'tit Cadet Hustache avoit été la veuille aux danseux d'corde, il nous a dit l'histoire d'tout ça tout droit comme si pardy c'étoit un théate; vous auriez ben ri toujours; ah ça! écrivez-moi donc la raison dont je n'vous ons pas vû du d'puis l'jour qu'vous équiez d'un visage comme triste d'vant tout l'monde, ça vous chagrinoit-y de m'voir? Tâchez d'faire ensorte que j'vous voye un air content comme j'suis, quand j'vous dis que j'suis,

Votre, etc.

XVIII

Maneselle,

J'voudrois être mort qui m'en eût coûté la vie, parce qu'vous êtes ben-aise quand Cadet Hustache vous fait rire; j'dirois ben tout comme ly des risées; mais d'abord que j'suis auprès d'vous, je n'sçais pas, j'ai l'esprit sur vote respect comme une bête; quand j'vous r'garde y sembe qu'ma parole s'fourre ytout dans mes yeux, et que j'nai d'aute discours à vous dire, que stila d'vous r'garder; j'vois ben qu'vous aimez Cadet Hustache, car vous ly dites toujours: dites-nous donc encore queuque chose; pour moi y m'tue quand j'l'entends, et c'est la cause pourquoi y a trois jours dont j'vous ai manqué d'voir; et quand j'ons eu st'honneur-là, ça n'étoit parguié pas pour Maneselle Marianne, ny pour Maneselle Babet, ny pour Maneselle Madelon, ny pour Maneselle Tharèse que j'y allois, vantez-vous-en; et sans vanité j'y allois pour vous toute fine seule, alles aviont beau faire les faraudes en magnère d'être agréyables, ça n'me faisoit seulement pas déranger l'attache d'ma vue de d'sus vote parsonne, gna qu'vous qui m'semble une parle d'or et qui m'fait du plaisir à voir; au lieur qu'ça soit de d'même du côté d'vous, j'vois qu'vous voyez sticy stila aveuc autant d'plaisir que d'satisfaction, et Cadet Hustache encore plus fort; hé ben, vous n'avez qu'à l'garder; pour moi j'aime mieux créver d'chagrin par l'absence d'vote présence, que d'voir s'p'tit chien-là cheux vous comme y est; c'est vrai, car foi d'honnête garçon j'suis envieux de l'y autant qu'je n'serois pas envieux si j'n'avois pas l'amour dont j'suis,

Votre, etc.

XIX

Monsieux,

Faut s'taire avant que d'parler; c'est ben vilain d'être

envieux sans l'occasion d'un sujet; Cadet Hustache est drôle, mais j'ne vous changerois pas pour deux comme ly. T'nez, Monsieur Jérôme Dubois, j'm'en vas sans comparaison vous faire une comparaison; ah ça! suposons qu'Cadet Hustache est un chat, là! et puis vous, vous serez un chien, excusez au moins, c'est que j'supose ça. Et moi j'serai, révérence parlé, une Dame, que j'serai la maîtresse du chat et puis la maîtresse du chien; n'est-y pas vrai que s'chat fra des singeries! Et pis moi, j'rirai. L'chien aura une autre magnère pour être avenant, y m'suivra, y m'caressra, et moi je l'flattrai, et j'aurai envers ly une façon d'amiquié, parce qu'c'est par amiquié que ste pauvre bête fait tout ça; au lieur que l'chat n'jouë qu'par accoutumance et pour la récréance d'ly-même, ça m'réjouira mes yeux de l'voir; mais vla tout; par ainsi vous voyez ben qu'c'est vous qui est pus-tôt dans la perférance que j'choisis pour l'meyeur partage; vous en voulez à Cadet Hustache de s'qui vient cheux nous, moi je n'peux pas l'renvoyer; voyez donc, ça seroit-y gracieux? Ma mère trouvroit ça une injure pire qu'une offense dont on froit au jeune homme, parqu'c'est une mal'honnêté d'être incivile au sujet du monde sans sujet, et puis aveuc ça ma mère m'demandroit d'où vient qu'ça est comme ça? Faudroit donc après que j'dise, c'est qu'Monsieux Jérôme Dubois veut qu'ça soit comme ça, parce qu'si ça n'est pas comme ça, y s'renvoyera l'y-même d'cheux-nous; ensuite ma mère alle froit l'train comme un sarpent, et j'en serions mauvais marchands [1]; v'nez plûtôt rire tout d'même qu'les autes, et puis ensuite vous voirez qu'je n'frai d'l'amiquié qu'à vous, parce que s'n'est qu'à cause d'vous que j'suis,

Votre, etc.

1. *J'en serions mauvais marchands :* j'aurais sujet de me repentir (Leroux).

XX

Maneselle,

J'ai agi selon comme vous vouliez l'jour d'la Fête, j'ai venu cheux vous toute la journée et m'est avis que j'ai ben fait, car vous m'avez marqué des signes d'amiquié une fière bande, j'veux être grenouille si je n'croyois pas être dans l'finfond du Paradis ; ça n'empêche pas que je n'souffre une souffrance qui m'fra périr mon corps ; j'ai à tout moment l'cœur comme si vous me l'serriez à deux mains. J'm'en vas vous écrire au bout d'ça une chanson dont c'est moi qu'est l'ouvrier, je n'savois pas que j'savois faire de ça, vous êtes morguié pire qu'une maîtresse d'école, car c'est vous qui m'donne d'la capableté dans l'esprit. Vla donc qu'vous allez chanter la chanson qu'c'est moi qu'j'a travaillée hier au soir avant d'm'endormir.

CHANSON

Sur l'air : *Dedans Paris queulle pitié d'voir tant de filles pleurer.*

L'amour est un chien de vaurien
Qui fait plus de mal que de bien
Habitans de galere
N'vous plaignez pas d'ramer,
Votre mal c'est du suque
Près de stila d'aimer.

Ce fut par un jour de printems
Que je me déclaris Amant,
Amant d'une brunette
Bell' comme un Curpidon,
Portant fine cornette
Posée en papillon.

Alle a tous les deux yeux bryans
Comme des pierres de diamant,

Et la rouge écarlatte
Que l'on voit zaux Goblins
N'est que la couleur jaune
Au prix de son blanc teint

Alle a de l'esprit fièrement
Tout comme un garçon de trente ans,
Ça vous magne d'l'ouvrage,
Dam' faut voir comme ça s'tient
L'diabe m'emporte, une Reine
N'blanchiroit pas si bien.

J'sçais bien qui n'tiendroit qu'à moi
De l'épouser si all'vouloit :
Son sarviteur très-humbe
Attend sa volonté,
Si ça se fait ben vîte
Fort content je serai.

Ma mère m'voit tous les jours amaigrir, alle croit qu'j'ai d'la maladie, alle a prié note voisine qu'alle s'en aille à la bonne Sainte Genevieuve pour auquel une de mes chemises touche à sa châsse et qu'ça m'guériroit, moi j'la prierois plustôt pour que j'fasse mon d'mariage aveuc vous ; j'irai demain vous civiliser, et puis je frons un entrequien d'conversation là-dessus, pour en cas qu'ça vous fasse plaisir que j'fasse parler ma mère à vote mère, afin que j'voyons la définition de tout ça, par quoi j'serai infiniment,

Votre, etc.

XXI

Monsieux,

Vous avez sorti d'cheux nous venderdy en façon d'un homme qu'est comme une fureur pour la cause que j'vous ai pas consenti sur la d'mande auquel vous m'avez dit que j'vous dise une réponse ; y a encore du temps pour que j'nous avisions d'être mariés. A Pasques prochain qui vient, j'naurai qu'vingt-trois ans. Faut vous donner patience pardi, moi j'veux encore queuqu'tems faire la fille, et puis quand la fantaisie d'être femme m'prendra j'vous l'dirai; ma maraine dit comme ça, qui gna pas d'tems plus genty pour une jeunesse que où-ce-qu'on se fait l'amour; par ainsi quoi-qu'ça vous coûte pour n'pas attendre un peu plus davantage? Ça n'peut pas vous enfuir. Voyez par exempe ma Cousine Manon qu'alle est mariée depuis il y a quate mois, hé ben, alle est devenue sérieuse, sérieuse, comme un détéré, au lieur qu'alle étoit quand alle étoit fille si de bonne himeur, qu'c'étoit la parle des creyatures qui ont plus d'joyeuseté dans une compagnie. J'vous diray qu'j'avons chanté ste chanson qu'vous m'avez fait, tout le monde dit qu'vous avez d'l'émagination comme la parole d'un ange; et ça m'fait dans l'cœur comme si c'étoit un p'tit brin d'vanité, qu'vous soyez mon sarviteur d'la même attache que j'suis,

Votre, etc.

J'irons Dimanche manger des beugnets cheux ma maraine, y yaura fierment d'monde, v'nez-y, j'croirai qu'gn'aura qu'vous seul.

XXII

Maneselle,

Si vous n'm'aimez pas, vous n'avez qu'à me l'faire à sçavoir, parce que si ça est, j'n'en serai pas pus pauvre; tenez, nous autes, j'ne nous en raportons pas aux gisticulemens des yeux, dont l'cœur leux donne des démentis. Dimanche, en joüant au pied d'bœuf[1], vous tâchiez toujour d'attraper la main à Cadet Hustache pour ly

1. *Pied de bœuf:* jeu d'enfants où l'on retient la main d'un partenaire (Littré).

commander d'embrasser la compagnie, à celle fin qu'vous y trouviez vote quotepart; vous aviez beau m'présenter des clins d'œil pour m'faire bonne bouche, il n'me passions pas l'nœud d'la gorge; apparamment qu'je n'suis pas genty, suivant l'goût d'vote magnere; mais j'ai du cœur, toujours, et si vous équiez aussi ben un garçon tout comme moi, j'nous saboulerions [1] jusqu'à tant que l'guet nous menît cheux l'commissaire qui vous condamneroit à avoir tort, parce qu'vous êtes une manqueuse de parole. N'm'avez-vous pas dit comme ça que quand j'nous serions aimé avec d'lamour, je comparaisserions d'vant un prêtre au sujet du mariage? A st'heure-ci qu'Cadet Hustache vous a engueusée, y sembe, quand j'vous parle d'amiquié, que ça vous dévoye [2], et puis quand j'vous d'mande si vous voulez que l'saquerment n'fasse d'nous deux qu'une jointure, vous m'dites qu'vous n'vous sentez pas d'vacation pour la chose; ça étant, dites-moi du oui ou du non, si vous voulez rompe la paille [3] aveuc moi, parce que je n'veux pas être l'dindon d'vos attrapes, y en a d'autes qu'vous qui n'm'en r'vendront pas comme vous m'en avez r'vendu, car j'ferai ce qui faut faire pour ça; tout l'monde n'trichera p'têtre pas,

Votre, etc.

XXIII

Monsieux,

Vla donc comme vous y allez? Ce que vous faites-là est traître comme un chien, avec vote engueusement et vote Cadet Hustache, quoi qu'tout ça veut dire? J'vois

1. *Sabouler :* terme populaire qui se dit de ceux qui se battent et se houspillent, se renversent (Richelet, Furetière).

2. *Dévoyer :* « se dit aussi pour marquer l'effet ordinaire des indigestions d'estomac » (Académie 1718); d'où peut-être ici : il semble, quand je vous parle d'amour, que cela vous rende malade, vous inspire de la répulsion (?).

3. *Rompre la paille :* cesser d'être amis.

ben vote allure, vous voulez m'faire enrager à celle fin que j'vous fasse des duretés, pour qu'vous disiez après qu'c'est moi qu'est l'original de note brouillerie, et puis vous m'souhaittrez l'bonjour, pas vrai ? Faloit m'dire ça plûtôt, j'n'aurois pas tant fait bisquer ma mère. La pauvre femme ! alle avoit ben raison ! mais que vous êtes genty aveuc vos complimens ! quoi qu'c'est que l'dindon d'mes attrapes ? Allez, Monsieux, vous êtes un diseux d'sottises ; allez vous promener, et Cadet Hustache ytout ; j'avons, Dieu marci, c'qui faut pour être glorieuse d'note honneur. Y a deux ans que j'voulois entrer pour être Sœur blanchisseuse, à l'Hôtel-Dieu, j'iray da, et drès [1] dans huit jours ; tout s'qui m'fait d'la peine, c'est qu'j'avois du plaisir à vous aimer ; j'serois ben malheureuse si ça m'duroit ; mais j'prierai l'bon Dieu à toutes les fois que j'penserai à vous, et puis p'têtre que j'ny penserai plus. Allez, faut qu'vous soyez ben mauvais pour m'avoir dit toutes les feintises d'amiquié que j'prenois pour du vrai ; parsonne ne m'sera de rien et pour le coup j'suis,

Votre, etc.

XXIV

Maneselle,

J'vous demande pardon comme si j'vous d'mandois l'aumône ; j'vous ai fait du chagrin, ce n'est pas par exprès, c'est que j'vous aime si tériblement qu'japréhendois comme le feu d'vous pardre, j'vous aurois pardue si Cadet Hustache vous avoit trouvé d'la pente pour son inclination, j'croyois ça ; et j'men allois aller demain cheux lui aveuc ma canne pour nous batte à l'espadron [2], j'sais magner ça, et j'nous serions r'layé [3] infiniment. Ah ! Maneselle Nanette ! que j'vous suis ben obligé qu'c'est moi qu'vous aimez tout seul ; je m'moque à

1. *Drès :* dès (voir lettre XIII).
2. *Espadon :* « épée à deux poignées que l'on tient à deux mains » (Furetière).
3. *Relayé :* délivré d'un souci (?).

st'heure-ci que Cadet Hustache fasse le p'tit riboteur risibe; quand y vous divartira, ben au lieur de l'y en vouloir, j'ly payerai queuqu'chose. Ah ça, racommodez-vous donc nous deux; aussi non j'mengage soldar dans la guerre, j'irai par exprès m'faire blesser, et puis j'dirai qu'on m'porte à l'Hôtel-Dieu à Paris, là où ce que vous seriez Sœur; j'vous frois d'mander pour qu'vous m'voyez dans mon lit; on auroit beau m'guérir, j'n'en revienrois pas pour ça. Voyez queulle belle gracieuseté qu'vous auriez d'voir mourir tout-à-fait,

Votre, etc.

XXV

Monsieux,

J'suis bonne, moi, et ça fait que j'nai pas un brin d'rancune; j'pleurois comme une folle hier d'nous voir fâchés tous les deux pour l'amour l'un d'l'autre; ma mère vint à venir, alle vit que j'tenois ma tête d'une main, et puis mon mouchoir de l'autre; moi je m'lève par semblant de rien pour sortir un peu, alle m'dit : où qu'tu vas? queuqu't'as? t'as les yeux mouillés? alle m'prend par le bras, alle veut que j'ly conte l'occasion pour quoi qu'j'avois l'air d'une couleur pâle et puis les yeux gros; j'ly dis que j'veux être Sœur à l'Hôtel-Dieu, alle se met à pleurer ytout, et puis moi je r'pleure encore : Ah, dit-elle, j'aime mieux qu'tu sois mariée qu'd'être Religieuse; tiens, n'pleure pas, qui qu'tu veux épouser, tu n'as qu'à dire; mais dis donc? Veux-tu d'Monsieur Jérôme Dubois? Là-dessus j'ly montris vote darniere lettre; oh ben, dit-elle, puis qu'y t'aime ben, je n'veux pas qu'il s'engage soldar; tu n'as qu'à voir si tu l'aime ben ytout; y n'a qu'à venir me parler, ça sera bientôt fait. Là-dessus je l'ai embrassée d'tout mon cœur; venez donc ben vîte; allez, si vous sçaviez que j'suis aise, au prix d'hier; je voudrois déjà être fiancée, ça feroit que j'serions ben près d'être mariés; queu plaisir que j'aurai d'être vote servante et femme!

XXVI

LETTRE DE M. CADET EUSTACHE

à

M. JEROSME DUBOIS

Vla bian des fois que j'nous sommes essayés de prendre la licence d'vous dire par écriture note compliment sur vote mariage avec Maneselle Nanette Dubut ; j'ons toujours été en arrière de note désir. Cependant pourtant j'y passons dans la moulure d'vos lettres pour un fignoleux. A vote avis j'faisons trop le fandant, et j'y voulons fringuer par-dessus les autres, à cause que j'ons du bec, et que j'sçavons la rusmétique comme un abbé. Vous dites comme ça q'vous nous connoissez ben, et que j'sis un p'tit chien d'casseux qui a des sucrés nazis un peu trop d'rechef ! J'ons d'la r'souvenance, et j'sçavons qu'ils ont fait tout d'vant vous une dérision sur la chanson que j'prîmes la valicence d'entendre quand j'étions d'la compagnie où on la chantoit en l'honneur de stella qui chante comme un soleil, qui a d'la pensée dans l'cœur dont alle peut s'vanter qu'sa conscience n'a pas une épingle à redire ! Aussi plus j'la r'gardons même au jour d'aujourd'hui qu'alle est Madame vote Femme, et plus j'trouvons qu'alle a l'air d'un miracle… Eh ben, M. Jérosme, j'sis fâché à présent d'vous avoir fait une manque d'bienveillance, car morgué j'vous disons avec d'lécriture comme par paroles, q'j'vous aimons ben et vote femme y tout. Le saquerment n'fait d'vous deux qu'une jointure qui n'est pas comme celle des autres que j'passons dans notre bachot pour à celle fin de prendre le frais d'liau dans l'bain d'la rivière. A propos de ce qui est en cas d'jointure, j'vous dirons q'j'nous sentons d'la vacation pour la chose du mariage à l'endroit de Maneselle Louison[1]. Quand j's'rai marié, j'vous prierons d'la noce. J'agissons aveuc vous, Monsieux Jérôme, comme d'coutume et j'voulons toujours être,

Vote très-humble sarviteur Cadet Eustache, maître passeux, tout en devant des Invalides, demeurant sur la gauche du chemin qui enfile tout droit au Gros-Caillou.

1. A partir d'ici la lettre de Cadet Hustache se prolonge dans l'édition originale d'un passage et d'une « chanson grivoise » qui n'ont plus guère de rapport avec l'histoire de Jérôme et Nanette. Ces quelques pages sont coupées dans l'édition de 1756, que nous suivons ici. Voir la Notice, p. 370.

NOTE BIBLIOGRAPHIQUE

Texte :

Les *Lettres de la Grenouillère* furent maintes fois rééditées aux XVIIIe et XIXe siècles. On les trouve par exemple dans :

Poésies et lettres facétieuses de Vadé, avec une notice bio-bibliographique par Georges Lecocq, Paris, Quantin, 1879.

Études :

Il s'agit surtout d'études portant sur la langue de Vadé. Principaux ouvrages consultés :

Agréables Conférences de deux paysans de Saint-Ouen et de Montmorency, Édition critique de F. Deloffre, Paris, Les Belles Lettres, 1961.

BRUNOT, F., *Histoire de la langue française* (Tome VI, 2e partie, fascicule 1).

FREI, H., *La Grammaire des fautes,* Bellegarde, S.A.A.G.F., 1929.

FURETIÈRE, *Dictionnaire universel,* 1690.

GODEFROY, F., *Dictionnaire de l'ancienne langue française,* 1902.

LACURNE DE SAINTE-PALAYE, *Dictionnaire de l'ancien langage français,* Niort, 1881.

LARTHOMAS, P., *Le Théâtre au XVIIIe siècle,* Paris, P.U.F., 1981.

LEROUX, Ph., *Dictionnaire comique, satirique, critique,*

burlesque, libre et proverbial (Première édition: 1718).

MARIVAUX, *Œuvres de jeunesse*, Édition F. Deloffre, Paris, Bibl. de la Pléiade, 1972.

RICHELET, *Dictionnaire français*, 1680.

ROBERT, Raymonde, « Un roman d'amour au Gros-Caillou : l'invitation du style populaire dans les *Lettres de la Grenouillère* » in *Le Génie de la Forme, Mélanges de langue et littérature offerts à* J. Mourot, Nancy, 1982, pp. 297 à 307.

SAINÉAN, L., *L'Argot ancien*, Paris, 1907.

SEGUIN, J.-P., *La Langue française au XVIII*e *siècle*, Paris, Bordas, 1972.

TOBLER-LOMMATZSCH, *Altfranzösisches Wörterbuch*, Berlin, 1915.

TOUBIN, Charles, *Dictionnaire étymologique et explicatif de la langue française et spécialement du langage populaire*, Paris, 1886.

TRÉVOUX, *Dictionnaire universel*, 1752.

WARTBURG, W. von, *Französisches Etymologisches Wörterbuch*, Bonn, Tübingen-Basel, 1928 s.v.

BIBLIOGRAPHIE GÉNÉRALE

AUSTIN, J.-L., *Quand dire, c'est faire* (How to do things with words), Paris, Seuil, 1970.

BARTHES, Roland, *Fragments d'un discours amoureux*, Paris, Seuil, 1977.

BRAY, Bernard, *L'Art de la lettre amoureuse : des manuels aux romans (1550-1700)*, La Haye, Mouton, 1967.

BRAY, Bernard, « Transformation du roman épistolaire au XXe siècle en France », *Romanistische Zeitschrift für Literaturgeschichte / Cahiers d'histoire des littératures romanes*, I, 1977, pp. 23-39.

Cahiers de l'Association internationale des études françaises : « Le roman par lettres », Nº 29, mai 1977.

CARRELL, SUSAN L., *Le Soliloque de la passion féminine ou le dialogue illusoire : étude d'une formule monophonique de la littérature épistolaire*, Études littéraires françaises, Nº 12, Paris, J.-M. Place, Tübingen, G. Narr, 1981.

Communications : « La conversation », Nº 30, 1979.

COULET, Henri, *Le Roman jusqu'à la Révolution*, Paris, A. Colin, 1967, 2 vol.

CUÉNIN, Micheline, *Roman et société sous Louis XIV : Mme de Villedieu (Marie-Catherine Desjardins, 1640-1683)*, Paris, H. Champion, 1979.

DÖRRIE, Heinrich, *Der heroische Brief, Bestandaufnahme, Geschichte, Kritik einer humanistisch-barocken Literaturgattung*, Berlin, W. de Gruyter, 1968.

DUCHÊNE, Roger, *Réalité vécue et art épistolaire : Mme de Sévigné et la lettre d'amour*, Paris, Bordas, 1970.

FAUCHERY, Pierre, *La Destinée féminine dans le roman européen du dix-huitième siècle,* Paris, A. Colin, 1972.

GIRAUD, Yves, *Bibliographie du roman épistolaire en France des origines à 1842,* Fribourg, Éditions universitaires, 1977.

HOFFMANN, Paul, *La Femme dans la pensée des Lumières,* Paris, Ophrys, 1977.

JOST, François, « Le roman épistolaire et la technique narrative au XVIIIe siècle », *Comparative Literature Studies,* 4, 1966, pp. 397-428.

LAUFER, Roger, « La réussite romanesque et la signification des *Lettres persanes* », *Revue d'histoire littéraire de la France,* avril-juin 1961.

LEVER, Maurice, *Le Roman français au XVIIe siècle,* Paris, P.U.F., 1981.

LEYMARIE, Jean, *L'Esprit de la lettre dans la peinture,* Genève, Skira, 1967.

MAY, Georges, *Le Dilemme du roman au XVIIIe siècle,* Paris, P.U.F., 1963.

MERCIER, Michel, *Le Roman féminin,* Paris, P.U.F., 1976.

Nouvelle Revue de psychanalyse : « La passion », N° 21, 1980.

OUELLET, Réal, « La théorie du roman épistolaire en France au XVIIIe siècle », *Studies on Voltaire and the 18th Century,* 89, 1972, pp. 1209-1227.

PELOUS, Jean-Michel, *Amour précieux, amour galant (1654-1675), essai sur la représentation de l'amour dans la littérature et la société mondaines,* Paris, Klincksieck, 1980.

Revue d'histoire littéraire de la France : « La lettre au XVIIe siècle », N° 6, 1978.

ROUSSET, Jean, *Forme et signification, essai sur les structures littéraires de Corneille à Claudel,* Paris, J. Corti, 1962.

ROUSSET, Jean, *Narcisse romancier, essai sur la première personne dans le roman,* Paris, J. Corti, 1973.

SEARLE, John-Richard, *Les Actes de langage, essai de philosophie du langage,* Paris, Hermann, 1980.

STACKELBERG, Jürgen von, *Literarische Rezeptionsformen : Übersetzung, Supplement, Parodie,* Frankfurt/Main, Athenäum Verlag, 1972.

VERSINI, Laurent, *Laclos et la tradition, essai sur les sources et la technique des « Liaisons dangereuses »*, Paris, Klincksieck, 1968.

VERSINI, Laurent, *Le Roman épistolaire,* Paris, P.U.F., 1979.

YAHALOM, Shelly, « Du non-littéraire au littéraire. Sur l'élaboration d'un modèle romanesque au XVIIIe siècle », *Poétique,* 44, nov. 1980, pp. 406-421.

TABLE DES MATIÈRES

Chronologie 5
Introduction 13

Lettres portugaises traduites en français 57
Lettres de Babet 99
Lettres galantes de Madame**** 175
Lettres d'une Péruvienne 237
Lettres de la Grenouillère 365

Bibliographie générale 399

GF Flammarion

Achevé d'imprimer en France par Dupli-Print (95)
en janvier 2022
N° d'impression : 2970666K

N° d'édition : L.01EHPNFG0379.A012
Dépôt légal : mars 1983

GF Flammarion

Achevé d'imprimer en France par Dupli-Print ([illegible])
en [illegible]
N° d'impression : [illegible]

N° d'édition : [illegible]
Dépôt légal : mars 1983